目　　录

影视剧篇

产业篇

技术篇

管理篇

北京广播影视发展研究文集

BEIJING GUANGBO YINGSHI FAZHAN YANJIU WENJI

（2012年）下册

北京广播电影电视研究中心　汇编

北京出版集团公司
北　京　出　版　社

北京广播影视发展研究
文集
（2012年）下册
影视剧篇

三十年京华风云　真善美荧屏诗画
——北京电视剧辉煌30年巡礼

曾庆瑞　李　瑾

30年来，北京广大电视剧艺术创作者深入生活、深入群众、深入实际，以精湛的艺术功底和高度负责的创作态度，创作出一大批反映广阔的社会生活现实和历史，蕴含丰富和深刻的精神内涵，表现崇高和平实的人物风采，体现真善美境界的优秀作品，电视剧艺术的生产力得到了极大程度的解放。30年的艺术实践证明，以真善美的荧屏诗画描绘京华风云的北京电视剧，是中国电视剧艺术中最为璀璨耀眼的明珠。

一、三十年北京生活剧变的真实写照

1982年北京电视剧艺术中心的成立，紧接着1983年中国电视剧制作中心的成立，标志着中国本土电视剧的全面复兴时期的即将到来。而实际上，这一时期电视机还未进入千家万户，电视文化还没有成为反映时代精神的主流文化。但电视文艺对于时代思潮的敏锐，对于人民情感的关注以及对于社会责任的担当都通过这一时期的“伤痕电视剧”、“反思电视剧”、“改革电视剧”凸显出来了。1980年《中国青年》上发表了署名潘晓的一篇文章《人生的路啊怎么越走越窄》，收到全国各地6万多封来信，掀起了一场关于人生观的大讨论。广大城市青年有的刚刚从插队农村返城，有的被“文革”耽误了读书的最好时期，有的由待业青年变成了失足青年。解决青年的精神荒芜现象，重建人们的理想信念是当时重要的文化思潮。1985年根据柯岩小说改编的《寻找回来的世界》就是一部以挽救失足青年为主题的电视剧，这部温暖人心的作品力量源于它朴素的现实主义创作，剧中工读学校生活的质感、问题学生内心的刻画栩栩如生，很多画面至今还历历在目。寻找青春、寻找良知、寻找尊严，这不是对于工读学生高高在上的训诫和教化，而是整个时代对于青年人的呼唤，失足不是个人的问题，而是整个社会的问题，这样的视角是多么平实和真挚，对于这些曾经失去过的孩子们来说又是多么具有抚慰力量啊。1988 年一部《便衣警察》，又是一部青年励志电视剧，片首曲《少年壮志不言愁 》一语道破主题。那个时期人们的个人命运和国家命运紧密交织在一起，公安干警周志明因为“天安门事件”一夜之间成为阶下囚，但是他内心坚定的信念从来没有动摇。胡亚捷饰演的这个电视形象成为了引导青年人积极向上人生观的青春偶像。20 世纪 80 年代的中国大地就像解冻的河床，人们精神禁锢解除了，国家正在努力开拓改革开放的新局面，百姓在日新月异的生活中不断为自己定位。电视作为中国老百姓精神的视窗，忠实记录着社会生活的变化，并先天带有着意识形态的使命感。80 年代这一特点，即使是在电视成为大众文化急先锋的 90 年代也没有消失。

1987 年电视已经拥有了 6 亿中国观众，我国成为了世界上电视人口第一的国家，观众对于电视的需要是电视剧繁荣的准备条件。1990 年 50 集电视剧《渴望》成为了电视剧史上的标志性事件，这部用北京胡同语言讲述家长里短的电视剧，获得了 96. 4% 的收视率，每天晚上家家户户都坐在一起为善良的刘慧芳和实心眼的宋大成能不能走在一起而揪心。剧中反映了 20 世纪 60—80 年代中国这段极其富有戏剧化的 20 年给普通人造成的伤痛，引起了大家的共鸣。虽然从文化批判的立场上看，《渴望》的现实深度还有提高的空间，但是它对于刚刚过去的岁月能作出这么及时的反思，并且以干部家庭和普通工人家庭的矛盾作为叙事主线，这样的敏锐和准确，在当代电视剧创作中也不多见。

90 年代人们变得务实了，但是 80 年代的思想解放毕竟让人们视野宽阔了，文化创作和接受上都宽容了很多。《渴望》的成功让电视剧创作者获得了一个宝贵的风向标：电视剧的社会功能是能够通过拍百姓生活来实现的。北京电视剧的品牌就是依照这个理念在这一时期树立起来的。北京电视剧艺术中心在这一时期创作了一系列有影响的优秀电视剧作品《编辑部的故事》、《过把瘾》、《北京人在纽约》等，引来了人们对于京派电视剧的瞩目，也标志着通俗电视剧的崛起。所谓“通俗”，现在看来，首先是创作观念上的变化。过去电视作为宣传阵地要承载社会大题材、时代大命题，电视剧作品也带有严肃庄严的色彩，这批电视剧在荧屏的亮相，一下子拉近了观众与荧屏的距离，那时尺寸不大、还没有高清影像的电视屏幕上上演的百姓生活、塑造的人物形象让人感到非常亲切和温暖。1991 年本土第一部轻喜剧《编辑部的故事》，一场又一场原汁原味的京味儿语言狂欢，让老百姓看了特别舒心，《人间指南》杂志社里那些小知识分子，有点小理想，又都是大俗人，通过他们终日里忙忙叨叨，调查、化解生活中方方面面的热点、焦点，把一种“耍贫嘴”背后的从容、圆通、透彻的生活文化传递了出来，带有了鲜明的时代特征。接着，《过把瘾》也是一部近距离反映当代恋爱婚姻生活的作品，这部根据王朔小说改编的电视剧，继续用京味儿调侃塑造北京青年，所不同的是重心放在了女性私人化情感表现上并且做到了极致。

北京电视剧的繁荣，是和它总是积极地展现老百姓的思想和情感的律动，寻找表现时代信息的题材和手段分不开的。20 世纪 90 年代中国老百姓开始毫无顾忌地“谈钱”、“讲爱”了，“经商梦”、“出国梦”、“发财梦”变成了不少人活着的动力，电视剧也提供了寄托梦想和宣泄欲望的平台。电视剧《北京人在纽约》出现的时候，距中国成为世界上数一数二的消费大国还有十年光景，那时北京人只有到国外去实现富人生活的梦想，而这种出国捞钱的美梦在剧中最终是付出了人性扭曲的代价而破灭了的，所以这第一部“移民题材”的电视剧播出后，直接发挥了“降低出国率”的社会作用。同样，一部引起大家广泛关注，并直接影响人们对待生活的态度的电视剧是 1997 年的《牵手》，这部电视剧第一次让广大观众对于“婚外恋”问题产生了全民大讨论，取代以往单一的道德批判，更多人开始反思有爱或者无爱的婚姻形态。电视剧之所以能够改变人们看待世界的方式，乃至影响人生的设计和方向，是因为它总是与人们内心的热望如此熨帖地契合着。1994 年的《一地鸡毛》和 1999 年的《贫嘴张大民的幸福生活》是两部更具有现实主义深度的作品，两部都是改编自当时新现实主义小说的高峰作品。《一地鸡毛》精致描绘了小知识分子平庸的单位图景，陈道明饰演的小林纤毫毕现地代表了一个普通小职员的典型形象；《贫嘴张大民的幸福生活》中工人张大民要比前者讨人喜欢得多，尽管如此，梁冠华塑造的这个乐观、坚韧的平民榜样身上的典型性一点也没被喜剧语言冲淡。它们真实、深刻地揭示了时代经历价值转换之际，普通百姓所承受的创伤之广、伤痛之深，并不无矛盾地展现了在时代大潮滚滚向前的力量下，做不了弄潮儿的小人物的卑微和无奈。在那样一个充满政治、经济、文化的分化和冲突的年代，其现实主义力量可见一斑。

人们充满了对于中国经济腾飞的信心迎来了21世纪的到来，宏大叙事唱响着强国之梦，军事和历史题材成为了电视剧这一时期的主流叙事，相形之下，反映现实生活的电视剧创作数量有所下降，影响力也逐渐式微。这期间比较有代表性的是杨亚洲的“平民三部曲”《空镜子》、《浪漫的事》和《家有九凤》，其中以《空镜子》反响最好。《空镜子》以北京小户人家姐妹俩追求幸福的不同道路为主线，成功刻画了一个让人难以忘怀的真实生活的女孩孙燕，这个从大杂院走出的脱离俗世情怀的纯净女孩，赋予了该剧清新的诗意，使其与现实浮躁的生活产生了或远或近的距离，让人越品越有滋味。

自2002年中国加入WTO后的五年中国经济进入高速发展时期，在全球金融风暴经济低迷情势下，逆势增长，显示出日益强大的走势。与此同时，中华文化复兴也成为了这一时期的主流意识，2004年胡锦涛在联合国作有关“和谐社会”的论述，“和谐”成为了我国文化核心价值观。据2007年中国社科院发布的《中国社会蓝皮书》上说，人民普遍对于国家经济前景有信心，对于生活满意程度较高，百姓求发展的乐观情绪高涨。当然，随着产业迅速转型，社会格局剧变，人们实际生活面临着机遇和风险“双刃剑”。2002年《激情燃烧的岁月》引发了人们对于父母一辈幸福人生的关注。人们发现与其在现今复杂的社会心态中寻找幸福的定义，还不如把眼光投射在父辈奋斗的一生所带给我们的启示。电视剧从这里开始也找到了编年体叙事中表现家庭生活的创作路径，产生了《金婚》、《王贵与安娜》等作品。2006年的《士兵突击》虽然是一部军旅题材的作品，但是它的热播也反映了当代生活的一种情绪，那就是坚持、不放弃的精神。很多青年人将淳朴的许三多、温暖的史今、智慧的袁朗看作一面镜子，反观到自身胸无定见、随波逐流的荒谬青春，这部电视剧让观众感受到了信念的力量。

这一时期，由于政府管理部门加强了宏观调控，反腐剧、涉案剧淡出荧屏，红色经典改编也悄然退潮。在“唱响主旋律，坚持多样化”方针的指导下，北京电视剧创作紧扣时代脉搏，现实主义作品引领风骚。《任长霞》赞颂的是公安战线上的党员干部；《神舟》讲述了载人航天事业的发展以及为此付出心血和生命的科研人员；《红莓花儿开》以东北某个城市的飞机制造工厂为背景，讲述的是新中国飞机制造工业的创业史；《钢铁年代》以鞍钢为题材，讲述的是新中国钢铁工业的创业史；《大工匠》则讲述了一代产业工人生生不息的民族工业之梦。《海之门》全景式反映改革开放历程，出色地完成了对改革开放以来中国社会的缩写。《民工》聚焦农民工，展示了城市化大潮下进城务工农民的艰辛之路；此外还有《无国界行动》、《缉毒警》、《可可西里》、《网络少年》等把握时代脉搏的作品。

2008 年是中国经济社会最关键时期，人们迎来改革开放 30 年，北京奥运会更添辉煌，之后中国由经济改革进入到一个全面改革的新时期。这一时期民生问题成为最突出的大问题，房价、医疗、教育、就业、食品安全、社会治安、环境保护、娱乐化等，社会矛盾导致的方方面面问题受到热议。电视剧也聚焦于社会话题剧，由于其对社会热点问题的关注而显示出强大的活力。其中赵宝刚的青春话题剧打响了头炮，民生热点话题剧和家庭话题剧紧随其后。《奋斗》、《我的青春谁做主》、《北京青年》作为“青春话题剧”三部曲，紧扣 80 后情感、生活中的新现象和新特点，借助网络文化的传播力度，非常难得地赢得了青年人的认可和共鸣。时代日新月异，青年人的话题更是难以对焦和捕捉，就业与情感、独立与沟通、重走青春与改变自己，一个个充满挑战、困惑和出路的题目摆在了青年人面前，他们在给出答案的同时也获得了自身的话语权。

民生话题剧代表作是以房价和婚外恋为话题的电视剧《蜗居》；之后反映“剩女”的《李春天的春天》、“剩男”的《男大当婚》；反映“异地恋”的《双城生活》；反映婚后生活的《裸婚时代》、《AA 制生活》，等等，这类电视剧对于社会热点、生活压力、集体情绪或流行心理的取材，使得剧集内容信息量非常丰富，在流行元素和商业包装的裹挟之下，呈现出一些集体性现实症候。此外，反映医患关系的医疗剧也是新兴的一种社会话题剧，出现了《无限生机》、《永不放弃》、《医者仁心》、《心术》等作品。2011 年播出的《医者仁心》是一部在主题上有所突破的佳作。它对于医患关系的探讨并没有对问题的罗列和展示，而是进一步思考和确立核心价值观，即赞美和歌颂人与人之间的“大爱”精神，体现出一种现实主义与理想主义交融的美学风格。

近年来轻喜剧形式的家庭剧涌现出来，家庭生活的冲突及其化解成为很多电视剧的主要内容，其中以婆媳关系为表现对象的就有《当婆婆遇上妈》、《双面胶》、《媳妇的美好时代》、《婆婆来了》等，当然女婿和丈母娘关系是它的变体。这类内容的电视剧数量最多，之所以观众对其百看不厌，是因为能及时抓住人们对于家庭观念和个人价值产生的新思考。《夫妻那些事》的妻子不再因为维持稳定的家庭状态而对生活作出让步和妥协，《媳妇的美好时代》的媳妇毛豆豆的智慧成为了家庭幸福的必要保障。家庭话题剧反映了当今社会家庭的本质、结构和功能发生的变化。一度高收视率成为了话题剧的特质之一。但是应该看到话题剧的创作大多奉行“创意先行”的策划思路，随着同类话题的电视剧涌现，大量符号化的视听元素替代了以往家庭剧的细节描写，热衷媒体炒作与大众网络热议的互动加速了该类型消费形态的变异。话题剧作为时代的产物，呼唤关心普通人的生活，但是话题剧进一步发展，势必要使自身眼界宏大、思想精髓，而做到这一点，则依赖创作者的真诚和现实主义创作态度。

二、三十年北京精神养成的生动展示

北京，无论是作为电视剧所表现的对象，还是指电视剧创作者的身份，或者是电视剧机制运作的中心环节，都与电视剧艺术发生了密切的关系。有人这样谈论电影与城市的关系：“电影中的景观，既取自快速行进的现代都市生活，又有助于形成新的内在的都市秩序，使它成为社会准则。它同时反映、型塑出新式的社会关系，而这一关系正是从熙熙攘攘的街道上呈现出来的。换言之，电影场景不仅记录，同时又影响现代都市所代表的社会与文化空间转变。”

电视剧也是一样，一方面，30 年来，北京既是北京电视剧的表现对象，被电视剧影像不断言说，形成了形式各异、意义繁复的北京电视剧文本，这些文本的内涵包含着人们于变革进程中的关于北京的集体记忆，也饱含着人们对于这个城市内在精神的公共意识。另一方面，北京作为首都，作为文化中心，北京电视剧创作自然超越地域性意义，在这个意义上，北京精神的养成内蕴着“现代化”、“全球化”等重大文化内涵。

1984 年《四世同堂》开启了京派电视剧的先河。老舍先生是一位深切爱恋北京的作家，他曾说过：“那里的人、事、风景、味道和卖酸梅汤、杏儿茶的吆喝的声音，我全熟悉，一闭眼我的北平就完整的，像一张彩色鲜明的图画浮立在我的心中。我敢放胆地描画它。它是条清溪，我每一探手，就摸上条活泼泼的鱼儿来。”电视剧“演得严肃，拍得严肃”，播出后受到观众的广泛赞誉。《四世同堂》是抗战时期的平民史诗，通过电视剧人们回味了老北京的生活方式和地方风俗，又体验了这种生活方式和地方风俗被外族侵入毁灭的痛楚，以这样一部取材于百姓生活又表现城市历史与命运的有分量的电视剧开头，为北京电视剧创作打下了非常坚实的基础。

20 世纪 90 年代，北京电视剧艺术中心出品的一批“京味儿”电视剧，更多是表现了处于变革进程中的北京现实，与现实社会变革之间保持着密切关系。从《渴望》、《皇城根》、《过把瘾》、《一地鸡毛》、《编辑部的故事》、《我爱我家》、《北京人在纽约》到《贫嘴张大民的幸福生活》、《空镜子》，这些电视剧虽然创作于不同的年代，反映的生活内容、时代气息不尽相同；形态上有的是家庭剧，有的是言情剧，有的是喜剧，形态多样；空间也有很多拓展，从胡同、大杂院、居民楼到单位甚至国外。但是它们的共同之处在于创作者关注现实的创作姿态，这些作品关注现代人的生活和精神状态，立足表现普通人在国家改革开放进程中的追随、挑战和突破，透过生动幽默、富有质感的生活描写，观众可以深入到这座城市的肌理和血脉，时代气息扑面而来。

21 世纪，随着城市经济发展进程的迅速推进，北京发生了巨大的变化，有人说北京进入了一个“青春时代”、“建筑时代”，新的地标崛起带来了新的文化想象。如果说北京在新中国成立之前是古都，在新中国成立后是首都，即政治、文化中心，那么在 21 世纪又加上“全球化都市”的新的城市文化表征。要财富要过巴黎、伦敦般的生活，不用像王启明再跑到纽约去，今天的北京就是梦想实现的地方。当然，古都风貌也随之荡然无存了。越是逝去，记忆就越清晰，关于北京的怀旧的电视剧也就顺理成章地涌现出来了。然而人们对于北京的记忆以及对于记忆于未来的价值认识却是多姿多彩、角度各异的。这一时期电视剧的北京影像呈现出巨大的裂痕，有热衷摹写皇家和贵族文化的清宫戏、民国戏还有宅门剧；有回忆六七十年代“大院”岁月的，如《血色浪漫》、《甜蜜蜜》；当然还有像《金婚》这样普通百姓生活的编年史。当我们把2000年以后这些怀旧电视剧作为一个整体去阅读和品味，我们发现在时间和空间的流转中，北京的前世今生始终置身在东方/西方、传统/现代、民族/世界的纷扰纠缠里。抚今追昔，新旧杂陈，为旧时风物逝去感伤，发怀古之幽思也好，于家国兴亡、城市盛衰中抒发人间悲欢也罢。我们今天与前人仍然面临着相同的命题，回忆过去，拒绝遗忘，北京的精气神还在一个世纪的时间长河中贯通着。2011年的《风车》就是一部具有鲜明北京文化特色的电视剧作品。该剧讲述20世纪六七十年代到八九十年代北京一个叫作净土庵的小胡同里一个大杂院四户人家两代人的故事。讲述了一段在扭曲的时代环境中产生的复杂的人物关系和人性的深层矛盾化解的故事。剧中北京文化和生活记忆的具体依托——海魂衫、二八自行车、散装酱油、粮票、小理发馆里的白大褂儿等等物件，以及那个空间——大杂院消失了，但是它所凝聚的精神——普通人身上的道德力量却作为一种坚不可摧的精神延续下来了。《风车》受到欢迎正在于它的北京，不仅仅是建筑式样，而更是里面的人际关系和文化氛围，那种有着丰富的情感和道德内涵的、充满人伦亲情意味的北京家园的文化想象，契合了今天北京精神的理解和共识。2011年11月2日公布的“北京精神”“爱国、创新、包容、厚德”，体现了社会主义核心价值体系的要求，首都历史文化的特征，也体现了首都群众的精神文化追求。其中“厚德”将中华文化的精魂与现代人社会风尚和日常品行相互映照，倡导一个崇德、尚德、重德、厚德的生存空间，而这里“德”的内涵，不是抽象的西方社会的“公民”概念，而是源于中华传统，从曲折艰难的历史中总结出来的，立足于普通人幸福体验的有血有肉的“德”，唯此，这“德”才是深厚的，才能产生震撼人心的精神力量。

近年来新掀起的“新现实题材”创作中，人们记忆中的北京特点渐渐淡去，代之浮现在人们视觉中的是一个“全球化大都市”的面貌，一个挑战和机遇并存的“欲望都市”。但是我们看到绝大部分描写家庭情感、都市情感的电视剧作品，都谱写着亲情温暖、爱情忠贞、尊老爱幼、家庭和谐、社会安定的生活画卷，特别是《奋斗》、《我的青春谁做主》、《北京青年》这样把镜头对准当今80后乃至90后的年轻一代人的作品，让观众感受到新一代城市青年健康而充满生机的精神状态，为北京精神的演绎注入了新鲜的血液和活力。此外，北京精神最有力的阐释还体现在那些记录了当代北京重大的时刻电视剧作品，也许它们相对而言艺术上不够成熟，但是它们真实、鲜活的影像，带有体温、激情的创作，令人无法忘记。《让我们记住》虽然只有上、下两集，却记录下了2003年春天SARS病毒突袭北京城带来的灾难，以及在灾难面前人们是怎样用汗水、鲜血和生命证明了风雨中千古长存的民族情感！当时，我们的电视剧艺术家们在短短的七天内创作出剧本，只用十天就完成了前期的摄制，再用四天结束了后期制作。同样，当2008年5月12日四川汶川大地震刚刚发生不久，以大地震为题材的《震撼世界的七日》、《里氏8.0》、《芙蓉花开》就先后开机。《震撼世界的七日》从震前五分钟拍起，到5月19日的全国哀悼日，运用纪实的手法，再现感人的故事，升华生命的尊严，歌颂人性的真善美的光辉，110余名大陆和港台演员报名参加义演，国家广电总局电视剧司司长赞誉它将“载入中国电视剧发展史册”。

30年里，北京电视剧制作拥有强大的艺术生命力，还在于它大力塑造社会主义新人形象，通过这些新人形象表现出超越北京地域性的民族精神和国家气概。

当代军人（包括公安干警）形象是民族精神和国家气概最集中、最纯粹、最鲜明的代表，从80年代的青年偶像《便衣警察》到21世纪干部典范《任长霞》，从科技强兵的《DA师》到百折不挠的士兵精神《士兵突击》，追求崇高、践行崇高的人格魅力和英雄风采，显示了强有力的认识的、教育的和审美的社会功能。这中间特别值得关注的是《神舟》、《五星红旗迎风飘扬》和《国家命运》这样一些表现共和国精英们对祖国航天事业、“两弹一星”成功上天所作出的伟大奉献的电视剧作品。

随着21世纪的到来、加入WTO、社会主义核心价值的提出、世界反法西斯60周年纪念、改革开放30年、北京奥运会、新中国成立60年、建党90年这样一系列重大的纪念活动的召开和举办，革命历史题材也在21世纪头十年成为了一道壮美的荧幕风景线，而2001年的电视剧《长征》为这一风景确立了史诗叙事的品质和范式。接着《八路军》以22场重大战役连缀成篇，堪称一部反映抗日战争历史的百科全书，《解放》是作为第一部对整个解放战争全过程、全方位、全景式带有纪实性叙事特色的电视剧作品走向荧屏的，同类的作品还有《延安颂》、《新四军》、《井冈山》等。这些作品看重历史真实的厚度和力量，注重认真梳理历史文献，发掘历史脉络和本质内涵，令人信服地阐释了在民族伟大复兴的战争时期，党领带的军队从小到大、由弱而强的历史的必然结果。

这一时期，张扬崇高的社会理想、人生理想和道德理想，表现人性的丰富和复杂深度的作品还包括那些讲述“英雄传奇”和“家族史”的年代剧，这其中有一些用观众喜闻乐见的方式讲述老百姓爱听、爱看的所谓大众文化读本，产生了巨大的社会影响力，并在电视产业化的助力下，成功的作品被不断复制和突破，形成了令人无法忽视的社会精神冲力。这样的作品战争题材的有《历史的天空》、《亮剑》、《人间正道是沧桑》、《我的团长我的团》、《中国远征军》、《永不磨灭的番号》等，表现家族史的有《乔家大院》、《白银谷》、《闯关东》、《木府风云》、《母亲、母亲》等。对于同一时空里的人事反复续写或者反写，淘沥出更丰富、更多元化、更包容的历史内涵，例如，《历史的天空》对于党内斗争的正面揭示，《中国远征军》对于抗日战争中国民党军队正面战场惨烈的描写都是不多见的。《母亲、母亲》也是一部家族叙事写出不一样神采的优秀作品。这部作品延续家族兴衰折射社会风云的家族史手法，以辛亥革命至新中国成立半个世纪历程坐实历史背景的描摹，却没有于商家和战争中写“仁义”，而是另辟蹊径，写了一个传奇女子金国秀与她膝下五个孩子的生死故事，这五个孩子是侯家已故少奶奶托孤给她的长子云朗，她自己亲生的儿子云峰、女儿如玉，她抚养成人的丈夫侯志宏和小妾子萍生的儿子云灿，收养的共产党人祝宇中和烈士徐桂馨的儿子云旭。更令人感动的是，她亲生儿女为救国图存先后牺牲，这位母亲散尽家财收养了上百名战争孤儿，还按照地下党的指示抚恤安置遇难烈士的家人，创办光华学校给一些走向革命的仁人志士提供栖居之地。这样在国家民族危亡时刻的大情、大义、大爱的抒写，着实对于现代生活中为房、为钱、为情终日陷入纷争、冷漠、卑鄙境地的人们富有荡涤精神、提升情怀的作用。

除了历史题材及重大革命历史题材剧作之外，像《大工匠》、《医者仁心》、《誓言今生》等工业题材剧、医疗剧、谍战剧，这些电视剧虽然取材角度不同、表现年代背景不同，但其表现的故事时间跨度越来越大，展现的社会及历史视角越来越广阔，使剧作呈现出一种总体上的恢宏气势。

北京电视剧30年的创作积淀，让人们欣慰地看到，在消费文化弥散、娱乐资源过剩的社会氛围中，在遭遇现实困境而寻求宣泄和心理抚慰的观众面前，没有丧失现实主义的创作姿态、价值取向和制作水准，在北京精神的现代塑形中发挥了电视剧艺术应该负载的责任和使命。

三、未来十年北京电视剧发展的起点

北京电视剧30年辉煌是时代的产物，是生活的赐予。北京电视剧未来的发展也仍然离不开一个全面发展、蒸蒸日上的时代，离不开北京这座城市的发展和北京人追求幸福的步履。电视剧艺术家们只有一直满怀激情，追随伟大的时代，深入火热的生活，把我们这个民族的历史的和现实的，尤其是当下的，占人口绝大多数的人民群众放在自己的心里，聚焦在镜头的中心位置上，以高尚的境界和博大的情怀，去再现和表现他们的生活状态和文化心态，而且孜孜以求地、永不懈怠地追求艺术上的不断创新，这样的电视剧艺术，才能永葆艺术生命的春天，不断地铸造自己的辉煌！

未来北京电视剧要继续为进一步扩大电视剧艺术的社会影响力而作出贡献，为建设社会主义的核心价值观，实现巨大的社会功能而努力，成为促进文化大繁荣、大发展的最活跃的力量。

1. 适应产业发展，保证生产力意义的良性运转

北京是最早制作、播出自制剧的地区，早在80年代中后期，北京电视剧制作中心就在独立制片的道路上摸索。最近十年电视剧产业发展进

入飞速发展时期，民营公司规模发展已经成为北京电视剧制作主体，它们颇具规模的产业链条，一方面保障了日益宽松的创作空间，另一方面又将创作引向收视率为导引的商业路线。北京电视剧未来发展的根本保证和支撑就是营造一个更加优化的生态环境，电视剧管理政策的保驾护航、优化的资源配置、稳定的生产结构、规模不同的运作机制，这些因素合力运转保证源源不断的新作品问世，保证艺术文本的多样性，保证精品力作的创新力，这是北京电视剧未来发展的基本保证和坚实基础。

2．坚持真实性的创作原则

实践证明，真实性是电视剧艺术的一个根本性的要求。在处理历史题材创作中，这种真实性的要求显示为努力发现历史发展的客观必然趋势，深刻地显示历史各个阶段的社会生活本质，像《开国领袖毛泽东》、《长征》等重大革命历史剧，以及《三国演义》、《雍正王朝》等历史正剧，处理好历史真实和艺术真实的关系，才能做到历史人物的定位准确、历史事件的走向正确、历史意蕴的深刻把握，从而体现出一个民族对于自身历史的尊重和认识水平。而对于现实题材创作来说，真实性更是作品的生命，善于捕捉普通人的生活、情感，善于透过小事、琐事，准确、深刻地揭示时代特点和社会心理，善于用优美的画面和精致的镜头语言再现和表现现实生活的细节，善于用富有生活质感的表演打动人心，只有这样的作品，才能够载入电视剧史册，才能发挥它国民教育、精神愉悦、启蒙意义的巨大作用，真实性是衡量电视剧艺术高下的重要标准。

3．坚持追求电视剧艺术的美学品格

不断提高电视剧的艺术水准和审美价值，满足人们的精神文化的日益增长的需求，这是北京电视剧未来发展的方向和活力所在。电视剧艺术在不断发展，有着丰富的不断变动的属性，不同的时代赋予了它不同的色彩。究其本质，它是一种综合的、新型的又具有我们时代美学品格的艺术，我们要及时纠正当今消费时代人们的短视行为带给电视剧的各种负面影响。北京电视剧一方面要大力发展“京派电视剧”，另一方面要继续不断探索电视剧艺术的更多可能性。电视剧的艺术魅力正在于人的创造力和想象力得到发挥的形式创新，艺术创造的睿智和才华转化为生生不息的艺术生产力，形成一轮又一轮令人耳目一新的开风气之先的热播剧。今天是一个非常难得的文化大发展的时代，北京这座城市的辉煌牢牢吸引住了世界的目光，北京电视剧在成熟演进的道路上，未来的发展不可限量，令人期待。

（作者单位：中国传媒大学）

北京市打造国家电视剧生产创作中心的战略思考

俞 虹 马 骏

作为广大老百姓最喜闻乐见的一种电视节目类型和大众文化载体，电视剧在全球化、信息化时代里的作用和影响不言而喻。无论是满足人民群众的精神需求、传播正确的价值理念，还是塑造民族的文化品格、提升国家的文化软实力等，电视剧都充当着“急先锋”和“主力军”。尤其在以深化文化体制改革和推动社会主义文化大发展、大繁荣为目标的当下中国，其重要性更为凸显。与此同时，在市场经济发展的大背景下，作为一种重要的媒介产品，电视剧的长足发展需要优质的社会土壤、良性的市场竞争、创新的运营思维和包容的创作环境。

1958 年第一部电视剧《一口菜饼子》在北京问世；1982 年诞生了全国第一家电视剧专业制作机构北京电视艺术中心；1983 年“电视剧国家队”中国电视剧制作中心在北京成立；2000 年以来，文化产业被纳入国家发展的宏观战略，民营电视剧制作公司在北京如雨后春笋般出现。从 80 年代的《四世同堂》、《红楼梦》、《便衣警察》、《西游记》，到 90 年代的《渴望》、《编辑部的故事》、《北京人在纽约》、《我爱我家》、《三国演义》、《水浒传》、《雍正王朝》、《贫嘴张大民的幸福生活》，到 21 世纪以后的《长征》、《大宅门》、《亮剑》、《士兵突击》、《金婚》、《奋斗》、《医者仁心》、《黎明之前》、《北京青年》，等等，一大批经典电视剧作品在北京创作生产，很多电视剧在播出时都创造了万人空巷的收视奇迹。可以说，北京见证了电视剧在中国的发生和发展壮大，北京电视剧的生产创作占据了中国电视剧发展史最重要的部分。随着 2000 年之后电视剧生产创作和宣传播出在全国遍地开花，北京在电视剧生产创作领域不再独领风骚，这是中国电视剧发展壮大的必然趋势，也是电视剧市场化改革的成果体现。但是，不论从历史沿革还是从未来发展来看，北京完全有基础、有条件、有责任、有使命打造成为国家电视剧的生产创作中心。

一、电视剧发展与国家文化大发展的战略背景分析

中国电视剧的发展与国家文化政策和文化体制的改革变迁有着极为紧密而重要的联系。党中央的一系列重大决策，为新的历史时期深化文化体制改革、加快文化事业发展指明方向。

就政策层面而言，从1992年开始，改革开放的深化扩大为文化发展奠定了物质基础，也开启了文化体制改革的新篇章。1996年提出“改革文化体制是文化事业繁荣和发展的根本出路”，2000年“文化产业”的概念被提出。2003年文化体制改革进入新的阶段，改革目标进一步深化和明确，第一次明确提出要形成一批大型文化企业集团。2011年十七届六中全会，确立了建设社会主义文化强国的战略目标，决定深化文化体制改革，推动社会主义文化大发展、大繁荣。在这20年里，电视剧紧密伴随着国家文化体制改革和国家文化发展的步伐，获得了空前巨大的发展，而国家文化大发展战略的确立又为电视剧发展增添了新的更大的动力。

深化文化体制改革将大力推动电视剧的发展。体制改革要达到的目标主要体现在4个方面，而这4个方面都与电视剧息息相关，并能形成强大合力助推电视剧投资、运营、生产、创作、技术、播出机制和方式上的转变和提升。

（一）覆盖城乡的公共文化服务体系初步形成

电视剧作为满足人民基本文化需求的主要内容形态，是社会主义文化建设基本任务的一个重要部分。在公共文化服务体系的建设中，通过各种渠道收看电视剧是保障人民群众基本文化权益的主要内容之一。现阶段，我国电视卫星频道的覆盖率除CCTV－1达到99.9%以外，其他卫星频道在覆盖和落地方面还有较大的发展空间，数字电视和网络电视的发展也未能惠及绝大多数民众。无论传统媒体与新媒体的此消彼长如何演变，民众对于电视剧的消费需求依然在提升，平均每日收看电视剧的时间超过1小时。因此，随着公共文化服务体系的覆盖面进一步加大，电视剧的收视人

群还将增加，市场的扩大必然促进产品的增加和质量的提高。

（二）文化产业的结构调整和资源整合力度不断加大

中国是全世界电视剧第一生产大国和第一播出大国，但是在电视剧“高产”和“高播”的背后，是一部分制片公司和电视剧播出机构艰难的生存状况，大量剧目被“冷藏”和“压箱底”，部分播出机构也只能“炒剩饭”或“打肿脸充胖子”。归根结底，是产业结构不合理、不对称，资源大范围分散，小范围集中，整合力度不够。随着市场发展的需要和文化体制改革的深化，包括电视剧产业在内的文化产业结构调整必将扭转这一态势，实现电视剧产业知识密集型、技术密集型和资源密集型的有机一体化，改变电视剧现有的赢利结构和赢利模式。

（三）国有经营性文化单位的转企改制

电视剧产业发展长久以来的一个矛盾在于，以国有电视台为主的播出机构（甲方）基本都是体制内的事业单位，而民营制作公司和转企改制后的国有制作公司（乙方）基本都是采用完全市场化的运作方式，这两者进行电视剧交易时不可避免地产生诸多有悖于市场运行规则的问题。近期，文化部部长蔡武在报告中提到“全国目前承担改革任务的580多家出版社、3000多家新华书店、850家电影制作发行放映单位、57家广电系统所属电视剧制作机构、38家党报党刊发行单位等已全部完成转企改制；全国3388种应转企改制的非时政类报刊已有3271种完成改革任务，占总数的96.5%”。转企改制力度之大可见一斑，改革的下一步能否推及非时政类电视播出平台令人关注，若能实现必将推动电视剧产业的新一轮市场化变革。

（四）文化惠民重点工程的建设

党的十七大提出“文化惠民工程”，旨在惠及全国人民、普及大众文化，其中广播电视村村通工程、全国文化信息资源共享工程、电视进万家工程都对电视剧发展有较大影响。电视剧作为大众文化的重要载体，也将跟随“文化惠民工程”的开展而获得更大的传播效应。

另外，电视剧的发展与我国文化发展的方向也高度契合。文化体制改革的目的是为了文化大发展、大繁荣，而文化繁荣发展的重要标志是创作生产更多无愧于历史、无愧于时代、无愧于人民的优秀作品，这也正是电视剧发展的最大成果和最终目标。优秀的电视剧作品，一定是弘扬社会主义核心价值体系、满足人民精神文化需求、提高全民族文明素质的。近年来，美剧、韩剧在全球的风靡对本国在全球影响力和引导力的提升令人瞩目。中国电视剧若能走出去，影响世界其他国家，则必然有利于培养中华民族高度的文化自觉和文化自信，增强国家文化软实力，建设社会主义文化强国。

二、北京市打造国家电视剧生产创作中心的优势要素解析

作为中国电视剧的发源地，北京见证了中国电视剧的发展演变及诸多辉煌。在文化大发展、大繁荣的战略背景下，在电视剧发展处于关键时刻的今天，北京市打造国家电视剧生产创作中心既是城市发展战略，更是历史文化使命，其在城市定位、产业规模、播出平台、行业交流等诸多方面具有得天独厚的优势。

（一）城市定位优势

众所周知，北京是全国的文化中心，是享誉世界的历史文化名城，有着数千年的文化积淀。首都城市功能从新中国成立之初的“全国政治、经济和文化中心”，经过“经济中心”定位的逐步弱化和“首都经济”等概念的提出，首都城市功能逐步演变到当前的“政治中心功能、文化中心功能、经济管理功能、国际交往中心功能、创新中心功能和宜居功能”，除了作为首都的政治中心功能定位没有变化之外，文化中心功能提升，以重工业为核心的工业经济，逐渐形成当前包括文化、经济在内的服务经济为主导的经济格局。新时期以来，随着外来人口的涌入及多元文化的共生，北京呈现出开放、包容的文化气质和文化活力，为文化创意产业的发展提供了优质的土壤。近年来，北京市文化创意产业快速发展，年均保持两位数的增长幅度，国民经济的贡献率不断攀升。

主打文化的城市功能定位，使电视剧生产创作被纳入城市发展和产业结构的核心组成部分。与其他大力发展电视剧的城市相比，北京的城市定位优势明显。文化中心的定位也促成北京市文化创意产业的政策扶持。如2006年出台的《北京市促进文化创意产业发展的若干政策》和北京市设立的“文化创意产业发展专项资金”、“文化创意产业集聚区基础设施专项资

金”，以及十七届六中全会后，北京市提出发挥文化中心的示范作用、建设社会主义先进文化之都的战略部署，都对北京打造电视剧生产创作中心形成政策利好的态势。另外，北京市怀柔区积极打造中国“影都”，自2008年起，怀柔出台相关政策，给予影视相关企业营业税、所得税、增值税等方面的减免支持，使得怀柔一举成为北京市首批文化创意产业集聚区。

（二）产业规模优势

北京广播影视产业规模庞大，资源集聚效应明显。根据2009年的数据显示，北京地区累计注册广播影视制作机构910家。北京地区年出品电视剧数量占全国年生产总量的近四分之一，电视剧投资额、创作数量、节目销售额均位居各省区市第一。经过近几年的发展，数据比例发生了一些变化，北京电视剧产业的绝对领先优势有所下滑，以东阳横店为代表的江浙沪电视剧产业基地、以曲江为代表的西部电视剧生产创作基地等新兴区域都有令人瞩目的跨越式发展。但总体而言，北京电视剧的产业规模在全国仍然位居第一，8家上市影视企业中有6家总部位于北京，还有大唐辉煌等一批电视剧制作公司正在筹备上市。

对于电视剧而言，并非产业规模越大越好，因为电视剧每年的播出量是有限的，也就是消费需求并不允许其生产无限扩张，而是需要一个适度规模，以免导致产能过剩，造成资源浪费。而目前北京地区的产业规模与北京作为全国文化中心的定位是匹配的，对于全国电视市场来说，具有一定的规模效应，但还有较大的发展空间，而且当中国电视剧品质提升形成大规模出口之后，其产业规模和产业层次则需要进一步优化和提升。因此，现阶段合适的、匹配的产业规模对于北京打造电视剧生产创作中心是一个较强的竞争优势。

（三）播出平台优势

由于全国文化中心的定位，北京在电视剧播出平台方面的地理优势和政策优势得天独厚。包括中央电视台、中国教育电视台、北京电视台、各区县电视台在内的电视播出平台和搜狐视频、优酷网、爱奇艺、乐视网等一批在线网络播出终端，总部都在北京。其中，央视综合频道是全国最重要也是收视率最高的电视剧播出平台，电视剧频道是唯一全天候播出电视剧的国家级专业平台，中央电视台7个专业频道、北京卫视、中国教育－1（与江苏台战略合作）、中国教育－3均为播出电视剧的上星频道，加上北京电视台影视频道等5个地面频道，一共有17个播放电视剧的电视频道。规模不等的在线网络播出平台更是不胜枚举。

播出平台的地缘优势便于转化成政策优势和战略合作优势。播出平台控制着整个电视剧产业的最终产值和利润空间，以播出资源回溯整合全产业链资源是产业发展的一条重要路径，也是北京打造全国电视剧生产创作中心的资源优势。如何利用播出平台优势，促进电视剧生产创作的升级和繁荣是北京电视剧产业发展的关键。

（四）行业交流优势

电视剧生产创作是一个凝结团队劳动、集体智慧和多方资源的系统工程，行业交流是电视剧生产创作各个阶段的重要一环，不可或缺。北京的政治、文化、国际交流中心的功能定位，使得北京聚集了全国绝大多数电视剧生产创作相关的行业协会，如中国广播电视协会及其下属的电视剧导演工作委员会、电视剧编剧工作委员会、电视制片委员会、演员委员会，中国电视艺术家协会及其下属的多个专业委员会，中国电视艺术委员会，首都广播电视节目制作业协会，等等。

行业协会对会员开展的联络、协调、服务促成了电视剧生产创作的各项合作和交易，此外，由协会举办的电视节、电视交易会已经成为电视剧节目评奖、推广及购销的主要平台，如中国电视剧“飞天奖”、中国国际广播影视博览会暨中国国际影视节目展、首都（春季、秋季）电视节目推介会，等等。以2011年第九届影视节目展为例，在北京展览馆开幕的此次展览共有980余家参展商、400余家影视制作机构，带着千余部电视剧亮相，交易额突破25亿元。几大行业协会基本囊括了电视剧生产创作的绝大部分从业人员，为实现各项资源的有效对接提供了诸多便利。

三、打造国家电视剧生产创作中心核心竞争力的战略思考

顺应国家文化大发展的“天时”，借助城市定位、产业规模、播出平台、行业交流及人才资源等“地利”与“人和”，北京打造国家电视剧生产创作中心的核心竞争力就在“整合”二字，把天时、地利、人和整合起

来发挥最大效应。具体说来，可以分为“五大整合”，即价值观整合、产业链整合、投融资整合、制编播整合及产学研整合。

（一）价值观整合

自20世纪80年代以来，电视剧逐渐取代文学和电影成为大众文化生产与消费的核心。随着经济发展的高速运转和生活方式的急剧变化，当代中国文化呈现出多元价值共生、冲突、碰撞的景象，作为文化中心的北京尤为明显，因此价值观的整合尤为迫切。马克斯·韦伯曾提出：“任何一个国家在迈向现代化的过程中，都必须有一种‘核心精神’（价值取向），作为经济发展的‘动源’，也作为一种‘利益驱动’的节制或平衡。”电视剧责无旁贷地应该使多元的价值观在视听和戏剧叙事中达成某种共识，形成一种具有普世性、前瞻性和引导性的共享价值观。

社会大众对电视剧的核心认同是价值观，通过价值观的整合确立一种为全社会所有成员普遍认可的共享价值观作为主流价值观，引导多元价值观的正确发展方向，必然形成电视剧生产创作的核心竞争力。从这一思路出发，可以从两个方面进行整合，一是中国传统价值观的现代化体现，即在传承中华文明的基础上寻找可供当代人共享的人格内涵和价值取向；二是全球普世价值观的本土化呈现，经济全球化和信息一体化所带来的普世价值和人类共同文明理念需要我们把世界的和民族的统一起来，积极构建和传播与中国文化相适应的自由与平等、法制与公正、光荣与梦想、爱与信任等全球共享价值。可以说，价值观整合是打造国家电视剧创作生产核心竞争力的本质和目标。

（二）产业链整合

离开健全的产业链，电视剧生产创作不可能单独做强做大。在其他电视节目类型还未完全市场化、制播分化时，中国电视剧已经是分得太久、分得过度。管理政策和市场规律所造就的行业细分，使得电视剧的投融资、制作、发行、播出完全分离，甚至制作领域、发行领域、编播领域中的各个创作阶段和创作部门也是分离的，中央台、省级卫视、省级地面台、城市台四级分离，台网分离。过度分离造成的结果是沟通和交易成本大幅增加，效率低下、标准不一、权力寻租空间较大、两极分化严重、马太效应明显。

近两年来，产业链整合趋势逐渐明显，上下游某一环节的垂直整合率先开始。如浙江东阳采取的是产业实验区的行业联盟方式进行产业链整合。横店在成为全国首家国家级影视产业实验区后，注重影视制作全产业链的培育，先是吸引诸多国内知名影视企业入驻，后又引进了国内专门从事后期制作、特效设计、道具制作、设备租赁、服装定制的专业公司，为横店影视实现全产业链发展创造了条件。西安曲江影视集团则是以收购重组合并方式进行产业链整合。以曲江新区优惠的影视产业扶持政策为依托，整合西部乃至全国的优势影视资源，逐步实现建立影视产业孵化器，打造影视产业“硅谷”，具体发展模式包括：发起“曲江影视联盟”整合200多家加盟企业，成立数十家全资子公司，拿出投资额的10%支持创新项目，进行风险投资等。关于投融资和制播方面的整合同属于产业链整合，但由于其重要程度，下文将专门论述。

提升电视剧生产创作的核心竞争力，促进产业发展升级，必须通过政策引导和市场驱动重塑产业主题，完成更高层面的产业链整合。既然市场已经表现出这样的趋势，那么决策部门应该乘势而为，引导辖区现有资源进行整合，从上下游某一环节的垂直整合开始，逐渐完成全产业链的横向整合，这也是北京打造国家电视剧生产创作中心核心竞争力的中心问题。

（三）投融资整合

投融资对于任何一个产业的推动作用不言而喻，但影视剧的投融资长期以来都被认为是高风险并不一定高回报的。影视产业中先融资再拍摄最后卖版权或卖广告收回投资要经历一个漫长而动荡的过程。随着市场化的转型和深入，投融资形式和来源也逐渐多元，包括上市筹集资金、产业投资基金、资产证券化、制播合作融资、政府与民间合作融资、银行信贷（版权质押贷款），等等。投融资整合的目标是尽可能地开拓渠道、降低风险、扩大收益。

北京在影视产业的投融资方面有相当大的政策倾斜和行业指导，各国有、民营公司开拓了多种创新的投融资模式。如2008年北京银行与华谊兄弟传媒股份有限公司签订了1亿元版权质押贷款为核心的综合化金融服务战略合作协议，由北京银行向华谊兄弟提供1亿元的电视剧多个项目打包贷款，被称为电视剧产业“版权打包质押第一单”。国龙联盟公司的运作模式值得研究和借鉴，该公司由新浙商财团发起，募集了10亿产业基金，率先将风险投资理念和合伙人管理模式引入影视制作产业，进行规范和规模化影视剧投资、制作和商业开发。通过资本运作平台，国龙联盟挖掘国内最顶尖制片人、编剧和导演群体的创作优势，并将其市场价值和社会影响力发挥到最大程度。

投融资与制作之间还需要一个担保环节，全程把控项目的风险和收益。越来越多的媒体和大型制作机构，在制作系统的内部结构上倾向于采用“担保—投资—制作”三位一体的专业化生产运营模式。担保机构可以是播出平台，因为它们是产业链终端，最终决定着项目的风险和收益，这一模式其实质就是“制编播整合”，下文专门论述。另外，可以考虑引入第三方机构（如高校、研究所等研究机构、咨询机构或者专业的担保公司）建立影视投资担保及项目评估体系，降低决策风险、提高融资效率、分担管理成本、授信抵押物资。北京打造国家电视剧生产创作中心核心竞争力，投融资整合是关键和前提。

（四）制编播整合

制编播整合是指电视剧制作、编审、播出环节的高度整合统一。从文化层面来看，作为一个充分市场化的电视节目类型，同时作为一个传播平台被高度垄断的文化样态，电视剧领域的内容生产和平台消费（播出）是身陷企业和事业、经济和政治、竞争和垄断等多个话语和运行体系之中的。从文化创意产业的角度来看，文化创造力是电视剧实现商品价值和文化价值的根本要素。然而，提升文化创造力，“内容为王”是充分而不必要的，因为观众消费的终究是内容，而不是平台，但好的电视剧没有播出平台依旧无法实现其价值；“平台为王”是必要而不充分的，所有的内容都需要平台才能到达观众面前，但是再好的播出平台如央视一套、湖南卫视在没有好剧的时候也只能眼睁睁看着其他频道占据收视排行榜或微博热点的宝座；只有跳出制播分离的藩篱，加强制播整合，才能实现电视剧文化创造力质的飞跃。

从市场层面来看，中国电视的产权结构和产业结构，其实造成了电视剧行业的高度分散、高度内耗，也成为了中国电视剧同质化、低质化和粗俗化的体制性根源。因为资本的逐利本性，大量的人力、物力、财力、智力资源都流向利润值较高的环节，而体制结构又决定了后端的交易服务占据了价值链利润贡献值的最大部分，使得处于前端的内容创意得不到足够的重视和投入。“当中国电视台越来越依赖于电视剧，越来越买不起电视剧，越来越需要首播剧、独播剧的时候，大家都重新意识到制播分离不是出路，制播整合才能控制资源、降低成本。电视台对电视剧的投资、预购、定制、自制已经成为各种形态制播整合的方式”。

回到投融资“担保—投资—制作”的模型。担保机构选择电视剧的最终版权归属方为宜，对电视剧项目进行开发、考察、评估、审核，向制作公司下指标、定任务，并监督电视剧生产全过程，为投资公司对制作公司的资本投资进行信用担保。投资公司负责对电视剧项目的投融资，专司资本的运作层面，自身不去制作电视剧。它依托于对项目的投资，从而拉动公司的现金流、提高资金的速动比，并通过投资电视剧作出资本题材，将其下的投资项目通过合并报表的方式，从资本的二级市场上获利，从而使其利润最大化。制作公司负责对电视剧项目的全流程制作，根据担保公司即版权归属方的具体要求，完成选题立项，创作、买断剧本，并组织主创班底，进行拍摄制作。北京利用其产业规模、播出平台优势完全可以打造制播整合的优质良性循环，这一模型可以在某个机构或集团内部如央视，更可以延展至整个产业链。应该说，制编播整合是北京打造国家电视剧生产创作中心核心竞争力的捷径与先机。

（五）产学研整合

十七届六中全会把文化人才队伍建设作为文化大发展、大繁荣的关键和基础提出来，旨在深入实施人才强国战略，牢固树立人才是第一资源的思想。对于北京而言，如果说人才优势是打造全国电视剧生产创作中心的核心，那么产学研整合则是其核心竞争力。

“产”指影视产业，北京的城市定位、产业规模及频繁的行业交流吸引了大量电视剧生产创作者。全国最优秀的电视剧生产创作人才、投资营销人才、评价研究人才会聚于此，形成巨大的人才资源优势，反作用于产业的发展壮大。“学”指影视类院校，除一些传统影视专业院校，如北京电影学院、中央戏剧学院、中国传媒大学等，一些综合性大学如北京大学、北京师范大学、首都师范大学等也纷纷开办影视类专业。“研”指影视专业相关研究机构，如国家广电总局发展研究中心、中国艺术研究院影视艺术研究所等。产学研整合即发挥北京电视剧产业、影视专业院校、科研机构相对集中的优势，相互配合、形成合力，共同打造强大的研究学习、评估策划、生产实践一体化的电视剧创作生产系统。北京打造电视剧生产创作中心必将促进研究与实践的紧密结合，同时激活和催生影视专业学生的独特创意，吸引和培育更多的优秀青年创意人才，为中国影视剧产业输送新鲜血液，实现媒体、人才和社会共赢。

（作者俞虹单位：北京大学电视研究中心；
作者马骏单位：中央电视台电视剧管理中心）

北京电视剧的价值及贡献

郑世明　张　播　罗芝芝

过去30年间，北京电视剧逐步发展壮大，它们的存在，就好像一个时光的容器，将岁月的点点滴滴以光与影的方式留存下来。北京电视剧在反映改革开放以来经济发展、社会进步、文化繁荣、审美趣味变迁等各个方面都发挥了重要作用。

从全国各地电视剧的发展情况来看，北京电视剧无疑是一只领头羊。依托强大的制作实力和优势，北京电视剧汇集了全国最优秀的导演、编剧、演员、服装、美术、音乐制作等顶尖专业人才，制作出了一部部享誉全国的优秀剧作。无论是投资规模还是市场收益，无论是剧目种类还是生产数量，无论是社会反响还是文化影响力，它都稳居全国第一。北京电视剧中一些优秀的作品集思想性、观赏性、艺术性于一身，取得了良好的社会效益和经济效益，同时也在政治、文化、审美、娱乐等各个方面都创造了丰厚的价值。

一、北京电视剧的社会价值

文学家那多特斯曾说："戏剧是人生的模仿、习俗的镜子、现实的影像。"电视剧虽然与戏剧有众多的不同之处，但是其内核是一样的，观众在戏台前观看戏剧和坐在电视机前观看电视剧的主观感受有着异曲同工之妙。

正如戏剧一样，电视剧也是对现实、习俗以及人生的模仿和反映，它是无法脱离社会现实而单独存在的。电视剧通常取材于现实或者历史，并且对过去或者现在的事实进行加工和升华，从而生成电视剧文本，然后再通过导演和演员们的尽情演绎，将故事以生动的画面呈现给大众。相比较戏剧而言，电视剧有着更为广泛的传播力和影响力，观众只需要坐在电视机前就能够进行免费观赏。在观看的过程中，电视剧将它的价值观念、道德规范、社会准则、生活方式等信息传播给大众，从而对人们的价值观、世界观、人生观产生潜移默化的影响，北京电视剧的社会价值主要体现在这些方面。总的来说，我们可以分阶段把北京电视剧的社会价值蕴含在三次社会思潮中。

北京电视剧回应与建构了80年代个性解放思潮。所谓社会思潮，是指在较长时期内得到广泛传播并对社会政治、经济、文化产生较大影响的某种社会意识、思想观念所形成的思想趋势、潮流。社会思潮一般在社会大变革或者转型期间出现，反映着客观世界人们的心理需求和状态。

20世纪80年代，中国刚刚步入改革开放的新时期，这是一个既充满希望又蕴含痛苦的时期，也是一个新事物与旧思想并存的年代。刚刚走出“文革”，中国人心中完美的社会主义图景被破坏，而西方意识形态伴随着改革开放开始涌入到封闭了许久的国人心中，“自由主义”、“独立意识”、“个性解放”等社会思潮逐步地占据了主流。与此同时，中国电视剧的发展在80年代也进入了一个全新的时期，许多为人们所熟知并且津津乐道的电视剧在全国产生了广泛的影响力，而且这些电视剧或多或少地体现了80年代人们面对新的社会变革和思潮所产生的迷茫和挣扎。

1985年电视剧《寻找回来的世界》，讲述了一群对生活、对社会、对自己失去信心的学生在一些极具责任心的老师的帮助下重新振作精神、认识世界的故事。剧中男主人公谢悦的出场让人记忆深刻，那个场景发生在操场上，同学们正在做早操，而他则穿着一条当时被认为是奇装异服的大喇叭裤，远远地冲着吃惊的师生们行了一个欧洲贵族式的弯腰礼，站直后还很潇洒地甩了一个大背头。这可能是80年代社会变化在当时青年人身上最典型的展现了，一方面他们模仿着西方社会的生活方式和审美品位，另一方面他们极力想展现的个性特征与当时的社会又是那么格格不入，所以，在内心深处，他们是迷茫的，并且最终走上了犯罪道路。但是，如果这部电视剧只是简单地对这些年轻人进行抨击，它就无法成为当时的经典了。剧中塑造的几位老师，都有强烈的责任感和大度的包容心，面对失足的青少年，他们没有放弃，而是竭尽全力地帮助他们，最终帮助这些孩子改过自新，重新认识了自己和社会。

《寻找回来的世界》和当时的整个社会思潮相呼应，对一些社会现象和问题进行了思考、批判以及建议，并且告诉我们，世界只有一个，每个人的心中都会有不同的世界，但是无论怎样，都必须正视自己的良知与尊严。

在当时的社会背景下，呼唤个人的良知和尊严，是一种人道主义的回归，也是个性解放的先声。北京电视剧对于引领和构建这种思潮发挥了重要作用。

除了《寻找回来的世界》,《蹉跎岁月》、《四世同堂》、《凯旋在子夜》等电视剧也充分地显示了那个时代的特征，比如《蹉跎岁月》，它对“文化大革命”时期一些错误思想进行了批判，在改革开放之前的几年，每个人的命运常常因为政治环境的复杂而起起伏伏，不受自己掌控。虽然有些人奋力抗争，但是也总免不了受到环境的打击。总体而言，80 年代是中国人挣脱政治枷锁以及重新寻找自我定位的一个时期，在这个阶段，他们在寻求个性解放的过程中并不是一帆风顺的，而是经历了许多的挫折和挣扎，而这一切也充分地体现在当时众多优秀电视剧中，让我们可以通过视听图像感知那个年代的情绪与记忆。

北京电视剧回应与建构了 90 年代人文主义思潮。在 20 世纪 90 年代，改革开放进入了一个新的阶段，中国的经济、社会、文化也呈迅速发展之势。这个时期，人们已不再纠结于对意识形态的争论，几乎所有人都将注意力集中在自身的成长与个人财富的累积上。但是在急剧转型的过程中，各种社会问题也随之显现。

在 80 年代末 90 年代初，随着中国经济改革开始深入，物价飞涨、工人下岗、贫富差距拉大，各种各样的社会矛盾开始显现。1990 年热播的《渴望》，将一个任劳任怨、善良、无私、隐忍的女性形象呈现给大众。这样一个关于好人的想象性主题，试图建构有关无私奉献的修辞性视野的题材得到了中国观众的普遍喜爱，甚至有许多人发出了“娶妻当娶刘慧芳”的感叹。这其实是《渴望》对于当时社会价值观的一次有力建构，人们愿意相信剧中所暗示的潜在道德观，即“好人一生平安”、“好人会有好报”。刘慧芳为中国社会转型期的人们提供了一个道德榜样，同时也给当时矛盾显现、略带迷茫的普通观众在心理上给予了指引和鼓励，让人们能够忽略社会变革带来的差距和矛盾，并且努力善良地生活。

如果说刘慧芳的形象代表了传统道德和集体观念，另一部产生了万人空巷观赏效应的电视剧《北京人在纽约》则塑造出完全不同的另一个人物形象。从北京到纽约，王启明们从一种有强烈集体文化传统的国家，穿越到了一片崇尚个人主义、个人奋斗的新大陆。在剧中，我们看到一个原来的音乐人，如何为生活所迫，重新开始创业的过程。王启明等人也成为一组鲜明的“个人主义”文化符号，代表了所有那个时期“洋插队”的年轻人。

有学者认为，人文关怀在国产电视剧中的体现可以概括为“理解”和“热爱”。《北京人在纽约》讲述了一群怀有美国梦的北京人在美国奋斗的故事，这些移民一直在文化差异的旋涡中挣扎，并且要面对周边人的排挤、误解，对于剧中人所遭遇的种种不幸，这部剧没有抱着一种嘲笑的态度，相反，电视剧所持有的是对这些移民者的理解，并且表现出对他们命运的关注，应当说，整部剧都是在一种悲情但不失温馨的氛围中上演的，这不仅让剧中角色产生了一种命运感，更让观众本身产生一种命运感。在这种命运感的陪伴下，剧中所体现出的人文关怀也自然显现出来。

当然，北京电视剧中的人文关怀并非昙花一现，如1999年电视剧《永不瞑目》中，一反过去惯常的观念，没有对吸毒者和贩毒者一味地谴责，而是试图去理解他们的行为，并对他们的行为进行一种人性化的解读和关照；1998年电视剧《牵手》则公开讲述了婚外情的故事。电视剧创作者同样没有简单地按照“非黑即白、非善即恶”的刻板标准，一味谴责某一方或者支持某一方，而是以一种中立的视角，以一种温情的方式来呈现一个婚后出轨的故事，从而达到了一种人文关怀的效果。

北京电视剧回应与建构了21世纪多元社会思潮。进入21世纪，中国经济、社会的发展呈现出加速度前进的态势。与此同时，人们的价值观念也遭遇了空前的冲击，许多年轻人迷失在物质的追求和享受中，人们的情感观念、道德观念等价值系统面临着莫衷一是、无从选择的混乱和尴尬。卡奴、房奴、学奴、贪官、“二奶”等各种不正常的社会现象集中爆发。

这个时期的北京电视剧，则呈现出了深厚的包容性和责任感，一方面积极反映社会问题，另一方面，也对各种不良现象进行批判。北京电视剧的社会价值日益丰富和多元，为观众创造了不少精品。《士兵突击》、《奋斗》、《李春天的春天》、《婚姻保卫战》、《媳妇的美好时代》、《北京青年》等优秀的电视剧是这个时期的一些代表作。它们一方面极力展现了社会变革时期的多元价值观以及问题，同时，通过情节发展、人物命运设置来引导观众作出正确的价值判断和取舍。

像《奋斗》、《媳妇的美好时代》、《婚姻保卫战》、《北京青年》这些优秀的青春偶像剧，一方面很好地反映了当代年轻人的爱情、事业、道德观念，同时也反映了他们这一代人的痛苦和迷茫。这一系列电视剧为80后、90后观众塑造了许多经典的人物形象，年轻人很容易在他们身上看到自己的影子，比如对于物质的看法、对于爱情和婚姻的期待，从而产生共鸣。而在这些电视剧中，编剧有意无意地总会通过一些故事或者话语来给现今的年轻观众一些指引，希望对他们在现实中遇到的各种无助和迷茫进行开解。

除了不少的生活剧，21世纪以后，《历史的天空》、《亮剑》、《狼毒花》等众多优秀的军事革命题材也纷纷地亮相电视荧幕，而且这个系列的电视剧在某个时期还引发了收视热潮。该类革命题材塑造了许多刚硬、敢担当、有勇有谋的男性形象。《亮剑》中的男主人公李云龙在剧中就曾说："面对强大的敌手，明知不敌也要毅然亮剑。即使倒下，也要成为一座山、一道岭。"这种精神一方面体现了强烈的爱国主义精神以及自我牺牲精神，同时，这也是人们面对困难和挫折时应有的气概和魄力，虽是不同年代，但是当代社会的人们在面对众多压力时同样也需要它们。革命剧和生活剧有诸多不同，但是也有共通之处，在类似于《玉观音》、《永不瞑目》等剧中，人们在面对正义、大是大非时，有时候会不那么义无反顾，会在意自己的感受，但是最终，他们总会坚持内心最善意的想法。这样的人物性格更贴近人性的真实，并且有着更为深刻的感染力。这些剧都有着宏大的叙事意义，把国家、社会责任赋予在主人公身上，而类似于《奋斗》、《双城生活》等电视剧则更多的是反映"小家"，是关于个人的微观叙事，《奋斗》中的向南、《双城生活》中的徐嘉惠谈不上宏伟大志，只是将个人爱情以及自己的小家作为奋斗的目标，可是这样一些小人物并不缺乏个性和魅力，他们身上的一个优点被放大就足够吸引众多观众的注意力了，同时，他们反映的是和观众有着共同之处的人物形象，所以，他们对幸福的追求对现实观众是有指引作用的。

一部优秀的、有广泛影响力的电视剧，在吸引观众观看的同时，还会引起广泛的讨论，在网络上、在人际交往中，人们会对他们所看的电视剧的主要人物以及个性进行分析和探讨，从而在社会和网络中变成社会热点话题。对于同一个人物形象或者故事情节，每一个观众都会有不同的解读和分析。

总之，电视剧既是现实社会的反映，同时也参与引领和建构了不同时期的社会思潮。虽然这种镜像经过艺术化手段处理后变得夸张、变形，外在上与现实生活不完全吻合，但内在的支撑——价值取向是无法修饰和虚拟的，必然带有时代的印记。优秀的电视剧会在真实、全面反映社会生活面貌的同时，通过艺术化的手法阐述时代的需求、人生的意义，从而引导观众思考和学习，并且达成具有积极意义的社会共识，这对于我国和谐社会的建构无疑产生了十分有益的影响。

二、北京电视剧的文化价值

对于一部电视剧来说，文化内涵的支撑是决定其是否优秀的重要条件，而对于文化来说，电视剧则是它的重要载体。对于文化价值的定义，在学界的分歧很大，本文取一个较为容易理解的定义就是：文化性质的价值，即客体、对象在人们的文化生活方面所具有的意义和价值，与经济价值、政治价值等概念相对而言。这里的“文化”尤指精神文化，故文化价值也就相当于精神价值，与物质价值相对。据此，文化价值更侧重于对精神的影响，并且这种影响是由文化生活所带来的。就现代社会而言，电视剧是人们文化生活的重要组成部分，并且已经成为人们了解国内外文化的主要窗口之一。北京作为我国的政治、文化中心，有着丰富的文化资源，因此，北京电视剧所创造的文化价值在全国各地的电视剧中可谓是独领风骚。总的来说，北京电视剧的文化价值主要表现在以下几个方面。

首先，北京电视剧发掘和弘扬了中国的传统文化。北京电视剧已经走过了30年的风雨历程，在这30年中，北京的电视剧人为观众们奉献了一批又一批的优秀作品，其中不少电视剧发掘和承载了厚重的中国传统历史文化，并弘扬了富有时代价值的部分。

发掘优秀的传统文化是北京电视剧对于中国文化建设的一个重要贡献。以电视剧《大宅门》为例，在《大宅门》播出前，中国的“宅门文化”只在极少数人当中受到关注，而《大宅门》播出后，“宅门文化”引起了更多人的重视，全国各地纷纷把当地著名的宅门大院作为旅游景点推出，“宅门系”电视剧也纷纷跟进，《乔家大院》以及前不久播出的《木府风云》等剧，不同程度地受到观众的追捧。在谈及对“宅门文化”的发掘时，《大宅门》编剧郭宝昌先生认为，宅门文化作为“中国独有的一种文化现象，外国没有，‘文革’以后完全消失。它体现出来的东西独具特色，不雷同于过去任何豪门的、显贵的、官宦的或平民的，它吸收了很多皇家的东西，又具备了浓厚的民间色彩，是两者的结合，所以这些人物很特殊，你除了感到一种贵族气，也感到一种平民气，这两种文化的交合才形成了它独特的风格。”因此，“宅门文化”作为一种与众不同的文化，观众有权利了解它，而北京电视剧便成为了观众们用来学习传统文化知识最为直接的工具。

北京电视剧之所以能够在弘扬和发现中国优秀传统文化上取得傲人的成绩，与北京电视剧作者的历史责任感是分不开的，正如《红楼梦》等电视剧的制片人在谈到名著改编时所说，“我们要为民族发展拍摄生命力强的作品，需要影响一代人、两代人甚至更多人。能赚钱更好，不能赚钱也是对我们中华民族的一种弘扬”。

由北京电视人改编自四大名著的电视剧就是其中一个典型例子。四大名著本身是中国优秀传统文化的重要组成部分，将四大名著搬上荧幕，对于一些受到教育水平限制的观众来说无疑是一个“福音”，电视剧是通俗艺术，根据四大名著改编的电视剧给了普通老百姓一个了解我国古代优秀文学作品的机会。不仅如此，由四大名著改编的电视剧更为重要的意义在于，四大名著本身就蕴含着许多优秀的传统文化内容，比如《西游记》中的佛教文化、《红楼梦》中的中国传统礼仪文化、《水浒传》中的忠孝文化以及《三国演义》中的兵法文化，这些已经远远超越了让人们了解小说艺术本身的价值。

此外，这些优秀的电视剧还引发了近年来的“国学研究热”，以《三国演义》为例，84 集电视连续剧《三国演义》，不仅在中国而且在购买了此剧播映权的日本、韩国、马来西亚、泰国、新加坡等国家和我国香港、台湾地区也激起了“三国文化热”。除了四大名著，其他历史题材电视剧也普及了不少中国历史知识，如《雍正王朝》、《康熙大帝》等不胜枚举。

当然，说到传统文化，京味文化是不能不提的，北京作为一个悠久的历史文化名城，它的文化格局呈现了帝王文化与市井文化交融发展的独特面貌，这也让北京文化在不同角度都散发着迷人的魅力。京味儿电视剧自然而然成为了北京文化一个重要的传播工具。

北京文化与全国其他地方相比有着十分强烈的辨识度，这得益于北京独有的文化特质。老北京文化的产生与成熟，离不开以下几个因素：① 地理因素上，草原文化、平原文化、水乡文化的交融；② 政治因素上，宫廷文化、士大夫文化、平民文化的汇合；③ 经济因素上，草原猎牧文化、平原农耕文化、南方文化、西方文化的渗透；④ 民族因素上，多民族文化的共存；⑤ 国际因素上，异国文化的传入。可见，老北京文化是多民族、多地域的文化经过长期相互交融而形成的，而且掺杂着泾渭分明却又相互渗透的帝王文化、贵族文化、平民文化。

北京电视剧对于北京文化的阐释首先表现在语言的运用上，从早期的《四世同堂》到《奋斗》再到《贫嘴张大民的幸福生活》这一系列的电视剧中都能看到北京人特有的语言特色，那些富有“京腔京韵”的说话语调一直都是京味儿电视剧的一大特色，而北京地域语言中所拥有的那些独树一帜的幽默感也为这些京味儿电视剧增添了不少光彩，由京派作家老舍的名著改编的《四世同堂》无论从人物的用词还是语言表达，都带着浓浓的老北京的味道，而在现代京味电视剧当中，虽然电视剧的基调与《四世同堂》的老北京不同，但是在语言上，像《奋斗》这样的电视剧中仍然透露着如唱戏般的“京腔”，并且那种融入北京人血液里的调侃方式在《四世同堂》和《奋斗》这两部时隔 30 年电视剧中似乎也展现了一种传承。就像学者们所评价的，无论“京味”文学怎么发生新的变化，包括文学语言所发生的巨大变化，而语言的“京味”或“京味”的语言始终是包括“京味”戏剧在内的整个“京味”文学的最为显著也最为根本的一个标志。

其次，北京电视剧还展现了北京人的独特风貌。北京作为中国封建时期最后几个王朝的国都，积累了近千年的文化资源，也形成了北京人身上独有的文化“范儿”，虽然在近代，北京城也历经战火蹂躏，但是，北京人身上的“范儿”却一直沿袭了下来，在非北京成长的人看来，北京人喜欢拐着调说话，个性独立也包容，坚持原则也灵活。从京味电视剧来看，《奋斗》中的夏琳独立、有个性，《风车》中的何爽也如夏琳一样有想法、不随波逐流，《双城生活》中的北京女孩郝京妮也同样自强独立，这一系列的角色看似不同，但都有其共通之处，而这些共通点就构成了北京人的“面相”。

最后，北京电视剧展现了北京独具匠心的建筑文化，在北京，人们既可以看到如故宫、颐和园这样宏伟的皇室建筑，也能看到胡同、四合院这样的百姓居所，但是，无论是皇家建筑还是百姓居所，他们都彰显出了北京建筑特有的魅力。我国著名建筑学家梁思成先生就一直以北京拥有如此美丽的建筑而感到骄傲，并且称北京的建筑和规划在全世界都是独一无二的。这种对于北京建筑的自豪感也被京味儿电视剧全局展露，比如在电视剧《双城生活》中，女主人公郝京妮的家就住在四合院，在整部电视剧当中，除了个别出现的鸟巢等现代建筑外，胡同几乎是其中的唯一场景，而如《雍正王朝》这样的历史剧则展现了北京完全不同的另一种风貌，贵族宫殿和皇家园林让观众在享受电视剧情节时也进行了一次视觉上的“旅游”，反是观之，也正是这些带有京味儿的建筑才让京味儿电视剧有了精准的“商标”。

总之，北京文化并不是单一的，它既有贵族文化的“高傲”，也有平民文化的“朴实”，这也就是为什么在北京故宫和四合院能够“和平相处”，京剧和单弦能够雅俗共赏。京味文化成就了京味电视剧，京味电视剧也同样弘扬了京味文化。

北京电视剧融合了精英文化与市民文化。一直以来，精英文化总给人一种高深莫测的感觉，在普通百姓看来，精英文化离他们太远，他们所感兴趣的是那些贴近自己生活的、最为微小普通的市民文化，相对而言，在崇尚精英文化的人眼中，市民文化实在“难登大雅之堂”。精英文化和市民文化所具备的不同气质似乎造成了两者之间一道不可逾越的鸿沟，然而，北京的电视剧人用自己的智慧在这道鸿沟上架起了一座桥梁。如2011年在北京台热播的《永不磨灭的番号》，主人公李大本事爱耍赖、爱耍小聪明、爱骗人，可以说是一个不折不扣的“地痞”，然而就是这样一个地痞式的人物做着一个革命领导者做的事情，他打仗不按常理出牌、出奇制胜，并且身上有着一种不平凡的领导气质，他为了保家卫国愿意牺牲自己的生命，这些家国情怀、胜人一筹的领导品质常常是精英文化所推崇的，李大本事就是这样一个将市民文化和精英文化集于一身的个性人物。同样，在《士兵突击》当中，主人公许三多身上没有一丝一毫的精英气质，最后却成为整支部队中最为突出的“兵王”，成为一名精英战士，这一切都得益于创作者对于精英文化和市民文化的精准把握。在《亮剑》中，指挥官李云龙是一个没有多少文化知识的人，而他的下属有人喜欢弹钢琴、画油画，对这些舞文弄墨的事情他都嗤之以鼻，精英文化和市民文化的碰撞在此展露无遗，但有意思的是，正是这样一个所谓的“粗人”领导着一些“雅人”组建了一支“常胜之师”。除了这些军旅剧中的文化融合，在北京电视剧作者所创作的古装戏当中同样体现着精英文化和市民文化的结合，一个典型的例子就是“戏说剧”《宰相刘罗锅》，从这部电视剧的人物设置来看，几乎是清一色的精英，宰相刘罗锅、军机大臣和珅、皇帝乾隆，可以说这些人物是绝对的精英人物，然而这些人物没有什么精英气质。刘罗锅爱和别人斗嘴，为了一点小事就与和珅吵个不停，在生活上面甚至斤斤计较，而和珅虽然喜欢古玩字画，看上去很“精英”，然而他爱拍马屁、小气，虽然是军机大臣，但是也同样爱管许多鸡毛蒜皮的小事，而乾隆就更为突出，他虽为帝王，但身上没有丝毫的王者之风，有时候甚至还喜欢“耍滑头”，这些都让这些精英们身上充斥着不少的“市井气”。不过，这部电视剧在播出时之所以能够获得观众们的喜爱，应该说是与剧中这些精英人物的市民化不无联系。除此之外，《孝庄秘史》这一类的电视剧也同样表现了两种不同阶层文化的结合。事实上，精英文化和市民文化一直都在相互影响着，而北京电视剧正是把握住了这一点，因此，对于观众们来讲，北京电视剧似乎更“接地气”。

在封建时期，北京作为几个王朝的首都，会聚了来自于全国各地的各色人等，因此，在北京这块土地上，文人墨客追寻阳春白雪的高雅文化，而普通百姓以及市井乡民也同样寻找着下里巴人的世俗文化，可以说这种社会阶层的构成使北京成为了精英文化和市民文化的“集散地”，因此，在反映北京独特文化的京味儿电视剧当中，精英文化和市民文化的碰撞与融合是无处不在的。比如在《四世同堂》这部由文学作品改编的电视剧当中，祁老爷一家是北京最为普通的小市民，他们一家人生活在一个普通的北京胡同当中，他们的生活方式和喜好都是小市民式的，并且在电视剧的开篇，观众们看到的就是街头杂耍卖艺的场景，在北京音乐当中还能听到单弦的声音，这些都凸显出了市井的色彩，然而就是在这市民文化的海洋之中，祁老爷的三孙子祁瑞全却为小羊圈胡同中带来了一些精英文化的色彩。祁瑞全受过高等教育，许多思想都比家里其他人更加进步，他在面临敌人入侵时不屈不挠，身上充满着忧国忧民的情怀，最后还去参加了革命，这些意志品质一直都是社会精英们所推崇的，而祁瑞全这一追求精英文化的青年人恰恰生长在一个市民文化占主流的环境下，让观众看到了精英文化与市民文化在这个大家族中的碰撞和融合。

应该说，北京是精英文化和市民文化特征表现最为明显的一个城市，而作为忠实反映北京文化的京味儿电视剧，展现精英文化和市民文化之间的“亦敌亦友”的关系似乎也成为了它的一种责任。在这 30 年间，从一部部备受观众们推崇的京味儿电视剧当中，观众们也的确能看到在北京这座城市中精英文化与市民文化之间从冲突到融合的一种历史变迁。可以说，如果提到电视剧融合精英文化和市民文化的话题，京味儿电视剧是其中绕不开的重要部分。

一部电视剧优秀与否，衡量的标准并不是其投入了多少资金，而是它实现了多少价值。虽然电视剧是商品，但是它本身所具备的文化价值、社会价值和审美价值决定了它不同于一般的商品。它会在不知不觉中影响人的思想观念、行为准则和道德标准，这就决定了电视剧制作者必须具有责任感和使命感。

总之，从各方面来看，北京电视剧 30 年来的成就是十分引人注目的，而这些成就也为北京电视剧带来了一系列的荣誉，国家“五个一工程奖”、“飞天奖”、“金鹰奖”等多个电视剧的大奖都有北京电视剧的身影，北京电视剧在全国电视剧中已经占有了非常重要的一席。相信在未来的30年，北京电视剧创作者仍能够秉持自己独特的创作理念，为中国电视剧的发展继续作出自己的贡献。

（作者单位：中国传媒大学）

历久弥新　经典永恒

——为纪念北京电视剧30周年而作

高　鑫

一、我与北京电视剧的情缘

作为一个年逾古稀的电视老人，我与北京电视剧早已结下了不解的情缘。人们在形容电视剧对自己的影响时，往往喜欢说：我是看着北京电视剧长大的。今天，我要真诚地说：我是看着北京电视剧变老的。今天，纪念北京电视剧30周年，自然引起了我与北京电视剧的历史回忆。人到了老年，自然不会有什么新的艺术思维，更不会有什么新的艺术观念，这是年轻人的事，人到了老年，只有凭借回忆过日子了。

北京是中国的首善之区，这里有着悠久的历史沉积，有着深厚的文化积淀，有着厚重的艺术底蕴。特别是有着弥足珍贵、聪明睿智的艺术家和文化人群落。这一切都是北京最宝贵的财富，更是北京电视剧艺术崛起和发展的坚实的历史、文化、艺术的根基。故而，北京电视剧艺术才能领全国之先，这本是顺理成章的事情。

记得30年前的1982年，北京率先在全国成立了第一家“北京电视剧制片厂”，第一任厂长是后来成为电视剧评论家的徐宏，据说现已移居美国。当时的厂址是在海淀区租赁的一幢简陋、破旧的平房，人称“大车店”。为了提高工作人员的业务水平，记得北京广播学院电视系为他们办过一期大专班，地点就在“大车店”里的一个破厂房，我还去那里讲过一个月的课。别小看这个大专班，班里可是走出了好几位当今赫赫有名的大导演：冯小刚，当时只是一位美工；赵宝刚，当时只是一位剧务。虽然不敢说他们是大专班里培育出来的，但他们有时在接受采访时，他们会自称是北京广播学院毕业的。

由于我在北京广播学院从事电视艺术理论的研究和教学，还兼任过北京电视艺术家协会副主席、《电视艺术》杂志副主编，担任过北京电视剧“春燕奖”评委会主任委员，故而对北京电视剧的发展自然比较关注。我亲眼目睹了北京电视剧走过的历史道路，思考着北京电视剧的创作走向，多次参加北京电视剧的座谈会、研讨会、策划会、评奖会。可以说，我与北京电视剧息息相关、休戚与共。

还是在1982年，北京推出了根据老舍先生的著名小说《四世同堂》改编的同名电视剧。《四世同堂》，现在被看作老舍先生的代表作，但在当时的政治气候下并不著名，因为它反映的是国民党统治下北平的抗战。《四世同堂》是老舍先生在美国用英文写作的，本来是三部曲《徨惑》、《偷生》、《饥饿》，当时在国内只翻译、介绍了前两部，而第三部《饥饿》，国内根本没有面世，故而社会影响甚微。就连我这个在北京大学学文学的、后又在中国社会科学院研究生院专修现代文学的人都没有看过。可见，要改编成电视剧需要顶着多么大的政治压力。说到这里，就不能不感谢当时北京广播局的局长赵正晶先生了，他顶住政治压力，力排众议，拍板拍摄，这需要多么大的政治勇气。所以，我们可以说，没有赵正晶，就没有电视剧《四世同堂》。

电视剧《四世同堂》，由现已80多岁的女导演林汝为执导，她也因此而成名。那时，每当电视屏幕上传出它的主题歌《重整河山待后生》时，清脆而高亢的唱腔，就会立刻将人们召唤到电视屏幕前。开始走进这部气壮山河的电视剧，与北京一个极其普通的小胡同、小羊圈的北京普通市民一起，重温抗战时期北京人的苦难、艰辛的生活，以及悲愤、抗争的崇高情怀。那可真是一种独特的艺术享受——电视剧艺术的审美享受。

当时，改革开放不久，国外引进剧占有着中国电视屏幕。唯一可以与引进剧叫板、唯一敢与引进剧争夺观众的国产电视剧就只有《四世同堂》。时间虽然过去30年，但每每想到《四世同堂》，依然会怦然心动、血脉贲张。这就叫历久弥新，这就叫经典永恒。

次年，也就是1985年的夏天，赵正晶先生在绿荫掩映的香山碧云寺召开了电视剧《四世同堂》学术研讨会。这是我应邀参加的第一次电视剧研讨会。会后，应邀写了一篇电视剧评论文章，题目叫作《老舍风格的执着追求》，后来，收入了已故著名电视剧评论家、北京电视艺术家协会副主席蔡骧先生主编的《〈四世同堂〉电视剧讨论文集》，书中还收录了著名戏剧理论家赵寻、著名文学评论家蓝翎，以及钟艺兵、黄会林、张永经、徐宏等人的文章。如果说电视剧《四世同堂》开我国名著改编电视剧的先河，那么，这本电视剧《四世同堂》的论文集，则开了电视剧理论研究的先河。

1990 年，北京电视剧又发生了一件大事，这就是在全国引起轰动效应、造成万人空巷的社会效果，构成一种重要社会文化现象的 50 集长篇室内电视剧《渴望》的播出。现在看来，《渴望》仍有不尽如人意之处，但在当时切中了中国老百姓的心理要害：刚刚从“文化大革命”的人民战争中解脱出的老百姓，依然心有余悸，惶恐不安，但《渴望》设法抹干人们周边的血痕，抚平人们心头的创伤，以深情的人道主义精神、炽热的人文关怀，给人们的心灵以温馨的抚慰，广大电视观众自然会给予真情回馈。我应邀参加了好几个部门的学术研讨会，并且为此撰写了两篇文章：一是《〈渴望〉的电视化审视》，刊登在《电视研究》上；一是《〈渴望〉的审美思考》，收入了中宣部汤恒主编的《〈渴望〉的世界》一书中。书中还收录了仲呈祥、钟艺兵、任岁寒、朱汉生、王云缦等著名评论家的文章。

这里值得一提的，还有两部北京制作的与我校有关的电视剧。一部是我校潘桦老师执导的儿童电视剧《金色的轮船》，我为其撰写了评论文章《小天地里的大世界》，刊登在《文艺报》上；另一部是我校首届电视剧导演专业的毕业生张旭、白帆执导的电视剧《大林莽》，我也为其撰写了一篇剧评《是诗・是歌・是画……》，刊登在《北京广播电视报》上。

二、电视剧评论从未缺席

北京电视剧 30 周年，打造了一批堪称艺术精品的电视剧：《四世同堂》、《便衣警察》、《渴望》、《凯旋在子夜》、《编辑部的故事》、《北京人在纽约》等；培养了一批在社会上颇有影响的电视剧导演：林汝为、郑晓龙、尤小刚、冯小刚、赵玉刚、鲁晓威等；培养了一批尽人皆知的演员：肖雄、赵越、宋丹丹、胡亚捷、宋春丽、申年宜、李雪健、凯丽、葛优、吕丽萍等；也推出了一批耳熟能吟的优秀电视剧主题歌：《重整河山待后生》、《好人一生平安》、《开心地笑一次》等。这些都是有口皆碑、尽人皆知的不争事实，也是可以夸耀于世的重要成就。但是，还有一项重要的成就、重要的贡献，也许不为人所关注，故而不大为人所提及，那就是北京电视剧还培育和组建了一支优秀的、杰出的电视剧理论团队。

由于北京是电视剧领导机构云集的地方：中国电视剧艺委会、中国电视剧制作中心、北京电视剧制作中心、中国电视艺术家协会、北京电视艺术家协会等，这些组织和团队经常组织在京评论家参加新剧作观摩会、研讨会，组织他们撰写评论文章，并安排发表的阵地。长此以往，则将北京市自由分散、各个为战的电视剧评论家凝聚、整合在了一起，使得北京拥有了一支全国唯一的电视剧理论队伍。如我们熟知的已过世的评论家王云缦、蔡骧、汪岁寒；年老已搁笔的朱汉生、钟艺兵、徐宏、彭加瑾，当然也包括本人；还有至今仍活跃在评坛上的著名人物：杜高、刘扬体、曾庆瑞、黄式宪、仲呈祥、黄会林、路海波、解玺璋、彭俐等；更有人多势众的“学院派”代表人物，尤以我校毕业或在读的电视艺术专业的博士生、硕士生为主。

在北京广播局召开的“纪念北京电视剧30周年招待会”上，北京市副市长、宣传部长鲁炜先生致辞时，以满腔的激情号召北京要重视电视剧理论评论工作。其中，这一方面反映出领导对电视剧理论、评论工作的重视；另一方面也反映出领导并不全面了解实际情况。其实北京早就存在着一支杰出的、活跃的电视剧理论队伍，人们一般只是视而不见。

最典型的事例就是，在北京电视台举办的“纪念北京电视剧30周年颁奖文艺晚会”上，登台领奖的都是编剧、导演、演员、作曲家，唯独没有电视剧评论家。所谓要重视电视剧理论和评论，其实永远是一句空话。

事实证明，北京电视剧的起飞，靠的是两个翅膀，一是创作，二是理论，两手都要抓，两手都要硬，缺了哪一个翅膀，北京电视剧都难以真正地起飞。

三、北京电视剧的经典意义

说北京电视剧具有经典意义，绝非说北京生产的电视剧都是经典，而只是说，就整体看，它有着经典意义，这个经典，已转换为典范意义。“经典”二字不是随便用的。我个人觉得，称得上经典的作品，起码应该具备以下三个先决条件。

一是历史性。

经典，不是当下就可以判断的，它必须经过历史这个大漏斗的无情淘汰和筛选，将无甚价值的剔除，将最有价值的留下。没有经过历史的筛选，即使在当时是一部优秀作品，甚或是一部精品，也难以被冠之为“经典”。30 年太短，100 年也不长。这样，“经典”本身就是一个历史的概念，从而才具有永恒的历史意义。

二是公众性。

“经典”，不是谁说了就算的。有权势的官僚，有权威的专家，有威望的评奖组织，谁说了都不算数。最公正、最公允的，还是要由公众作出评判。而且还不是少数公众，甚至不仅是本国的公众，而是要全世界的公众，甚或是全人类才说了算数，甚至没有一个人不认可的，只有全世界公众才有资格当最公允的审判官。如文学领域的《红楼梦》、《安娜·卡列尼娜》、《高老头》等；绘画领域的《最后的晚餐》、《蒙娜丽莎》、《西斯廷圣母》等；雕塑领域的《拉奥孔》、《维纳斯》、《掷铁饼的人》等，这些才是公认的传世经典。

三是典范性。

经典，必须是一种艺术的典范，它必须具备此种艺术的一切标准特征，可作分析、可作效仿、可作范例。它是这种艺术的榜样、标杆、旗帜、巅峰，如此才可以称之为“经典”。

由此看来，目前我们尚难以判定北京电视剧有哪几部作品具有经典的价值和意义。但是我们明显发现了北京电视剧独特的艺术气质和共同的美学走向。

一是厚重。

北京电视剧，一般不是简单地讲一个故事，也不浅薄地记述一个人物，更不是应景式地追求某种时尚。每一部戏都有着厚重的历史根基、浓郁的文化积淀、坚实的人文品格，显得沉甸甸、厚重重的，耐琢磨，有嚼头，给人们持久的思索。

二是大气。

北京电视剧，既不像斤斤计较的小女人，更不像嗲声嗲气的小男生。而是一个顶天立地、充满阳刚之气的男子汉。有着气吞八荒、势如破竹的豪放之气，令人振奋，给人力量。

三是豪迈。

北京电视剧也写家庭，也写伦理，但它绝不小家小气，绝不婆婆妈妈、家长里短、柴米油盐、鸡毛蒜皮，而是家事、国事、天下事，事事关心，透过伦理看社会，透过家庭看世界。显得豪迈十足，而绝不平庸、低俗。其实，所有这些都是一部经典作品所不可或缺的创作要素。

历经30多年的北京电视剧将历久弥新，时代越久，越会显现出它的历史价值，因为经典永恒。

（作者单位：中国传媒大学）

电视剧产业发展中的京味文化流变与传播

李　志

北京，始西周燕都建城，经金、元建都，明成祖扩土，有着3000余年的建城史和859余年的建都史。在斗转星移的历史长河中积淀成燕京文化，历清、民300年，酿出京味儿。

一、京味文化的释义

所谓京味，即是北京在沧海桑田的历史变迁中，形成了区别于周边或其他地域的人们的生活方式、思维方式、性格特征、方言土语、饮食习惯以及带有浓厚地方特色的艺术，经过传承、扬弃与积淀，最终形成相对稳定的，区别于海派文化、齐鲁文化、关东文化、楚湘文化、巴蜀文化等其他区域文化的北京区域文化。

北京长久作为都城，其为重要的政治和经济中心，复杂的历史因素，多民族在这里融合，多地域文化在这里交汇，多元思想在这里碰撞，最终形成了北京所特有的底蕴文化。集皇家天子威严、纳士大夫精英清士、容乞活于此的燕京土著平民于一体。如此，老北京文化中交织着威严的宫廷文化、高贵的儒家士大夫文化以及平民文化，经千年，存留于老北京建筑文化、老北京民俗文化、北京地方语言文化之中。“运乎中央，临制四方”的皇家紫禁城、四方群居的民间四合院、多彩的胡同文化、幽默风趣的北京土语儿都昭示着老北京文化的真谛。

现在说京味文化，主要指辛亥革命结束帝制，成立民国以后，京城建筑、民俗、礼仪文化渗透于北京人的衣食住行玩，透射出北京人的精气神。北京作家刘一达在京味儿系列《有鼻子有眼儿》中说，“‘京味儿’表现出来的是一种心境，这种心境可用八个字来概括：恬淡冲和、超脱通达。”

二、电视剧中的京味文化变迁

亦如京味文化孕育出很多经典的“京味”文学一样，从新中国产生电视剧开始，就受到京味文化的哺育。“地域文化是电视剧中典型环境的基石和前提。没有独特的地域文化，典型环境的真实再现，就失去了依托，也难以成为真实的典型。电视剧中的地域文化之所以有其独特的魅力，还在于它为‘情感的外化’提供了一个典型环境的平台。正是基于这一点，北京题材电视剧的创作者们研究北京地域文化的发展和流变，并将北京地域文化与电视剧结合在了一起，才创作出很多具有北京地域文化特色又有时代特征的优秀电视剧。”

“文革”动荡后，20 世纪 80 年代，电视剧开始恢复和快速发展，1981 年，中央电视台播出中国第一部电视连续剧《敌营十八年》。1982 年，北京电视制片厂（北京电视艺术中心前身）成立。可以说，中国电视剧诞生于北京，兴起于京味。同年，根据著名作家老舍小说改编的同名电视剧《茶馆》与观众见面。老舍同时也被认为是京味作家的重要代表，电视剧《茶馆》中操着一口“京片儿”腔的各色人等历经清末、北洋和民国的世事沧桑。观众不仅可以从中看出那时的家国动荡，同时也可以看到古都景象、市井风光，品味京畿地区的民风民俗、乡土人情，又可以聆听京腔京调、京韵京声，领略大宅院文化与小胡同文化。观众可以体会浸泡在皇城文化与平民文化相互交织中的人物生活状态与精神气韵。此后，透着京味的北京题材电视剧发力，成为 80 年代至 90 年代电视剧业的重要组成部分。1985 年，电视剧《四世同堂》获得极大的社会反响，借助这些经典文学作品改编的电视剧，老北京的文化得以在全国范围内传播。这种以国运家变为背景的京味“年代剧”，以家族变迁映照时代变换，个人命运交织国家与民族的命运，展现出皇城根下的老北京看惯风云变幻而处之泰然、目睹国变与民族受辱而透出的爱国情怀，这是这类北京题材剧散发出的京味文化精髓。

80 年代，除了关系家国的京味年代剧，还有一批力在展现当时北京平民生活状态的、具有鲜明北京民俗文化特色的电视剧。如以胡同文化为代表的《大马路小胡同》和 1984 年播出王姬主演的《吉祥胡同甲 5 号》还曾以京味荣获1984年度的电视“金鹰奖”。

80年代与90年代交接时，社会主义市场经济转型开始。“1987年，中共中央第十三次全国代表大会召开，提出‘社会主义经济是有计划的商品经济’，提出‘国家调控市场，市场引导企业’的改革目标，市场在社会的总体发展中被确立了重要位置。虽然这些经济政策并不完全适用于文化传播业，但是从这一年开始，商品经济、市场经济对电视的影响明显强化。”

市场经济大潮催生商品文化和消费文化，作为市场化较早的电视剧业逐步走向大众，倾向通俗，关注转型期都市人群的生活和精神状态。90年代，一系列以北京都市人群生活为艺术表现的电视剧突起，《皇城根儿》（1991年）、《编辑部的故事》（1991年）、《爱你没商量》（1992年）、《过把瘾》（1993年），并出现了第一部以“北京人”这一特定地域人群为表现对象的电视剧《北京人在纽约》（1993年）。90年代北京都市剧所透出的京味，已经深深地渗透到每一个北京人面对社会转型与思潮流变的实际生活情境之中。《北京人在纽约》说的是在中国改革开放掀起的“出国热”大背景下，以王起明和郭燕代表的北京人“寻梦美国”，在纽约的生活与奋斗，展现的是北京人在社会转型期中拥有开阔的眼界、敢于寻梦的勇气和对时代潮流的紧紧跟随。

随着改革开放的深入，北京都市建设的脚步加快，北京不再是北京人自己独有的城市，国际化成为北京城市发展不可扭转的趋势和坚持不懈的方向。此时，北京展现了作为文明古都的强大文化包容性，刻着巴蜀文化、南洋文化、东洋文化、西方文化等不同精神烙印的人在这个国际化大都市中相会，最后被久远传承的京味文化所融合，“老京味”吸收多元文化，逐步形成“新京味”的北京都市文化。

2000年后一系列北京都市题材电视剧通过艺术视觉很好地展现了城市变迁后的“新京味”文化，其中以导演赵宝刚的作品为最佳映照。其从2007年开始的青春三部曲《奋斗》、《我的青春谁做主》、《北京青年》，用新北京青年，以及已经构成北京城市文化不可或缺的北漂青年的生活、工作和对理想的执着，对梦想的追寻的艺术表现，昭示着朝气蓬勃、理想高远而又不失勤奋与甘于寂寞的北京都市文化。

电视剧中京味文化的具体表征开始从茶馆到酒吧、从胡同到步行街、从四合院到 LOFT，从皇城根到 798 艺术区，从“京片儿”到普通话，京味文化继承传统并吸纳新文化、新精神。“北京的文化氛围和文化精神的突出特点就是包容，它因包容而彰显其厚德。这是北京的一个特别鲜明的风格，一种在中国其他城市很难找到的品德：既古典，又时尚，兼容并包，海纳百川，全国甚至全世界各地的文化都在这里汇聚，你想要什么样的生活方式这里都有。你既可以到这里发思古之幽情，也可以来这里体现充满先锋、实验精神的文化和艺术”，著名文化学者陶东风如是解析北京城市文化和北京精神。

三、电视剧产业推动京味文化传播

电视剧从来都不只是讲故事，它是沟通观众，传播剧本信息背后独特文化的重要媒介。“从文化发展的意义上说，电视传播是文化传播的革命性变革，电视文化对人类的影响在当今已经远远超过了任何其他文化形态，电视成为改造社会的一种全新的社会力量。”

京味文化哺育了北京电视剧的艺术创造，为推动北京电视剧产业的发展作出了巨大贡献。同时，电视剧产业的变迁也在潜移默化地传承和传播京味文化。北京传统文化和新京味都市文化通过《茶馆》、《大宅门》、《编辑部的故事》、《贫民张大嘴的幸福生活》、《北京爱情故事》、青春三部曲等热播剧传扬至全国，乃至海外，影响着千万海内外观众对北京文化的理解和吸收。

文化是决定创造、塑造未来的重要力量，是城市软实力的核心要素。电视剧是跨文化传播中的最佳载体，韩剧、美剧、日剧在中国的兴起和影响可见一斑。“韩剧中对生活的真诚化再现、对人性闪光点的赞美等审美取向，从灵魂深处撼动了中国观众，令人们从内心回望传统与温馨的记忆。韩剧不仅在故事内容上充满了民族色彩，而且也触及整个东亚传统文化步入现代社会进程中的伦理重建问题。”北京以“经济之都、文化之都”的世界城市为目标。在提升北京国际竞争力，推广和传扬北京文化方面，作为文化产业重要支柱和跨文化传播重要载体的电视剧产业应是北京文化产业发展规划的重中之重。

（作者单位：北京电视台）

剧本剧本，一剧之本

周溥雄

电视剧《北京青年》不久前在京、津、沪等地卫视播出，收视率节节攀升，众多媒体热议，观众广泛好评。业内专家分析说，该剧之所以获得较大成功，固然与著名导演执导、演员阵容齐整分不开，但根本的原因还在于它选择了一个能引起社会普遍关注、广大青年共鸣的好题材，有一部剧情内容较扎实、思想内涵较丰富而又不失生活情趣的好剧本。这就不能不让我们谈起一个逐渐为人淡忘的老话题：剧本剧本，一剧之本。

众所周知，中国的电视剧生产量，号称世界第一。数据显示，去年我国摄制的电视剧已经超过了500部，达到15000多集。但是，同质化、泛娱乐化现象日趋严重，“三性统一”、“三贴近”的优秀剧作却并不多见。剧本，作为“一剧之本”，在电视剧生产中扮演的角色越来越显得尴尬无奈。这究竟是为什么呢？

首先，在剧本的题材选择上，跟风现象突出。试以家庭伦理剧为例，《媳妇的美好时代》火了，一系列类似的家庭剧便如雨后春笋，跟风而上。婆媳之间恶斗、翁婿之间不和、妯娌之间较劲，主人公们在鸡毛蒜皮的家庭琐事中打着没完没了的罗圈架。有专业人士认为，家庭剧作为电视剧的一种类型，占电视剧整体的10%比较合适，但现在竟然占到了70%左右，且大多数作品放弃了对社会的宏观思考，陷入只顾表象、只图热闹的微观写实主义。如此雷同的情景，怎不令人生厌？再如谍战剧，《潜伏》、《黎明之前》等两三部戏热播之后，其他谍战剧也蜂拥而至，生编乱造，五花八门，不管三七二十一。又如似曾相识的爱情剧、武侠剧、帝王剧、穿越剧，一部接一部。难怪有人调侃，现在是“荒唐谍战剧”、“狗血爱情剧”、“坑爹武侠剧”、“骨灰重播剧”大行其道，泛滥于荧屏，此种跟风搭车“分杯羹”的创作心态，使得许多电视剧本成了粗制滥造的“急就章”。

在电视剧生产中，不尊重编剧，不以剧本为“本”的情况也屡见不鲜。在一些投资方、制作方、导演、演员眼里，剧本只是一堆“素材”，谁都可以随意改动，甚至越俎代庖。结果，编剧们辛辛苦苦写出的剧本被“再加工”得支离破碎，拍成了“四不像”。编剧手里没有话语权，有苦难言，只能“哑巴吃黄连”。更为不公的是，一部新剧完成后，无论播出前的宣传发布，还是播出后的评奖，登台亮相的从来都是演员和导演，又有谁见过编剧的身影？

此外，电视剧营销中的种种不良风气，也严重制约了优秀剧本的产生。一些播出机构购片，首先看的是有没有明星、是不是名导、会不会有高收视率，而不是重在考量题材有无特色、剧作是否优质。演员阵营优先于剧本质量的购片标准（且不论潜规则），大大助长了某些制片方投机取巧的营销之道——无论剧本如何，演员够红就行。君不见，一些名角出演的滥剧，既赚吆喝又赚钱，不正在大行其道吗？

好剧本，需要扎实的生活积累，需要高尚的文化气质，需要厚重的文化素养。好剧本，应该是编剧本人对社会的深刻认识和反思，与观众真诚的心灵对话。好剧本，绝不是已经成功作品的简单复制，更不是脱离生活的凭空编造。剧本既称“一剧之本”，如果没有它作蓝图，电视剧生产作为文化工程，如何施工操作？又如何能打下坚实的根基？

要想出好作品，重视编剧人才、重视剧本创作是必需的。不久前，传来利好消息：为鼓励、扶持原创优秀剧本，从源头上推动我国电视剧进一步繁荣发展，国家广电总局决定将引进中国电视剧年度优秀剧本评奖，每年拨专项资金重奖10部优秀原创剧本。这无疑是在政府的政策层面上，体现对剧本创作价值的充分肯定，对广大编剧劳动的充分尊重。

当然，编剧们也应有更多自省。现实中，编剧队伍确实鱼龙混杂，潜心费力者固然不少，追名逐利者也大有人在。浅薄浮躁、急功近利、粗制滥造的现象相当普遍。真诚地向剧作家们呼吁：多几分“寒窗苦”，少一些“急就章”；既要对得起观众，也要对得起自己！

（作者单位：北京市广播电影电视局）

警惕抗战题材电视剧的过度传奇化与超现实浪漫

冷　凇　张丽平

国家广电总局曾针对电视过度娱乐化和低俗化的倾向下发了《关于进一步加强电视上星综合频道节目管理的意见》（“限娱令”），在“限娱令”的产生和实施的背景之下，国家广电总局叫停了新奇怪异、天马行空的“穿越剧”，限制了各种泛滥于荧屏的翻拍剧和克隆剧，禁止了涉案剧在黄金时段的播出，连历来大受欢迎的苦情剧也因进入了“三破一苦”（破碎家庭、破碎情感、破碎婚姻以及家庭苦难题材）的怪圈而被停播……目前电视剧“安全”（包含政治安全、市场安全）的剧本创作空间被挤压得很有限了，在这种情形之下，作为打着歌颂伟大革命战争旗号的大量抗战剧纷纷上阵。而近年又恰逢2005年世界反法西斯胜利60周年、2009年庆祝新中国成立60周年以及2011年庆祝建党90周年，以各种历史事件为背景的抗战剧更是层出不穷，如《新亮剑》、《永不磨灭的番号》、《白狼》、《雪豹》、《黑狐》、《飞鹰》、《抗日奇侠》等很多，它们均凭着各自的“卖点”活跃在我国的电视剧荧屏上，并且都取得了不俗的收视率。

弘扬爱国主义精神是我国电视媒体的责任和使命所在，影视剧以抗日为题材，以近代最为惨烈的抗战史中涌现出的英雄人物为典范来宣扬爱国情怀，已成为我国最主要的宣传形式。电视媒体在肩负社会责任的同时，还承载着大众娱乐，抗战题材的电视剧并非一定要像纪录片一样原封不动地还原历史。艺术源于生活又高于生活，电视剧作为一种当代主流的艺术形式，可以适当地加工创造、合理想象，这样才能体现出电视媒体的“寓教于乐”、“潜移默化”。随着我国电视的泛娱乐化和抗战剧的泛滥，当下很多的抗战题材电视剧却肆意戏说历史，抗战剧的过度传奇化和超现实浪漫正在荧屏蔓延。

一、神枪神功夸大主观能力

目前很多抗战剧虽然在场景的表现和制作上算是优质的电视剧，但在剧情表达方面对这段抗战史实的戏说意味越来越重。一些抗战剧在商业利益的驱使下，一味地迎合受众，甚至胡编乱造，不惜以游戏精神亵渎历史。虽然收视不俗，但是对历史和观众的极端不负责任。

她一袭黑衣，飞檐走壁，身轻如燕；她独对众多敌手面不改色，飞刀一出一个不留；她手掌“运功”，敌人五脏六腑瞬间“石化”……乍一看以为是古龙“小李飞刀”重出江湖、金庸“化骨绵掌”武功盖世，实则是《抗日奇侠》中一个女子独闯日本人的日军联队，在此剧开头短短的十五分钟内便上演了绵沙掌、化名为“柳叶飞刀”的“小李飞刀”、乾坤大挪移和躲避极速飞来的子弹等绝世武功。日军联队中的众多日军手持大刀长枪，竟无一个派上用场。《抗日奇侠》讲述民间侠客与日军斗争的故事，侠客们都身怀绝技，铜头铁臂、一掌断石，它的卖点便是将侠义与抗日结合起来，打造一场“武侠抗日传奇剧”。此剧一经播出，引来了不少观众的围观和网友的热议，虽然看着过瘾，但太过离谱。武侠对于观众来说再熟悉不过，我国的电视观众欣赏过太多的“金庸、古龙、梁羽生”，虽然抗日英雄们为正义而战，但是所谓的“武侠”、“江湖”也只是艺术作品投射在人们心中而产生的美好憧憬，并不能与现实混为一谈，而抗日战争是血淋淋的现实。《抗日奇侠》将抗日描绘得过于轻而易举，将日军的实力过分弱化。尽管我们取得了抗日战争的最后胜利，但是这是多少战士真刀真枪地拼杀出来的结果，而绝不是三招两式那么简单和随意。

再如抗战电视剧《黑狐》中，三个小年轻能够成功地捣毁鬼子的机场，仅仅几把手枪便可以打得过敌人的众多机枪；四个人便敢大闹日军最高情报机关，枪法准到枪枪爆头、次次完胜。在很多人的心目中，当年让我们与之拼杀了八年的日本鬼子如今都是手拿三八枪、头戴布条帽，最后不是撒腿就跑就是跪地求饶的形象；而电视剧中的善有善报、每次轻而易举的胜利和大团圆结局，使观众觉得我们的抗日英雄可以轻而易举地达到有利于胜利的任何目的，甚至不用损伤一丝一毫。而实际的情况是，我军与敌军实力相差悬殊，我军生存环境恶劣，在抗日战争中我们的战士为了一点点胜利的希望往往要牺牲很多人的生命，有多少抗日英雄都在战争中悲惨地死去。然而这些观众都无从知晓，也不会人人为了一个电视剧去查找这场战争到底死伤了多少抗日英雄。戏说这种浅薄的喜剧方式，导致被涂脂抹粉的抗日英雄们失去了有血有肉的真实。忽视了流血牺牲，戏说了血腥苦难，与其说愚弄了敌人，不如说自欺欺人，到头来只长了自己的虚气，灭不了敌人的威风。正如王震将军在《恶魔导演的战争》的序中所说："我们的敌人并不愚蠢，甚至很聪明。任何仅仅把敌人看成是愚蠢的人，才是愚蠢的。"

二、过度浪漫脱离战场现实

当今的抗战剧除了"武侠"等元素的泛滥，还往往都有复杂的爱情元素。复杂的爱情无疑可以增加剧情的曲折性和观赏性，为了表现革命事业的爱情元素无可厚非，但是仅仅为了吸引眼球而设置的种种类似于青春偶像剧中的三角恋等情节会让抗战剧大打折扣。许多抗战剧为了提高收视率往往都用爱情当作"开路先锋"，结果却常常因为把战时的爱情过度浪漫化而丢失了电视剧的历史真实性。如在热播电视剧《雪豹》中，当日军进攻虎头山时，特派员张仁杰却因为痛恨周卫国是陈怡的初恋情人，就把周卫国关了禁闭，结果导致很多战士牺牲，这样的情节无疑是此剧的一大败笔。需要强调的是，抗战剧并不是家庭伦理剧，可以根据作者的生活经验和判断进行合理的编造，抗战剧也不是青春偶像剧，可以紧跟潮流打造一场"三角"或"四角"的爱情争夺战，抗战剧的背景不是家长里短，而是铁铮铮、沉甸甸的民族血泪史，拿来充当爱情故事的"配角"是对历史的极为不尊重和亵渎。

早在几年前，曾有一段时间对红色经典的跟风篡改，新版电视剧《林海雪原》、《沙家浜》、《红色娘子军》等一系列改编自小说或戏剧的红色电视剧也曾引来观众不少的争议。这一时期的红色经典电视剧与现在很多抗战剧对英雄的"拔高"不同，都习惯于把英雄过度地平民化，力图把英雄打回普通人的行列，在具体表现中将人们心目中树立已久的英雄形象过分"按低"，矫枉过正，让观众难以接受。此类剧在还原英雄们的本真与个性的时候不可或缺的改编手段仍然是加入感情戏，有观众甚至调侃说“没有三角以上的爱情就不叫电视剧”，新版电视剧《林海雪原》中，杨子荣以一个普通伙夫的形象出场，有一个初恋情人叫槐花，并与其有一个私生子，后来槐花嫁给了土匪座山雕，而杨子荣的私生子成了座山雕的义子。电视剧《沙家浜》更离谱，荒唐地在阿庆嫂和汉奸胡传魁之间加入男女情感的戏。这种情感设置虽然能够使观众达到一定的心理满足，但是用一种非历史的手法对历史作品进行解构，这是对艺术创作的极大伤害。

三、江湖习气抹杀干部作风

抗战剧除了将其拍成金庸剧或者琼瑶剧之外，往往还带有浓烈的江湖习气，强调“义”字当头，看惯了武侠片、黑帮片的很多电视观众对此颇为熟悉。战争题材电视剧自然也为表现江湖义气提供了良好土壤，只是抗战题材与以往的武侠剧或者黑帮剧的“义”相比，它强调的是“忠义”，强调忠心爱国，强调大义而非个人私情。当今很多抗战剧大多过度强化义气，突出“江湖”意义。当今很多的抗战剧在不断的泛滥中演变成了另类的《水浒传》或者是穿越了时空的《古惑仔》，虽然有足够的噱头来吸引眼球，但是丢失了抗战剧的本质。

不可否认，在抗战的历史上人民群众中涌现出不少的抗日志士，在全民族面临生死存亡之际，我军官兵和普通百姓众志成城，共同抗敌，这值得赞颂。但众多的抗战剧把八路军队伍渲染成土匪窝或者霸王团伙，这就过犹不及了。难道抗日战争是靠着几个山贼土匪就能取得胜利的？当然不是。抗日战争中，八路军有着严明的纪律，每场战争也有着周密的部署与计划，并不是电视剧中演的那样轻松和戏剧化。虽然电视剧可以进行适当的艺术加工，但一味呈现并放大局部只会进入以偏概全的泥淖。我军严明的纪律和军人的威严也会被所谓的江湖习气抹杀得荡然无存。

四、篡改历史矮化敌军实力

很多人眼中的日本鬼子是可笑甚至滑稽的，其貌不扬、贼眉鼠眼似乎已经成为影视剧中鬼子形象的模板，配合着愚笨的动作、如鼠的胆量，堪称“完美”。我军能够轻而易举地在敌人眼皮底下盗取绝密文件而不被察觉，我军开枪枪枪爆头是常事，而敌人是万万做不到的……当今抗战剧一味地矮化、弱化敌军的实力，同时也弱化了战争的残酷和丑恶。敌人的愚笨让观众体会不到抗战的艰辛，只有图一乐的嘲弄和快感，全然感受不到沉重的历史背景，看不到八年的抗战和一个民族被蹂躏、被践踏、被迫反抗的悲壮，甚至让观众无法理解和铭记英雄们的惨烈牺牲。

影视剧作为当今重要的媒体承载着大众娱乐的同时还肩负着社会责任，而它的社会服务功能很大部分体现在它的潜移默化、寓教于乐上，这也是由我国电视媒体的性质和宗旨决定的。电视媒体作为把关人和议程设置者，能够引导甚至决定受众的关注点和注意力。比如在抗日游击战中“地雷战”的故事如今家喻户晓，电影《地雷战》的主题歌也曾被很多人传唱：“小河边，大路旁，用地雷筑起万里屏障；山沟里，山顶上，用地雷筑起铁壁铜墙。”如今人们都记得电影中日本鬼子寸步难行、丑态百出的可谓“十分热闹”的场面，但是这个故事背后的悲壮早已无人问津：由于百姓生产生活都要走路，平时鬼子不来的时候都要把地雷挖出来，鬼子来了再重新埋上，不仅不及时而且危险性极大，有的地方在地雷战中炸死百姓比鬼子都多。杨成武将军回忆地雷战时曾说：“效果小，不及时，甚至炸到老百姓和自己人。就是打垮了敌人，我们自己不敢硬扑穷追，怕炸伤自己。”这些背后的故事早已随着电影《地雷战》被封藏，只留下这部那个年代的经典之作流传后世，以致现在很多人都对地雷战的“趣味性”津津乐道。由此可见，影视剧的力量其实是巨大的，影视剧的表达会对整个事件的理解和流传产生影响，而由于影视剧自身易于保存、复制等特点，这种影响很多时候都是深远的。因此，抗战剧把历史当成娱乐的靶子，对历史随意地篡改和编造，这是制作者的历史观出了问题，随着这些抗战剧的流传，历史必将会被慢慢曲解。

历史会有遗憾，但终究是历史。无论历史过程有多少坎坷，历史结果是否顺如人意，现实的人们需要的是真相，只有真相才是以史为鉴、推动前进的力量。我国的抗战剧一味掩饰失败落后，矮化敌人实力，放大胜利结果，试图通过影视剧的表现手法来满足赶超英美、打败日本的急功近利的心态，以弥补历史的遗憾。适当的此种心情尚可理解，但是不惜扭曲历史观来达到娱乐和商业目的，一味地表达浅薄的乐观主义和英雄主义，清一色的善有善报、功德圆满、大团圆结局，使得我国的抗战剧缺少了必要的悲悯情怀，抗战剧的人文关怀和哲学深度又何从谈起？抗战剧又如何打动人心、如何完成它的应有使命？

五、悲悯意识彰显人文情怀

相比之下，在2011年贺岁档上映的电影《金陵十三钗》却着实打动了不少观众的心。《金陵十三钗》是张艺谋执导的一部战争史诗电影，影片根据严歌苓的同名小说改编，讲述了1937年南京沦陷，在一座暂时未被占领的天主教堂内，教会学校女学生、美国人约翰、秦淮河风尘女子、军人和伤兵陆续来到这个教堂内，表现面对日军侵略者带来的生死浩劫，他们情感的微妙变化和殊死抗争。《金陵十三钗》筹备4年，投资6亿元人民币，是目前中国电影投资制作最大的一次。邀请了好莱坞一线影星克里斯蒂安·贝尔和战争特效团队加盟，并且启用了数十位新人出演。尽管有逼真的大场面，有一线大明星、大导演，但这都不能成为《金陵十三钗》最能打动人心的地方。这部影片之所以能够深入人心主要在于在大背景、大主题和大场面下的细节刻画，影片注重在人和人性的描写上下功夫，观众用眼泪和感悟证明该影片成功地做到了。

《金陵十三钗》用一个个细节诉说了影视剧的抗战题材应该如何表达。战争必然有流血有牺牲，而在当时的历史条件下我军的武装力量有限，胜利从来都不是轻而易举的。《金陵十三钗》在大场面下没有盲目乐观，而是几近真实地表现了战争的残酷性。在电影开端保护教会学校女学生进入教堂时，我军仅有为数不多的十几个人，却要面对不断赶来的大批敌人和坦克攻击，此时我军并没有突然的“神助之力”，可以一个对十个，而是有人中弹有人受伤，无力抵挡坦克攻击时，只能让战士们遍身绑满炸弹，以肉身迎向坦克将其炸毁。看见战士们一个个地冲向敌军的大炮然后倒下，观众的内心怎能不受触动？因为它太符合当时的条件与环境了，它太真实了。在历史上我们的战士又何尝不是这样以自己的躯体作为武器来争取战争的一点进展呢？在逼真的场面中，观众可以毫无质疑地进入到情境之中，去感受那段历史里的残酷战争，战争的真实性和残酷性都淋漓尽致地呈现出来，让观众不得不重新对历史进行反思和感悟，在这部影片中观众看到了和平来之不易，生发出了爱国情感，单就这一点而言它就是成功的。

抗战影视剧中可不可以有爱情元素？回答自然是肯定的，而且恰当地表现爱情会给影视剧增添光彩。《金陵十三钗》中美国人约翰对风尘女子玉墨的欣赏以至于最后演变为爱情，这种爱情的表达就是紧张而激烈的战争中温馨的一笔。不仅如此，约翰和玉墨的情感变化还是推动剧情发展的线索，爱情的元素调节了电影节奏，让剧情的发展变得合理。战争是无法浪漫的，爱情却可以，爱情和战争表现得当便会产生相辅相成的作用：战争会使原本平凡的爱情在特定的背景下显得更崇高，而美好的爱情也更会烘托出战争的残酷和丑恶，这种美好和丑恶的对比往往更具有震撼人心的力量。相反一些抗战剧多是为了寻求战争中的“浪漫”而设置爱情，以此来吸引观众的眼球。有些爱情元素的运用非但不能给剧情添彩，反而会因为太过刻意和做作抹杀了作品的真实性和艺术性，这种爱情元素的运用是失败的，也是不可取的。

在战争这种极端的状态下，人性的诸多方面都能够彰显出来，对于一个成功的抗战影视剧来讲，能够把握住人性的细节便是影片成功的开始。《金陵十三钗》注重对人性的刻画，使得影片更为真实，同时也拉近了艺术作品与观众的心理距离。影片对每一个人的心理和情感的变化都有展现，并且都有合理的解释与承接。比如玉墨自己曾经也是教会学校的学生而且学习成绩优异，后因被继父强奸才被迫辍学进入烟花之地，也因为如此玉墨对学生们有强烈的保护意识，她的一系列行为也便有了合理的解释。再如美国人约翰深爱自己死去的女儿，“如果我的女儿活着也有她（一个学生）这么大了”，以此为基点，约翰的情感变化也便有了依托。在影片接近尾声时，假扮成女学生的“十三钗”一个个地被装到了车上即将送到日军的魔窟之中，最后一个上去的女子却在上车的那一刻大喊自己不是女学生，自己是假扮的，这一细节不免让观众大吃一惊，因为观众早已看惯了顺理成章的英勇就义、视死如归，对于这种“临阵脱逃”的情节设置因为少见而深感意外。其实仔细回味起来，这一细节却更显示出了此片的价值，它不回避人性的其他侧面，而是选择直面人性。恐惧本是人正常的心理感受，再大义的英雄也是血肉之躯，恐惧退缩的心理状态即便有也属正常。而当今很多艺术作品都把英雄塑造为千人一面的高大形象，没有不舍，没有恐惧，没有细致的内心世界。相反《金陵十三钗》中这种情节的设置还原了英雄的血肉之躯，英雄有了有血有肉的真实他们的牺牲才更显伟大，也便有了更为感人的力量。

综观《金陵十三钗》这部影片，在残酷的战争面前一种悲悯的情怀贯穿始终，没有戏谑的情节，没有牵强附会的情感，更没有高大全的英雄主义，有的是有血有肉的人和人的真实情感，有的是抹不去的人文情怀和发人深省的哲学深度。这是《金陵十三钗》的成功之处，更是值得我国其他很多抗战剧借鉴的地方。

（作者冷凇单位：中国社会科学院世界传媒研究中心；
作者张丽平系东北师范大学戏剧与影视学专业硕士研究生）

北京广播影视发展研究
文集
（2012年）下册
产业篇

北京广播电视台核心竞争力研究

刘志远　蒋　虎　石群峰　邓忠猛　孙　玥

党的十七届六中全会在中国历史上第一次提出“文化强国”的概念。北京市委十届十次全会提出推进首都文化改革发展的“两大战略”、“九大工程”，视角之高、思路之新、措施之实，前所未有。“风好正是扬帆时”，对于成立一年多的北京广播电视台而言，现在正处于难得的战略机遇期。把握机遇，加快发展，北京广播电视台需要正确认识和分析自身的核心资源与优势，努力培育和打造自身的核心竞争力。

自 1990 年美国密西根大学商学院教授普拉哈拉德和伦敦商学院教授哈默尔在《哈佛商业评论》上发表《企业核心竞争力》并首次提出“核心竞争力”概念以来，关于核心竞争力的研究视角不断多样，总结、借鉴国内已有的相关研究成果，将北京广播电视台的核心竞争力研究分为三部分。

一、发展情况

北京广播电视台于 2010 年 5 月 31 日挂牌，由原北京北广传媒集团、北京人民广播电视台、北京电视台组建而成，为市委、市政府直属事业单位，承担新闻宣传、广播影视内容生产、户外电视制作播出、有线和无线网络建设管理经营、国有资产管理经营以及本台机关和所属单位干部管理等项职责。

北京广播电视台总部有 11 个部室，直属单位 20 家，员工 1.5 万人。截至 2011 年年底，北京广播电视台资产总额达 277.61 亿元，2011 年实现营业收入 93.48 亿元，其中，广告收入 45.35 亿元、企业利润总额 3.87 亿元、上缴税金 7.03 亿元。

（一）业务构成与现状

北京广播电视台现有业务涉及内容生产、节目播出、广告经营、集成传输、演艺会展等广电产业链的多个环节。

广播方面：目前，北京电台拥有9套开路广播、15套有线调频广播、13套数字音频广播，试验播出4套数字视频广播、2个数据服务频道，创办北京广播网，办有《音乐周刊》和《新广播报》。至2011年12月底，北京电台市场份额达到69%。

电视方面：北京电视台现有15个播出频道，包含10个标清频道、2个高清频道、1个长城平台国际频道和2个数字电视频道。2011年，北京电视台收视份额为40.78%，在北京地区排名第一。

有线网络方面：截至2011年12月底，歌华有线公司拥有有线电视注册用户476万户、数字电视用户345万户、高清交互用户272万户、个人宽带用户16万户。北广传媒数字电视公司自办数字电视频道11套、数字广播7套、数据广播1套，集成数字电视频道53套，代理播出数字电视频道6套；鼎视传媒集成传输标清频道33套、高清频道5套，落地销售地区达195个。

户外数字媒体方面：已建成有效覆盖北京六环以内95%区域的地面无线数字单频网，开展了公交车电视、楼宇电视、户外大屏幕电视和地铁电视等业务。目前，北京广播电视台拥有各类户外数字媒体终端4.9万块。北京中广传播有限公司，现拥有CMMB手持电视用户60万户。

影视剧方面：北京广播电视台拥有北京电视艺术中心有限公司、中北电视艺术中心有限公司、北广传媒影视公司和北京紫禁城影业公司等多家有资质的影视制作单位。

演艺会展方面：歌华文化发展集团立足于文化、传播和科技三个产业发展与服务平台，借助资本和创新两个驱动力，不断拓展和加强自身的优势，成功运营了北京奥运会、广州亚运会和国庆60周年庆典等多个重大节庆活动的展示项目，形成了规模和品牌。

2011 年北京广播电视台（BMN）部分业务市场份额情况

		BMN	全国		北京市	
			数值	BMN 占比	数值	BMN 占比
广播影视收入		93.48 亿元	2894.79 亿元	3.2%	164.5 亿元	56.8%
广告收入	广播	8.5 亿元	149.99 亿元	5.67%	—	—
	电视	32 亿元	872.13 亿元	3.67%	—	—
有线传输	用户	475.92 万户	2 亿户	2.38%	475.92 万户	100%
	收入	15.02 亿元	500 亿元	3%	15.02 亿元	100%
影视剧		9 部 318 集	469 部 14942 集	2%	87 部 2721 集	10.34%
户外媒体收入		2.17 亿元	81.55 亿元	2.7%	—	—

（二）成立以来工作情况

按照市委、市政府的总体要求，在市委宣传部的正确领导下，北京广播电视台以科学发展观为指引，做到组建工作与发展工作“两手抓”、“两不误”，确保全台各项工作平稳有序推进。具体而言，包括以下八个方面的工作。

1. 坚持正确宣传导向，舆论主阵地作用日益凸显

北京广播电视台牢牢把握正确导向，按照“高举旗帜、围绕大局、服务人民、改革创新”总要求，发挥传播优势，形成全方位、立体式、广覆盖的宣传格局。围绕全国和北京“两会”、建党 90 周年等重要会议、重大活动、重大事件，开设了《走进北京“十二五”》等近 200 个主题鲜明的专栏专题。面对重大突发事件，做好舆论引导和社会服务，各新媒体及时发布提示信息，为市委、市政府有效实施城市运行应急管理和市民出行提供服务参考。同时，贴近百姓，注重为民办实事，策划推出《市民对话一把手》等十余个专栏专题，取得良好的社会反响。

2. 强化责任意识，播出、传输工作安全高效

北京广播电视台把加强广播电视播出管理，确保信号传输安全，作为重要的政治任务，加大技术设备改造力度，强化技术服务与制度保障工作。电台完成了文艺广播等播出机房、制作系统更新，所有播出通路运行技术指标均达到甲级标准。电视台完成了总控矩阵、分控矩阵、播出传输系统和中央电视塔数字电视发射系统、监视系统的改造。歌华有线公司全

面加强播出、传输硬件设施建设，加大隐患排查力度，确保了安全播出传输万无一失。移动电视完成了单频网发射机同步测试，数字电视加快推进播出系统升级建设，地铁电视加强信号覆盖工程和 PIS 系统项目建设等工作。

3. 落实“三网融合”试点工作，网络与平台建设同步推进

面对“三网融合”试点工作，我台整体布局，加快推进网络与平台建设及研发力度。一是歌华有线在建立电视传输网的基础上，双向网络改造累计开通 320 万户；搭建了无线数字单频网传输平台，完成了国标网建设。二是快速推进高清交互数字电视推广及基础设施平台与高清交互数字电视平台建设。三是电视台建成了全国第一个新媒体实验室，承担并完成北京广播电视台 IPTV 集成播控北京分平台的建设。四是开发了面向智能移动终端的“歌华飞视”业务，面向集团用户的“政融通”、“商融通”融合信息服务项目和面向有线、无线网络的物联网应用。

4. 打造精品工程，广播影视作品喜创佳绩

全面贯彻“二为”方向和“双百”方针，坚持“三贴近”原则，推出了一批思想性、艺术性、观赏性相统一，人民喜闻乐见的优秀广播影视作品。我台自成立以来，共制作广播作品 15 部；电视纪录（实）片 5 部 45 集；电视剧 13 部，489 集；电影 13 部，获得省部级以上奖项 71 次、国际影视奖 5 次，多部影视剧获得白玉兰、飞天、华表大奖。

5. 抓宣传树形象，我台品牌影响力整体提升

依托首都文化资源优势，借助重大活动、重大展览，开展多渠道多形式多层次的对外宣传、交流活动，树立我台整体品牌形象，不断提升影响力和传播力。我台以整体形象亮相 2010 年和 2011 年的文博会等国内重大展览会和影视节，充分展示全台事业发展和产业繁荣的良好品牌。面向社会公开征集北京广播电视台基础视觉识别标志，加快我台官方网站建设，独立组织策划并成功举办了北京国际数独大奖赛。积极开展对外宣传与交流合作，与电影频道、新浪网、乐视网等网络媒体建立广泛联系，构建合作平台；实施走出去战略，汇聚精品节目在境外及我国台湾地区落地播出；以歌华集团为主体，搭建文化交流发展平台，形成了一批在国内具有重要影响的文化品牌。

6．拓展经营渠道，多元发展产业创收再创新高

坚持事业和产业“两手抓”，多业并举，产业经营取得新进展。电台加强所属子公司的经营管理，积极开辟节目销售渠道，加大新媒体衍生业务开发力度。电视台积极拓展版权经营范围，独家代理内蒙古电视台所有版权节目的电视媒体发行，推进广告与节目的深入融合。歌华集团文化保税区项目、院线项目、歌华文化产业基金项目推进顺利，建立了较完备的中心与专业化公司项目运作机制。歌华有线公司加大无线专网，拓展个人宽带、集团数据业务和基于有线电视网的城市管理物联网应用等业务。

7．理顺关系、完善机制，制度建设和基础管理水平逐步提高

我台加快推进体制改革与机制创新，重点完善公司股权和法人治理结构，推出创新发展新举措，确保事业产业协调均衡发展。进一步规范台属企业法人治理结构，建立和完善董监事管理机制，充分发挥董事会作用，确保股东对重大事项的决策权、经营情况的知情权以及公司赢利的分红权，实现了人民网、首信、歌华有线、移动电视、影视公司五家公司分红。加快推进可经营资产剥离，完成了北京北广传媒集团有限责任公司的组建工作，全面实施清产核资和股权清理规范工作。完成北艺中心转企改制工作，启动了《北京广播电视报》、《北京电视周刊》等非时政类报刊转企改制工作。

8．加大创新力度，事业产业持续发展能力显著增强

电台把北京广播网建设作为宣传业务的重要组成部分，推出了全国首个支持多路广播节目混排、自定义节目播放时间和节目内容适时更新的菠萝网络电台；开发的二代“听立方”终端和推送式广播系统取得国家技术专利。电视台确定了“首善媒体、大美品质”的战略目标，对频道定位、品牌目标、专业化发展方向进行了全面梳理，深入推进频道专业化建设，实现了节目内容的创新发展与升级换代，在全国率先建立了以品质为核心的节目考评体系。歌华有线公司与台湾富邦集团合资成立富邦歌华有限公司，推出了数字化电视购物商业运营模式。

二、核心竞争力分析

北京广播电视台的发展目标或战略构想最终的实现，取决于我们对于

宏观传媒政策环境与技术演进路径的把握，取决于正确审视自身资源构成与优势资源并选择适合的发展思路，不断巩固提升在各媒体业态中的传播影响力与市场竞争力。传媒机构核心竞争力遵循一般竞争力基本原理，应当是能使其自身保持长期稳定的传播影响力和品牌溢价、能够获得稳定超额收益的竞争优势，是一种对核心资源和要素统筹利用、有机结合、协调发展的组织能力，这一能力包含对传媒科技、传媒规律、传媒趋势的专注、创新与整合的能力。

（一）核心竞争力内涵与构成

作为一个承担舆论宣传和产业发展双重职责的机构，面对的是一个相对充分竞争的广电传媒环境，这一领域在传统媒体形态上有着充分的政策保护壁垒，但是在新媒体以及融合发展领域又面临着众多外来挤压和竞争。核心竞争力的研究角度有多种，无论是从资源要素还是能力建设，从竞争比较还是经营扩展，都为广电传媒机构提供了众多可资借鉴的研究成果。

1．北京广播电视台核心竞争力的内涵

广电传媒机构的核心竞争力应该是在经营发展中具备的胜过竞争对手的核心资源与能力的统称，不仅仅是依赖于国家意识形态的政策保护形成的进入壁垒和竞争规则优先倾向，更重要的是在各个传统业务形态和新兴融合业态方面，发展出一种共通的专业力、整合力和创新力，通过各个业态内在管理、运营、品牌等质素的提升，促进整个机构传播影响、经营效益、组织运转的全面良性循环。

广电传媒的特殊双重属性，决定了其核心竞争力必然不是单一的收视收听份额和广告收入结果导向，更多的要同时体现社会性、公益性和导向性。广电传媒产业以音视频内容生产运营、集成传播作为核心环节，体现了虚拟化特征，核心竞争力就体现为品牌、影响力、美誉度等外在的东西。作为集合电视、广播、有线等多业务集群的传媒机构，业态多元、传输多元、受众多元、终端多元使得核心竞争力体现出多元和多层次性。

2．北京广播电视台核心竞争力的构成

核心竞争力就是运用核心资源体现竞争优势的综合能力，它包括核心资源和综合能力两个方面。核心资源是一个组织机构运作发展中拥有和使用的各种关键要素，包括但不限于版权品牌、传输和营销网络、受众资源等。对核心资源的专注、创新、整合地利用，才能把核心资源转化为核心竞争力。

（1） 核心资源的特征和形成条件

只有那些能为广电机构带来旁的业者难以复制、持续保持的竞争优势的资源才称为核心资源，它具有稀缺性和独特性，具备一定的准入门槛和长期投入累积见效的特征。

核心资源的形成要求充分挖掘组织内外部稀有和独特的资源，通过多样化的获取渠道与合作手段，为组织的有序、高效经营创造竞争对手难以复制的经济和社会价值溢价，提高潜在竞争对手获取资源的难度，成为行业内的各业务单元竞争的领跑者。

（2） 核心能力的三个具体方面

在广电传媒领域，核心竞争力的打造就是培养专注、创新与整合的能力，是对制作、传播、营销、规划等一般性经营能力的提升优化，使之形成叠加优势，并持续在竞争中保持对技术、业态、受众、运营的高度应变和融合能力。

① 专注的能力，要求事业发展和产业壮大必须坚持广电传媒的职能定位，从舆论宣传和公共服务两个维度专注各个业务单元的竞争力提升，不断提高专业制作与传播覆盖能力；② 创新的能力，要求从受众传播到内容制作、从技术跟进到数字化应用、从组织体系到管理模式、从竞争策略到资本运作多个层面体现发展的否定之否定，始终保持竞争活力；③ 整合的能力，统驭各个业务集群、各个产业链条环节，内外联合，在内容、资本、技术、经营方面全方位合作，构建系统合力。

（二） 核心竞争力的具体分析

作为首都广播影视传媒行业的大型国有机构，北京广播电视台在传统的广播电视领域拥有区域内频道频率、有线网络和无线网络传输、户外数字电视等行业准入性资源，并在影视制作、文化会展演艺等充分竞争领域形成了一定的品牌力，资产规模和营业收入具备一定的量级。

1. 北京广播电视台核心资源要素分析

尽管广电领域有着严格的意识形态和行政管理体制，但是广播和电视播出机构依然不能独占相对区域内的全部受众份额，众多的新媒体、新业态，更是在新闻、资讯、视频、影视等多个内容服务层面与传统广电媒体正面竞争。构筑核心资源体系、提高进入成本，形成外部资本和其他媒体不易复制或者模仿耗时的竞争软实力，主要体现在内容版权、人力资源、技术体系和品牌实力四个方面。

（1）内容制播与版权管理

北京广播电视台核心资源是内容产品的制作和传播能力，是经年积累的内容产品风格与受众感知的定位。围绕内容综合运营的发展目标，充分开发多年来在广播、电视、户外、文娱、影视等多个业务板块内容创作与传播的个性化定位，把受众与各栏目节目之间的有效衔接作为市场份额巩固扩大、充实提高版权经营的核心工作，不断扩大传播影响，提高传播力度。

传播渠道的多样化凸显了上游内容资源的重要，为我台有序开展新媒体自主经营、合作运营提供了关键运营筹码。进一步完善栏目节目和影视等内容创作生产体系，形成自主版权从制作到播出、售卖、再利用、再销售的有序管理模式，把内容版权资源的保护、利用、运营作为获取核心竞争力的基础工作。

（2）人力资源与组织体系

围绕各个品牌栏目节目、频道频率核心定位、重点业务发展，北京广播电视台已经聚集起了一批名主持、名记者、名策划，更是根据梯队建设形成了从生产一线到后台支持各个环节的优秀员工队伍。未来传媒的竞争核心是内容的竞争，拥有创新观念的创意人才才能不断创造出有艺术感染力、社会影响力和市场竞争力的内容产品；未来传媒的竞争方式是融合跨界，同时具备传媒理念和现代企业管理的经营人才才能在产业发展中迅速卡位、及时抢位、敏锐定位。

尊重人才、持续开发，把人才的有效管理纳入统一的组织体系内，让人才的智慧汇聚成为组织的人性风格，不断吸纳更多的人才为我所用，把人才培养与组织体系打造的重点转移到多维复合的层面，培养一支具备管理、创意、技术、多重交叉知识的人才队伍。

（3）技术装备与应用管理

北京广播电视台已经建立起从采编、发行、播发的数字化媒资管理系统，更拥有有线和地面无线数字电视两张覆盖全北京区域的传输网路，在接收终端的布局上通过机顶盒、户外电视实现了网络端到端的覆盖。这些技术资源保证了在北京地区广播电视节目制作播发、有线电视、户外电视等领域的竞争优势，提供了扩张受众的资源基础。

互联网在商务、视频、微博等多领域的扩张本质上是技术与市场的结合，技术创新性的利用起到了重要的推动作用。构建并不断完善全台的新技术、新设备、新应用的知识管理体系，是保持竞争能力、拥有超越先机的重要资源准备，也是应用技术优势、实现跨界融合、创造传媒新需求、提供新服务模式的重要竞争砝码。

（4）品牌集群与企业文化

传媒最终的影响力体现的是一系列品牌集群的综合影响力，围绕各业务集群，北京广播电视台已经形成了一批品牌节目、名家栏目、定位准确和品质优良的频道频率系列，知名影视剧的出品方，充分体现了我台内容综合运营的品质内涵，形成了统一品牌下系列子品牌的运作模式，促成了凝聚价值理念、吸引优秀人才的企业文化的形成，提供了与业界合作的优势地位。

统一品牌打造和企业文化塑造，可以促进系统内资源的整合，有利于提高整个组织共同的战略认知，促进内部资源的有效配置；差异化定位的系列业务，能够促进内容产品的创新与品牌定位的有机结合；企业文化的有序传承更是恪守传媒传播主流价值理念，促进业务、人员、资源融汇结合的无形力量。

2. 北京广播电视台核心能力构建分析

作为北京地区大型国有广电传媒机构拥有行政赋予和持续经营下的各种核心资源，具备了核心竞争力打造的重要基础，在竞争中有效地发挥这些资源优势、充分地提升这些资源效用、有机地融合这些资源边界，需要构建专注、创新与整合三种能力，三者相互支持、互为支撑、彼此体现。

（1）专注能力的分析

专注能力成为核心竞争力能力，根本原因在于它能够确保一个组织聚焦全部资源要素于主要功能，完成核心职责，广电的核心职责就是依托传播渠道和内容生产有效地传播主流价值观，不断地提高公共文化服务水平。专注能力要求始终围绕导向和受众，进行内容产品的研发创作，在广电传媒产业链的各个环节体现专业的制作和传播能力；专注可以提高效率与效益，依靠主管部门和广大受众的不断认可，完成传播效率和品牌塑造的提升。

专注能力体现在从战略理念、发展规划到具体的内容研发、技术支持，再到管理架构、运行机制等后台职能等方方面面，统一到职能的根本定位与业务核心产品形态。只有专注聚力地形成舆论引导力、传播影响力，专业创新地开展内容制作、技术应用、商业探索，才能在媒体融合的未来实现有效拓展。

（2）创新能力的分析

创新能力综合涵盖了整合传媒产业链条各环节、各要素所有的竞争力核心要求。只有不断创新，不断地围绕受众需求、舆论导向等核心职能，在管理制度机制、信息技术应用、内容服务产品开发、营销传播等多个层面开动新脑筋、提出新思路、执行新方法，才能够为事业快速发展、行业竞争取胜获得关键能力。

首要就是通过机制和管理架构的创新，形成适应竞争发展要求的激励与约束机制；围绕内容制播、产业经营鼓励节目栏目的创意设计、形象包装与价值诉求定位，培养大内容产业概念；积极采用数字化、信息化的技术，提升产业竞争效率，保持对传媒新业态的跟踪；在跨界合作与营销等原来传统广电机构不太擅长与重视的环节，从资本、资源、股权等多种层面创新地构建业务布局，适应社会化、网络化传媒社会的内在要求。

（3）整合能力的分析

在传媒趋向和竞争态势下，拥有多个业务集群、不同所属单位性质、多样化的技术平台的传媒机构，需要具备对内整合战略、资源和品牌，对外形成动态适应性的组织体系的整合能力。整合能力包括战略发展目标的协调统一、内外资源配置的和谐优化、品牌集合的清晰系统；体现了系统内人、财、物各种要素的融合贯通，促进了内容产品和服务的创新开发；同时要求组织对管理层级和资源内外流动具备统合能力，能够根据发展目标策略性地予以统筹安排。

从资源到机制的全面融合，将各个业务集群的发展凝聚到全台统一战略目标上。培养传媒市场分析能力和经营管理能力，稳步提升组织在资源创造引进、组织学习和决策机制优化方面的能力；紧密跟踪新技术衍进，盘活开发人力资源，形成完整组织文化价值观；以受众为核心，不断完善从品牌栏目和服务到品牌频道频率系统化品牌集群的打造。

三、核心竞争力培育

北京广播电视台核心竞争力的培育和打造是一项复杂的系统工程，需采取有效的方法和措施，协调各种资源并整合多种手段。

核心竞争力的培育涉及方法、步骤和策略 3 个方面。培育和打造北京广播电视台核心竞争力，既要遵循客观规律，又要立足体制机制、经营管理和人才队伍的实际。当前，培育和打造北京广播电视台的核心竞争力，应在新闻宣传、内容生产、融合发展、科技创新、产业经营、科学管理和队伍建设 7 个方面，形成思路，明确重点。

（一）把握正确导向，确保安全播出

坚持团结稳定鼓劲、正面报道为主；高度重视安全播出传输，坚持不懈地抓好安全播出传输工作。

一要全力完成重大宣传报道任务。按照市委宣传部的部署，统筹广播、电视、户外电视、手机媒体、网络媒体和报刊媒体，精心组织，联动配合，策划、制作、播出一批主题突出的好报道、好专题、好纪录片，大力营造共产党好、社会主义好、改革开放好的浓厚氛围，大力营造聚精会神搞建设、一心一意谋发展的浓厚氛围。

二要大力推进宣传创新和阵地拓展。适应新形势，着力改进和创新宣传报道方式；进一步宣传、践行“北京精神”；推动“走转改”活动常态化；建立健全新闻报道快速反应机制；推进应急广播体系、北京网络广播电视台建设，加快地铁电视新线路节目信号接入工作。

三要建立全台安全播出传输管理体系。将移动多媒体广播等新媒体纳入安全播出管理；加强应急演练，强化岗位培训，督导、帮助全台各相关单位做好安全播出传输隐患排查，确保重大活动、重要节日、重点时段的安全播出传输。

（二）建立评价机制，建设品质媒体

树立质量意识，实施精品战略，提升广播电视节目的创意、策划和制作水平，创作生产出更多原创、当代、北京的优秀影视剧。

一要建立精品节目激励机制。研究制定《北京广播电视台栏（节）目发展创新奖评选办法（试行）》，做好全台各类节目参加国家级和市级奖项评选的推荐报送工作；电台进一步完善节目评价奖励、创优创新体系，办好“赢在创意”大赛和节目创新大赛；电视台做好全新节目评价体系的执行与完善工作。

二要不断繁荣影视剧生产。认真抓好重点影视剧的创作生产，力争每年新立项电视剧 8 部以上；研究制定《北京广播电视台广播影视作品创作生产专项资金管理办法》，修订实施《北京广播电视台影视剧内容生产管理办法（试行）》，组织影视生产单位做好剧本创作储备、拍摄制作和发行销售规划等工作。

三是要积极推进品质媒体建设。结合各媒体的基础情况、发展阶段、竞争环境和传播特性，制定、实施媒体品质提升战略；总结、推广电台 ISO9001 质量管理体系的实践经验；加大高清交互数字电视新媒体内容平台的建设力度；进一步加强广告内容管理。

四是要切实提升服务质量水平。进一步密切与市、区两级党委、政府所属部门的合作，向群众及时提供政务信息、生活服务信息；歌华文化发展集团进一步做好演艺会展类业务；在高清交互数字电视平台进一步开发政务类、便民类应用服务。

（三）突出重点项目，促进融合发展

充分认识融合发展的必要性和紧迫性，把握广电媒体向网络媒体拓展的机遇，利用好文化改革发展的鼓励政策，努力探求促进台内单位互利共赢的方法和机制。

一要进一步深化融合发展。利用户外电视、广播电视报，大力展示预告、宣传报道广播电视节目与相关活动，促进内容合作向更广更深的领域扩展；挖掘台内各媒体相互交叉重叠的受众资源优势，策划、组织服务于企业客户的跨媒体宣传推广活动；着眼于开拓增量，探索合作开发台内各媒体广告资源的有效模式和运行机制。

二要以重大项目带动开放式融合。积极发挥“文化保税区”、北京网络广播电视台等重大项目关注度高、辐射力强的作用，在充分尊重项目主体开发权利和意愿的前提下，探索互利共赢的合作方式。

三要做好促进融合发展的各项服务。树立“彼此尊重、相互借力、共同发展、同享成果”的融合发展理念；本着“真诚、热情、细致、高效”的原则，积极帮助各单位解决融合发展中遇到的问题；积累、总结台内融合发展的成功案例和经验，树立、宣传融合发展的典范。

（四）加快转型升级，增强创新能力

充分发挥科技的引领驱动作用，加快数字化升级改造，加大新媒体、新业务、新市场的拓展力度，努力抢占科技制高点、掌握发展主动权。

一要关注技术前沿开发新项目。紧密跟踪高清电视、3D电视、下一代广播电视网、移动互联网等方面的技术变化与标准体系建设情况，积极参与各项技术的国家标准制定工作；结合传媒领域新技术应用的社会化、本地化和移动化趋势，加强与国内先进技术企业的合作，充分开发现有平台、渠道、终端的潜在价值；支持创新项目单位申请、争取市文化发展专项资金。

二要进一步优化“三网融合”创新业务。牢牢把握网络广播电视台是“新形态的广播电视播出机构”这一基本属性，积极争取市委宣传部、市广电局支持，集中全台力量将北京网络广播电视台做大做强。

三要做好网络改造和终端推广工作。做好城区有线电视双向网改收尾工作，深入推进远郊区县40万户双向网改；加快推进后续200万户高清交互数字电视推广政策的落实工作；结合国标转换，推进地面无线数字电视网在北京市各区域的全覆盖。

（五）转变经营思路，优化收入结构

以市场为核心，优化资源配置，探索多元化、有潜力的赢利模式，实现以广告为主向广告与非广告并重的经营方式转换。

一要提高广告经营水平。认真落实总局关于广告刊播的各项规定，结合受众特点和客户需求，优化、创新广告形式、样式和编排，深度开发、大力营销优质广告资源；加强沟通，做好重点客户、长期客户的维护服务工作，积极开拓潜在客户；开发产品，搭建运营系统，进一步探索高清交

互数字电视广告经营。

二要增强产业经营能力。加大电台、电视台产业经营力度，重点发展与频率频道关联紧密的版权销售、演艺经纪、动画产业和影视剧制作业务；按照高端化、国际化、市场化、产业化发展要求，打造歌华文化会展活动类品牌项目，大力推进“文化保税区”项目；推动高清交互数字电视点播、交互应用和电视支付业务发展，拓宽充值缴费渠道，建立自有全业务和与北京移动业务混合捆绑的两类组合营销体系；继续推进面向北京市公共文化服务的“三网融合”云服务平台建设。

（六）强化制度建设，提高管理效能

进一步明晰全台各单位的权、责、利，建立科学合理的考评体系；进一步剥离可经营性资产，推进控股企业股改融资。

一要深化体制机制改革。按照巩固、完善、提高的思路，做好已改革单位的跟踪评估工作；稳妥推进北京广播电视报社的转企改制工作；完善法人治理结构，保证台属企业单位股东会、董事会的职能效力。

二要加强基础管理工作。加强对台属单位网站论坛、博客、微博、新闻跟帖和搜索引擎的管理，全面落实新闻从业人员微博登记制度，规范编辑、记者使用微博行为；建立与市委宣传部考评办法相衔接的考核体系，将单位考核与经营管理者考核相挂钩；加强对财务数据的深度分析研究，完善财务预算与内部审计制度，增强内控管理的执行力。

三要抓好资本运营工作。密切深化与资本市场的联系和互动，借助外部资本力量提升业务创新能力和经营管理水平；有效行使首信股份、人民网的股东权利。

（七）健全体制机制，加强队伍建设

围绕提高素质、改进作风、提高能力，进一步加强干部队伍和专业人才队伍建设。努力培养造就政治强、业务精、纪律严、作风正的干部人才队伍。

一要培养造就领军人物。围绕重点领域、重点业务引进一批、培养一批、聘用一批，构建采编主持、经营管理、科技研发和影视剧制作等专业人才队伍；组织开展以新政策、新知识、新技术为重点的学习活动，切实提高业务骨干的政策运用能力、市场竞争能力和应急处理能力。

二要建立健全科学的人才体制机制。按照市委宣传部要求，推进台内各单位、各部门管理者的职业化建设，建立岗位标准，强化上岗准入制度，完善人才评聘机制和职称评定制度；制定、修订量化可操作的绩效考评、表彰奖励制度。

三要加强组织文化建设。做好北京广播电视台“十佳员工”和优秀员工的宣传、推广、学习工作，以榜样的力量引导广大干部职工做好本职工作，增强集体意识和社会责任意识，营造真诚、团结、开放、进取的工作氛围。

上述内容，仅是对北京广播电视台核心竞争力问题的初步思考，仍有许多更为具体的问题有待进一步探讨。比如，北京广播电视台核心竞争力的识别问题和强弱评价问题，北京广播电视台核心竞争力培育和打造的具体策略问题，等等。提出这些问题，既是全面调研的需要，更是事业产业发展的需要。未来，仍要在总结经验的基础上，按照形势和发展的客观要求，进一步推进核心竞争力的调查研究和培育打造工作。

（作者单位：北京广播电视台）

全媒体时代发展电影产业的若干思考

邢建毅

一、电影产业的战略地位

电影是雅俗共赏、老幼咸宜的大众化艺术产品，也是可以大规模复制传播、营销、赢利的文化商品。在现代社会，电影产业是最重要的内容产业之一，是文化产业的核心组成部分。从国家层面看，电影还是国家的文化名片，是文化软实力的最佳载体之一，是一国文化产品“走出去”的最好选择。以美国为例，它生产的电影数量占全球的10%，却占用了全世界一半的观影时间。

法国的卢米埃尔兄弟于1895年发明了电影。经过116年的发展，到今天，经过了广播、电视、互联网的冲击，历经沧桑后的电影，为什么不仅没有消亡，其时尚感、影响力反而更强了？究其原因，是电影作为内容产业的本质属性使然。笔者认为，电影主要是纯内容产业，而且是造梦型、体验型内容产业，这一点与传媒娱乐产业的其他组成部分有很大的区别。例如，电视、互联网、视听新媒体，其本质更多的是信息传播产业、传输渠道产业或者综合性娱乐产业，而并非主要是内容产业。电影恰恰做专不做全。它以故事为基本的营销单元，用视听手段加工、销售一个比较完整的内容，价值实现的链条相对比较闭合、完整，占用的时间资源也比较少，符合快节奏生活的要求。在满足现代受众精神文化和心理需求方面，效果比较突出，实现了较高的投入产出比。正因如此，在当下全媒体时代，电影的魅力更加鲜明突出。

从产业组织和企业运营的角度看，发展电影产业，已成为全球传媒娱乐业巨头打造核心竞争力和赢利能力的必然选择。世界主要跨国传媒娱乐集团的战略型核心子公司（或再下一层公司）中都无一例外地有一个或数个是电影公司。例如，通过股权控制，新闻集团旗下有20世纪福克斯影业公司，维亚康姆集团控制着派拉蒙影业公司，迪斯尼除了自身一直从事电影业务外现在还控制着梦工厂，时代华纳集团旗下有华纳兄弟影业。并且，每1—2年，这些公司必然要推出至少1部能够产生全球影响力的大制作电影。例如，近两年风靡世界的《阿凡达》、《变形金刚》系列、《加勒比海盗》系列、《哈利·波特》系列就分别来自20世纪福克斯公司、派拉蒙/梦工厂、迪斯尼、华纳兄弟影业公司。其中，2009年下半年到2010年在全球上映的3D电影《阿凡达》，创造了超过27亿美金的全球史上票房纪录，仅在中国就产生了13亿人民币的票房收入。以上分析，不难看出电影产业战略地位之重要。

二、全媒体时代的电影产业：数字化转型加速，发展呈现新特点

在数字化全媒体时代，信息和内容的创意、生产、整合、分发、流通、消费、价值实现，迅速数字化。与往日那些载体不同，以不同形式、面目出现的信息、内容，可以整合到同一个以数字技术、互联网协议等为基础的传播平台，以“比特”的形式传送、使用、加工。电影作为一个老牌的以胶片载体和光学、机械、模拟电子技术起家的内容产业和大众媒介领域，从产品的生产、传播到末端消费，现已基本实现面向数字化全媒体时代的转型。当下，电影的发展面临前所未有的机遇和良好条件，也直面空前激烈的竞争环境。

1. 电影的生产传播和价值实现更加便捷、灵活、低成本

数字化全媒体时代，电影产业逐渐告别了传统的胶片模式，走向全程数字化。英国《每日电讯报》援引全球市场研究机构IHS Screen Digest公布的报告显示，美国主流院线将在2013年年底停止放映胶片电影，西欧则将于2014年年底完成这一进程[①]。数字技术的广泛应用使全媒体时代电影的生产更加方便快捷，生产、传播各环节的成本和难度大大降低，运作周期缩短。例如，往日一个需要专业团队操作几周的特效工作在数字环境下可以在短短几分钟内轻松完成。由此带来了电影产品数量的迅速增长，内容形态丰富多

样。特别是如果算上近两年新兴起的微电影，电影的数量更是呈爆炸性增长。同时，数字化全媒体时代的电影产品除了在传统的电影院放映，还可以在互联网、移动终端等新媒体上实现面向消费者的销售。观众可以采取付费下载、观看广告补偿等多种费用支付方法。电影产品价值实现的渠道变得多元，价值实现的方式更为多样、灵活、便捷、个人化。同时，网络的口碑传播也使好的影片不再“酒香还怕巷子深”，甚至也不必为进入不了传统的院线苦恼。只要有恰当的支付方式和周延的版权保护，网上的下载和点击也能够实现电影的价值回报。例如，自 2007 年起开始提供电影流媒体服务的美国奈飞公司与好莱坞各大影视公司合作，建立了海量的内容库，用户每月付费 7.99 美元就可即时观看这些内容。目前该公司的订户数已超过 2700 万，除了覆盖美国、加拿大之外，正在积极开拓拉美及加勒比地区的 43 个市场[②]。电影产品全球传播总量和市场消费总额正在迅速扩张。

2．电影业全球化资源配置和市场开拓更加便利

全媒体时代，在电影生产过程中，更加注重也更容易实现全球化资源配置。借用互联网和数字技术，一部电影的创作生产可以方便快捷地使用全球的技术、硬件、软件和人力资源。如《阿凡达》仅在创作摄制阶段就集中了来自几十个国家的上千名科学家、软件工程师、艺术创意人才的智慧。再以近几年的美国影片为例，像《变形金刚》、《功夫熊猫》等，都特别注意走全球化文化元素植入的路子，其目的在于产品在全球市场的销售和推广。2011 年上映的《功夫熊猫 2》融入如此之多的大量的中国风物、文化元素和最新俚语，让人不难看出好莱坞“以消费定生产”的市场策略。同时，数字化全媒体时代，也更容易实现全球的自然文化资源在电影产业中的配置。如《阿凡达》就摄取了中国张家界的独特自然风光作为重要的背景元素。从消费端来看，互联网技术的演进、网络带宽的扩展和速度的提升、云计算云存储等信息技术的应用，使大码率数字信息传输的通道瓶颈消失，全球视听产品的市场重心进一步向网上发展。iPad 等联网终端的无处不在，使得电影的消费更加个人化、随时随地，全球电影消费市场越来越成为一体。

3．网上电影信息和舆论场效应显现

近年来，我带领中国电影博物馆调研团队开展的观众调查表明：现阶

段，影像内容产品非常丰富，消费者在选择消费电影产品的时候，既具有较强的兴趣爱好导向和独立判断意识，同时，也受到家人朋友推荐、社会关注度和媒体的影响。特别是调查发现，目前互联网已经成为观众获得电影信息的第一渠道。同时，网络的互动性也使得观众在看完一部电影后的评论、交流欲望得到了极大的释放和满足。互联网上对一部电影的评价、评分、关注热度，对它在市场上的走向和最终表现产生越来越大的影响。由此，电影的网络营销迅速崛起。2011 年，一部小成本的《失恋 33 天》主要借力微博和社交网站等网络宣传和营销平台取得了极大的票房成功。另一方面，许多“烂片”也通过网络上的口碑决定了它的票房命运。总的看来，当下网络上的各类信息对观众观影选择行为的影响日益加大，已初步形成了网上电影舆论场，也由此助推了电影产品之间的激烈竞争。

此外，全媒体传播环境下，由于传播通路无处不在，电影产品的易得性大大提高，电影在价值观的输出和渗透方面速度、锐度、覆盖面和影响力更强，其对经济社会其他领域和相关产业的辐射、带动作用也更为明显。对于工业化和市场经济“双后发”的国家来说，适合于现代市场经济体制的、独立且有自身特色的、完整成体系的电影内容产业的构建和发展受到更严峻的挑战，特别是在诸如人才、机制等方面的问题更为突出。

三、全媒体环境下发展我国电影产业的几点建议

1. 顺应全媒体下电影的转型，用好各类资源，促进价值实现

全媒体条件下电影的业态发生了很大的变化，特别是电影的消费方式发生了转型。观众调查表明，网上观影已成为电影消费的重要渠道之一。为此，电影机构要加快电影内容的数字化，深挖存量影片的效益，通过影院、电视、互联网、各类移动终端等方式和途径实现电影产品的价值。当前国内优酷网、土豆网等商业视频网站的电影传播业务对观众有很大吸引力，电影频道等机构也发挥自身的片源优势，推出了基于互联网宽带接入的电影点播网站。但电影制片机构特别是一些老的电影厂在这方面的转型速度还比较慢。另一方面，电影机构要注意开发适合于全媒体环境下大众消费的新的电影类型。目前，网络微电影逐步兴起，其走向值得关注。

通过互联网等信息传输载体，电影机构可以使用数字时代遍布全球的

人才、技术、创意等要素，实现资源的优化配置，降低成本，提高投入产出比。电影机构还可以充分利用全媒体下网络传播和营销推广的便利，主打自身特色，积极拓展市场，参与国内、国际竞争。尤其值得指出的是，数字时代电影观众的分众化趋势已十分明显，他们对内容产品各有所爱，往日不被“大众”看好的影片，在全媒体传播分众化的“长尾”中，也能找到自己的价值归宿。

2. 全媒体下电影内容产业的本质没有变，牢记故事创意永远是第一位的

全媒体时代的电影需要形式的新奇，但这并不是根本。2010 年年初，电影《阿凡达》引发 3D 电影热，一时似乎 3D 成了电影的制胜法宝。但紧随而来的《爱丽丝梦游仙境》、《诸神之战》等 3D 影片，观众却很不买账。号称中国内地第一部纯 3D 电影的《魔侠传之唐吉可德》，2010 年夏季推出时在中国电影博物馆的周末上座率只有个位数。据《中国电影报》报道，2011 年上半年，欧美 3D 电影市场票房持续低迷。另以 2011 年 10 月下旬这段时间为例，数字 3D 新片《绿灯侠》在中国电影博物馆的周末上座率只有 13%，同样是数字 3D 的新片《梦游》则只有 3%。而并未采用 3D 格式的好莱坞影片《猩球崛起》，其数字、胶片两个版本在中国电影博物馆上映的首周末上座率都超过 40%，第二周周末上座率更都达到了 70% 以上。这说明，电影并非采用 3D、胶片格式才好，故事创意才是最重要的，其他的只是手段。我带领中国电影博物馆研究部调研团队开展的历次观影调查结果都表明，“好的故事”都是吸引观众走进影院的第一要素。

一个对观众有吸引力的电影，要靠能够满足受众心理需求的新奇的故事内容，以及对故事全新的讲法来呈现，而做到这一点不仅仅靠知识的积累，还与创作主体独特的体验、经历、认知和情感紧密相连。正如美国著名编剧罗伯特·麦基在《故事——材质、结构、风格和银幕剧作的原理》一书中指出的，故事“满足了人性的一个根本需要，就是抓住生活的模式——并不仅仅是通过理性活动，而是通过私人的情感经历”。可见，故事创意往往是一种非常个人化的活动。要想发展好电影产业，就必须尊重艺术创作规律，以人为本，营造包容宽松的环境，鼓励优秀的编故事人才——编剧、讲故事人才——导演、演故事人才——演员、作故事人

才——制片人等脱颖而出。同时，要积极发展电影职业培训，通过思维训练、专业方法训练，激发活力，进一步开掘电影人的创意源泉。

3. 要努力使电影产品更加贴近全媒体时代的观众需求

全媒体时代，传播通道多元，各种各样的内容产品十分丰富，同时消费者的个性更加彰显，需求多样化、选择性突出。中国电影博物馆开展的观众调查显示，当下主流电影观众群体普遍比较年轻，平均年龄在28岁左右，属于时尚、消费能力较强、社会生活参与活跃、具有现代价值观的群体。他们容易接受电影所传播的文化和消费风尚，如有人看完《变形金刚》就可能去购买片中的大黄蜂汽车，也颇有独立见解，敢于质疑权威。他们对电影产品的选择和评价行为对电影的生产起到影响和调节作用。

为此，电影创作生产者应更加自觉主动地调查、研究、分析观众，找到潜在消费者的需求规律和行为特点，按全媒体时代、市场经济条件下生产者须遵循的客观规律办事，而不能单凭主观想象。从理论层面看，马斯洛的“人的需要层次论”从某种程度上揭示了人性的一般规律，对电影产品的创作生产具有一定的参照价值。该理论把人的需要分成生理需要、安全需要、爱与归属的需要、尊重需要和自我实现需要五类，依次由较低层次到较高层次排列。电影之所以能够受到观众的欢迎，从某种程度上与这五类需要的满足有着一定的对应关系。例如，对应生理需要，电影可以提供视听感官刺激，体验、娱乐；对应安全需要，电影能营造气氛，让人在紧张和放松之间跌宕；对应爱和归属的需要，爱情、亲情是电影永恒的主题之一；对应尊重需要，电影观众在观影时，希望并满足于看到自身及所在阶层受到尊重；对应自我实现需要，电影往往强调角色的使命感，传播一些特定的理念、价值观，还常常充满奇幻色彩，以探索未知世界为主题，帮助人们实现在现实中不可企及的梦想。可见，电影作为一种造梦型精神产品，在以上5个层面都能满足人的某些需求。全媒体时代，针对观众个性更加更彰显、需求更为多样且富于变化的情况，更应经常开展网上、网下的调研，深入细致地分析受众需求，以更好地指引电影创作生产。

4. 全媒体传播视野下加强电影知识产权保护更为迫切紧要

在一个无序、没有良好规则的市场中，必然是“劣币驱逐良币”。而要实现“良币驱逐劣币”，就必须有一套严密可行的保障机制。对数字时代、全媒体传播环境下的电影产业来说，其产品作为文化商品，复制、传播的成本极低，主要靠知识产权体现价值。如果不能在市场上保证其价值的实现，这类商品就容易走向消亡，或长期徘徊在低品质的陷阱中。优秀的人才也不再愿意去从事那些没有合理报偿的艰苦的创造性劳动。在全媒体传播时代，如何做好电影产品的知识产权保护？需要从内容产业价值链的各个环节——投资方、生产方、发行方、影院方、网络运营商、市场监管方等各方面去共同发力，也需要每一个公民、组织的积极参与。无疑，加强相应的版权制度建设，加快相关立法进程，严格依法监管是最为关键的。

5. 全媒体时代，更要强化电影的文化导向引领功能

文化产品的价值远远超越单纯经济效益的范畴。观众调研结果表明，一部电影的主题设定、故事内容的创意编织、电影对生活的介入、演员表演的形象示范，对一定“口味”的消费者来说具有极大的吸引力。尤其是对青少年来说，电影常常就像一部有声有影的教科书，对他们世界观、人生观、价值观的形成产生着重要的影响。还有许多老同志在中国电影博物馆留言本上写道：一部好电影，激励了我的一生。电影对人的影响和蕴含的精神力量可见一斑。在全媒体时代，视听产品无处不在，各种文化价值观交融、碰撞、竞争，政府和社会更要积极鼓励体现爱国、创新、互助、自强等主流价值观的电影的创作生产，弘扬社会主义核心价值体系。要鼓励创作者把理想信念、艺术自觉和产业规律高度紧密地结合起来，提倡主旋律作品的本源创新。同时，利用各种手段，建立和丰富全媒体下的观影调查、电影评论、综合评估体系，引导、传递主流观众的发声，影响电影创作生产，使中国电影始终走在健康、富于朝气、活力、竞争力的发展轨道上，更好地实现中华文化和时代精神的传播弘扬。

（作者单位：中国电影博物馆）

中国电影产业化改革十年回顾

韩云杰

2002年，党的十六大第一次将文化划分为文化事业和文化产业，标志着我国文化体制改革进入加快推进的新阶段。2002年年底，中国第一部真正意义上的商业大片《英雄》上映。2002年年底以后，中国电影进入全面产业化改革时期，在此后的十年时间里，中国电影界积极响应中央关于深化文化体制改革，推动文化大繁荣、大发展的决策部署，积极应对加入WTO后外片大举进入的严峻挑战，不断丰富电影类型、拓展题材领域，探索积累符合民族审美特征的创作经验，深入推进"院线制"改革，推动建立统一开放、竞争有序的市场体系，着力推动中国电影"走出去"。

经过十年的产业化之路，中国故事片产量从2003年的140部左右增加到2011年的558部，电影票房从2003年的8亿元增加到2011年的131.15亿元，电影院从2003年的1045家增加到2011年的2796家，电影银幕从2003年的1923块增加到2011年的9286块，中国已经成为全球第二大电影生产国、第三大电影市场、第二大影院拥有国。中国电影产业呈现出创作生产不断繁荣、影院建设方兴未艾、院线影院经营水平不断提升、"数字化"全面深入、"走出去"步伐不断加快的良好势头。

一、政策措施陆续出台，着力推动产业又好又快发展

十年间，中央、中央主管部门和各地适时出台了一系列推动电影产业繁荣发展的政策措施，不断放宽条件、降低门槛，进一步优化了资源配置，极大解放和发展了电影生产力，使发展电影产业不拘于电影一个行业之事，而是成为经济和社会各领域介入和推进的共同之举。早在2001年，国家广电总局和文化部联合下发了《关于进一步深化电影业改革的若干意

见》，着力推进电影院线制改革，彻底打破了以行政区域划分的市场垄断，建立了以院线为主体的发行放映格局。可以说，院线制改革不仅是流通领域一场具有里程碑意义的变革，而且对电影制片、发行、放映各环节都产生了强劲的拉动作用。2002 年，国务院颁布新的《电影管理条例》，放宽了摄制电影片门槛。2003 年，国家广电总局颁布施行《电影制片、发行、放映经营资格准入暂行规定》、《中外合作摄制电影片管理规定》、《电影剧本（梗概）立项、电影片审查暂行规定》，与商务部、文化部联合颁布施行《外商投资电影院暂行规定》，后又颁布两个补充规定，不断放宽电影制片、发行、放映经营的准入条件。同年，国家广电总局发布《关于进一步推进电影院线公司机制改革的意见》，从扩大规模、拓宽融资渠道、加快改造、规范经营管理等方面进一步深化院线机制改革。2004 年，国家广电总局出台了《关于加快电影产业发展的若干意见》，从多个层面全面推进电影产业改革与发展。2005 年，中办、国办联合颁发《关于进一步加强农村文化建设的意见》，要求加强农村公共文化建设，积极发展农村电影放映。2007 年，国务院出台《关于加强农村公共文化服务体系建设的若干意见》和《关于做好农村电影工作的意见》等重要文件，农村电影放映工程正式纳入国家公共文化服务体系建设的整体规划并全面推开。2009 年，国家广电总局电影局颁发《国产影片出口奖励暂行办法》，对出口表现突出的制片机构进行奖励，以增强中国电影的国际影响力、竞争力和市场占有率。2010 年，国务院办公厅下发《关于促进电影产业繁荣发展的指导意见》，确立了电影产业繁荣发展的 7 个总体目标，并提出了 10 项主要措施，为促进电影产业的繁荣发展提供了难得的契机和良好的条件。2011 年，国家广电总局电影局下发《关于促进电影制片、发行、放映协调发展的指导意见》，对分账比例、影院租金、院线与影院关系、影院广告放映、行业自律等方面提出意见，促进电影行业整体健康持续发展。各省、自治区、直辖市也相继出台本区域关于促进电影产业繁荣发展的政策和措施，探索适合本地特点的电影繁荣发展道路。

二、电影创作日益繁荣，精品力作不断涌现

从制片领域综观产业化十年成就，涵盖行业自有资金、行业外资金、

风险投资、银行贷款、政府资金、版权预售、植入广告资金等在内的多种属性资金进入影片投资生产，使中国电影呈现出数量快速增长的局面，故事片生产数量从 2003 年的 140 部增长到 2011 年的 558 部，培育出武侠、魔幻、情感、喜剧等一批适合本土文化特征，符合工业化、类型化生产规律，得到市场验证的电影类型。

当前，高投入、大制作、高回报的“高概念”大片越来越成为国际电影市场中的制胜力量，中国电影也在产业化道路上培育出本土的商业大片，作为发轫之作的《英雄》，以其类型化的故事表述、成熟的市场运作以及高额的投资和丰厚的回报，为中国电影树立了一个可资借鉴和复制的产业标杆。此后，《画皮》系列、《十面埋伏》、《赤壁》、《通天帝国》、《十月围城》、《叶问》系列、《功夫》等商业大片成为每年与外国大片相抗衡的主力军、中国电影市场的主要贡献力量，多方联合投资、风险稀释均摊、利益均沾共享成为大片普遍沿用的投资方式。而且，商业大片回归主流文化成为电影创作的显著特点，涌现出《唐山大地震》、《建国大业》等一批市场反响颇佳的主流大片。此外，《非常完美》、《杜拉拉升职记》、《搜索》、《武林外传》、《喜羊羊与灰太狼》等一大批中等投资规模影片在类型上趋于多元，喜剧、警匪、悬疑、灾难、动作等类型都已成熟，市场运作也日趋娴熟，推动了制片结构从金字塔形向纺锤形过渡。《疯狂的石头》、《失恋 33 天》等一大批中小成本影片也以小博大，积极探寻出适合自身的市场道路。作为每年电影产量中占据绝对份额的中小成本影片，在繁荣电影创作、丰富题材类型、锻炼人才队伍等方面为电影发展作出积极贡献。总体看，商业大片、中等规模影片、低成本影片的梯次良性生产格局正在形成。

三、电影院线制趋于成熟，影院建设着力推进

电影院线制改革后，极大优化了电影流通领域的资源配置，历经多次市场洗牌，原有的以行政区域为单位组建的松散的签约式院线越来越为具有资本联结关系的院线所超越，“统一品牌、统一供片、统一经营、统一管理”的市场经营模式得以确立，统一开放、竞争有序的市场格局也在逐步形成。广大电影院线广泛借鉴吸收服务业等行业先进经验和做法，与最

先进的经营方式接轨，大幅提升了企业经营管理能力、服务能力、排片能力、营销能力、影院发展能力。城市影院在硬件设施、票价制定、影片排映、数字化放映、整合营销等方面都有重要突破。档期概念不断巩固，贺岁、春节、国庆等电影档期趋于成熟，影片排映更加均衡与合理，档期出现常态化趋势。电影与旅游、休闲等产业融合发展，增加了电影消费总量，衍生产品开发作出有益尝试，同时赢利模式仍有待继续探索。

在院线扩张、变局背后，折射出的是电影终端的激活和跨越式发展，这也是产业化改革十年中最显著的标志之一。十年间，大量行业内外国资、民资、港资、外资等不同属性的资金涌入电影终端领域，使现代多厅影院随着城市功能布局的不断完善，以及城市商圈和购物中心的快速发展而快速发展，仅 2011 年一年，我国新建影院 803 家、新增银幕 3030 块，平均每天增加银幕达 8. 3 块。截至目前，涵盖几乎所有大型城市、副省级城市、沿海城市、省会城市的各都市型、区域型商圈，涵盖主要地级市、部分发达县城、少数发达乡镇的区域型商圈，与多功能购物中心捆绑发展的不同装修标准、影厅规模、票价定位的影院布局体系已经基本建立，为电影产品进入市场打牢了基础环节，为电影产业良性循环提供了重要依托。

四、电影投资日趋活跃，企业主体不断壮大

伴随着电影产业连续多年的高位快速发展，基于对电影产业良好成长性的乐观预期，包括风险投资、私募基金、海外基金、银行资金等金融资本，房地产等社会资金以及文化创意产业资金等在内的国有、民营、外资，投资电影的积极性不断高涨，在政策框架内对产业上下游各个环节全面注入，中国电影成功对接资本市场后，资金运作水平获得跨越式提高。多主体联合投资成为规避风险、提升赢利能力的重要选择。总之，电影投融资主体日趋多样、投融资渠道不断畅通、投融资实力不断增强，投入产出步入良性循环，极大提升了整个电影产业的体量和产业吞吐能力。

产业化改革的十年中，中国电影企业积极应对国际大片的市场挤压，在“与狼共舞”中发展壮大、做大做强，成为产业发展的主体。国有电影制片厂完成转企改制，中影、上影等国有电影企业深化内部机制改革，建

立现代产权制度，培育核心竞争力，为产业发展和市场繁荣作出重要贡献。华谊兄弟、博纳、新画面、万达等新型市场主体，发展势头迅猛，在电影产业扮演着越来越重要的角色。市场主体在整体实力上遵循着“二八定律”，在制片环节，中影、华谊等大型制片企业聚集着绝大多数制片资源，主导着大多数商业大片的创作生产。

在院线影院环节，万达、中影星美等大型电影院线掌握着大多数的影院资源和票房份额，耀莱成龙、首都华融等占据核心商圈、黄金口岸的现代影院成为电影票房的主要贡献力量。大型骨干型电影企业聚集着行业的优质资源和产业要素在电影产业发展中发挥着示范引领作用，对上下游贯通发展的战略布局使大型企业在整个行业中的竞争力和影响力进一步提升，培育一批具有品牌号召力、产业辐射带动力、国际影响力与竞争力的大型骨干电影企业是下一步产业发展的着力点之一。十年间，中国电影企业着力推进从粗放型向集约型、质量效益型转变，从品牌缺失到品牌培育、品牌影响力不断扩大的转变，从单一业务到积极开拓上下游板块、多元化经营转变，从电影单一行业到跨行业、跨所有制经营转变，从依靠国内市场到广泛开展国际合作、拓展国际市场转变，取得长足发展。

五、农村电影放映工程扎实推进，数字化变革日新月异

在积极发展电影产业，满足人民群众多样化、多层次、多方面文化需求的同时，政府主管部门一直在抓好电影事业，满足人民群众基本文化需求，做到两翼齐飞、两不偏废。1998 年，我国开始实施“农村电影 2131 工程”，即要在 21 世纪初实现全国农村“一村一月看一场电影”的基本目标，着力解决农村看电影难问题。2005 年，在浙江、广东等地启动数字化放映试点工作。2006 年，农村电影数字化放映试点扩大到 8 省区的 16 个市。2007 年，农村电影放映工程全面推开。中央部门和各级政府不断创新体制机制，积极探索“市场运作、企业经营、政府购买、群众受惠”的发展思路和具体举措，加大公共服务投入力度，推动院线制、股份制改革，推广数字化放映，开拓片源，加强监管，积极促进农村电影的繁荣发展。到 2009 年，全年一村一月放映一场电影的公共放映服务目标已基本完成，电影公益服务体系基本建立。截至 2011 年，全国农村已组建农村数字电影

院线246条、数字放映队47692支，全国农村放映影片812.3万场，观众17.53亿人次，形成遍布全国农村的数字电影放映新格局。

数字化是产业化改革十年的一个关键词，十年间，电影技术自主创新能力不断加强，数字技术已经在电影各领域得到广泛应用，电影与科技融合发展实现突破。数字化拍摄制作已经全面普及，伴随电影发展百年的胶片与拷贝日趋式微，这不仅改写了电影的技术表现载体，而且极大拓展了艺术表达空间，提升了电影的艺术表现力，使电影艺术在越来越面临其他文化消费方式大举挤压时，强化了观影的仪式感和现场效果，进一步凸显大银幕的无可替代性。在发行放映方面，涵盖2K、1.3K、0.8K不同标准的城乡数字放映市场基本形成，到2011年，数字化放映数字化技术得到普遍应用，90%影院都已具备数字放映条件，3D影厅发展迅速。可以想象，对数字技术与艺术表达融合运用的娴熟程度，将是下一步电影竞争力高低与否的重要标志。

六、电影走出去步伐加快，国际影响力日益提高

在经济全球化背景下，各国之间的电影合作达到前所未有的程度，中国电影顺应交流与合作趋势，积极应对前所未有的发展机遇和更加直接与激烈的国际竞争，着力推进电影走出去步伐，表达中国声音，传播中华文化，推动文化外交，维护文化安全，国际竞争力日益提高。从实际运作看，中外联合制片是中国电影走出去最为便捷有效的路径，这类合拍片多为商业大片，无论是投资构成还是制作班底都有着浓厚的国际色彩，资金上寻求海外合作、风险共担与追求跨区域市场回报是其显著特点，中国电影也在与国外企业合作中，积累了产业运作、风险控制、海外发行方面的经验。自2003年《英雄》成功进入北美主流市场至今，武侠片仍是最适应国际市场的电影类型，已面临过度透支问题，其他类型打开海外主流市场难度还较大。此外，中国电影企业和产品紧密结合自身定位，参加相对应的国际电影节和电影市场，不断满足自己在文化交流和产业合作方面的诉求。博纳在纳斯达克上市，万达并购美国第二大院线AMC，成为全球最大院线运营商，都显示出民族电影企业已从全球电影发展战略高度谋划企业发展道路，以更加外向和开放的心态，统筹国内国际两个市场、两种资

源，更直接地参与国际电影市场竞争。自有节展平台是电影走出去的重要载体和纽带，2011年，北京国际电影节在中国的电影中心北京创办，打造了国内第一、亚洲领先的市场交易平台，通过两届积累，已成为具有重要影响力的国际电影交易平台，与其他国内节展平台一起，为提升国产电影的国际影响力与竞争力、增强国家文化软实力作出贡献。

历经十年产业化浪潮中锤炼，中国电影已站在新的历史起点上，电影越来越成为人民群众日常化的文化消费方式，电影产业越来越成为整个文化产业中具有活力和竞争力的组成部分，中国电影产业越来越成为全球电影总体格局中重要的组成部分。面对前所未有的黄金发展期，面对前所未有的机遇和挑战，中国电影需要继续用改革创新的精神，巩固已有成果，进一步创新体制机制，完善电影政策，实施精品战略，规范市场秩序，推动电影“走出去”，推动中国从电影大国向电影强国跨越。

（作者单位：北京市广播电影电视局）

国际背景下的中国广播广告经营发展

王　秋

京交会作为一个国际性的服务贸易盛会，给广播从业者提供了一个广阔而又专业的互动平台，为北京广播产业打开了一扇面向世界的展示窗口。2011 年，北京电台广告创收突破 8 亿元，已经连续 12 年保持全国广播媒体创收第一的排名，能够取得这样骄人的成绩，当然有北京电台人辛勤的耕耘，但这更是同整个国内传媒产业的发展分不开的。如今首届京交会在北京隆重举行，相信这将为我国广播媒体开拓国际市场提供一个难得的契机，将使广播产业获得新的视野、新的机遇和新的发展。

一、当前国际广播广告市场的发展主线

当前的国际广播产业，在资本、技术以及整体媒介环境变革的推动下，变得日趋复杂，市场机遇在不断涌现，同时也面临着更多的考验。一方面，那些传统商业广播大鳄继续努力巩固传统优势，并且不断加大新媒体的投入，继续整合、重组、并购等资本运作，加快跨媒体跨平台的建设步伐。如年收入接近 60 亿美元的美国最大广播运营公司——清晰频道，近年来致力于投资搭建数字化平台，开发下一代产品 iHeart Radio 以及户外数字收听设备，获得了显著的市场效果；澳大利亚的广播产业则在 2011 年迎来一波并购高潮，这可以视为澳大利亚广播市场为了面对新的竞争环境而作出的大幅调整。另一方面，依托新媒体平台搭建的新兴商业广播在不断涌现，逐步改变着广播产业的结构和未来方向。如近年来兴起的潘多拉（Pandora）、Spotify 等互联网音乐服务提供商，都在利用网络搭建新型的音频服务平台，以适应当下受众的媒介使用习惯，它们在获得越来越多听众的同时，也不断受到资本市场的追捧。

（一）传统发达国家广告市场继续保持市场优势地位

2011 年 12 月全球传媒蓝皮书发布，报告指出，迄今美国仍是全球传媒产业最大的市场，2009 年其收入占全球收入总额的 47.9%。此外，普华永道的统计表明，2011 年美国娱乐和传媒产业收入仍将位居全球之首，不过增长速度放慢，复合增长率预计为 5.3%，总额将达 7540 亿美元；位居全球第二的是 EMEA（欧洲、中东和非洲）地区，2011 年该地区的复合增长率将会达到 5.5%，总额达到 6170 亿美元。

（二）新兴国家表现抢眼

全球传媒蓝皮书数据显示，2011—2014 年间，全球 60% 的广告支出增长将来自发展中市场（本文指北美、西欧和日本以外的所有地区）。其中将近一半（49%）的增长将来自 10 个发展中市场，仅是“金砖四国”市场就占全球增长的 33%。除“金砖四国”外，预测另外 6 个快速增长的市场将各自向全球广告市场贡献 10 亿—40 亿美元，占全球广告支出增长的 16%。它们分别是印度尼西亚、阿根廷、南非、韩国、墨西哥和土耳其。

中国目前已成为全球第三大广告市场，并快速追赶排名第二的日本。2005 年中国广告市场规模是日本的 23%，2011 年为 69%，预计到 2014 年将提高至 98%，广告支出达 480.78 亿美元。到 2015 年，中国有望成为全球第二大广告市场。

（三）互联网产业成为第一热点

由于近期社交媒体广告的爆发性增长，互联网广告支出增长不断超出预期目标，成为全球市场最大、最新的广告收入来源。在线视频是另一个引人注目的类别。总体而言，互联网广告的市场份额预计将从 2011 年的 16.4% 增长至 2014 年的 22.1%。

电视广告的全球市场份额在过去几年内稳步增长，至 2011 年已达到 39.9%，预计 2012 年将达到 40%。人们观看电视的时间越来越长，尽管较以往人们有更多的频道可以选择，但是大型电视转播活动仍然吸引着最多的观众。随着全球经济复苏，预计消费者将把更多的时间和金钱用于户外活动，而看电视的时间将会减少。

在 2011—2014 年间报纸和杂志广告支出预计将每年下降 1%，但这些数值仅指这些出版物的印刷版广告，不包括互联网、平板电脑或手机应用版的广告（这部分广告计入互联网广告类别）。报纸和杂志出版物的前景并非完全像总体预测数字看上去那样暗淡。

面对这些变化，直观的感受就是全球的广播市场，特别是发达广播市场，依然显示出强劲的发展动力，同时广播广告发展的新主线也日益清晰。以美国广播市场为例，2011 年美国广播营收同比增长了 1% ，市场规模接近 174 亿美元，这其中来自于传统广播的营收超过 160 亿美元。而数字平台营收仅有 7 亿美元，占到广播整体营收很小的一部分，但是它成为了推动整个广播产业增长的主要动力，广播数字平台营收较 2010 年增长了 15% 。当前发达广播广告市场发展的两条主线，一条线是传统广播广告，即传统广告仍在创收中发挥着核心作用，另一条线是新媒体，即新媒体平台逐渐成为推动广播广告市场增长的主要动力，并且这种态势在不断加剧。

二、全球趋势下中国广播广告产业面临的挑战与机遇

面对全球广播产业的变化，我国的广播广告市场也迎来了新的机遇与挑战。中国的广播产业在社会步入汽车化时代之后出现了飞速增长，广播的传播优越性和商业价值得到充分展现，中国广播广告市场日益壮大。根据国家工商局的统计，2011 年，整个中国广告市场出现了近 15 年来最大增幅，广告经营额突破 3000 亿元，同比增幅超过 33% 。中国的广播媒体在这样的形势下，广告经营额也实现了 17. 86% 的增长，经营额突破 90 亿元，经营单位数量也反弹增长，达到 784 家，同比增幅 14. 29% 。整个广播产业呈现一派欣欣向荣的发展景象。而调查公司 AC 尼尔森也指出，从国内广告刊例花费计算来看，2011 年广播电台以 26. 8% 的广告刊例花费增长速度雄踞榜首，超过了电视、报纸、杂志和互联网的增长，并且未来3—5年，广播还会以两位数高速增长。

但是和国际发达广播市场相比，我国的广播广告产业仍然具有一定的差距。首先在市场体量上，我国的广播广告市场规模仍然偏小，并且短期内难以实现大幅度的跨越；其次，我国的广播媒体基本还是完全依赖传统的广告收入，在新媒体布局上，行动的很多，获益的鲜有。因此，结合发

达广播市场两条主线的概念，中国的广播媒体也有两个核心议题摆在眼前，一是如何大幅度提升现有广播市场规模，二是如何充分应用新媒体平台。现在看来，这无疑是很大的挑战，长远看来，当前则是一个难得的市场机遇，是在整个媒介生态中建立和扩大广播优势的重要契机。

第一，宏观政策和产业环境给广播市场提供了难得的发展机遇。当前我国已将文化产业列为重点发展产业，从国家战略角度给予重视。文化产业政策为整个传媒业的发展打通了高速路，进一步促进中国媒介生态的繁荣，推进产业环境优化，当然这也惠及到了广播市场。在节目市场、播出市场、受众市场、广告市场、资本市场等多个环节，广播媒体都能够从中受益，在国家宏观政策的引领下，广播业迎来一个更为成熟、多元、健康的大市场环境。

第二，中观媒介广告市场的积极变化。本土广告代理公司开始走向资本市场，推动整个行业前进的步伐；不同种类媒体加速整合，通过体制改革、“三网融合”、台网互动，媒介的优越性不断提炼；咨询研究机构涌入，专攻不同，将媒介广告市场进一步细分、深化；越来越多的企业、单位转变成了广告主，加入到媒介营销的竞争中。随着这些积极的变化，一个更加发达的广告市场体系也在中国逐渐成长起来。中观媒介广告市场的繁荣，增加了市场的规模，提升了市场的复杂程度，这些都在考验着广播媒体的经营智慧，但更重要的是，它推动广播媒体走入了新的发展平台。

第三，微观受众新媒体平台铺建完善。“移动 + 互联”概念是未来媒介发展的主流方向，以智能手机为代表的个人移动网络终端在不断增长。刚才提到的美国广播市场，之所以可以在新媒体平台实现大幅度增长，一个重要原因就是微观移动终端的更新与普及。根据专业市场公司的调查，有近 40% 的美国成年人只使用智能手机、移动设备或计算机通过网络收听潘多拉（Pandora）或 Spotify 的音频服务，预计到 2015 年，这一数量可能还将翻番。即便是在开车时，越来越多的受众也开始通过智能手机收听 AM/FM 广播。这样的硬件普及为美国广播媒体开发新市场提供了必要的准备。可喜的是，我国的移动互联终端通过近年来的发展，也取得了令人瞩目的成果。2011 年中国智能手机销量达 7800 万部，另外在中国 5.13 亿网民中使用手机终端上网的比例也达到69.3%，不断逼近传统台式电脑。照此发展，也将迎来一个个人移动终端大繁荣的时代，这同样是广播媒体可以大展身手的历史机遇。

第四，全球广播产业融合日益加深，中国的广播产业国际化之路更加光明。网络技术的应用，将国内和国外的音频内容实现了对接和互通；资本的滚动，推动全球广播市场体系的建立，中国也成为这个大市场版图中重要的一块；文化交流与融合，改变了受众，海外华人和国际友人对中国广播的需求不断增长。

综上所述，当前中国的广播产业已经站上了一个历史的高点，市场机遇涌现，这也正是北京电台构建广播新格局、推进广播新发展的重要时刻。广播从业者应当积极把握历史机遇，顺应发展潮流，找准切入点，推动广播事业实现跨越式发展。

三、国际背景下中国广播广告的发展路径

结合前文谈到的内容，推进中国广播媒体新发展有两条路径，一是实现传统广播市场规模的大幅度提升，二是实现传统广播与新媒体平台的有效融合。

（一）实现传统广播市场规模的大幅度提升

最主要的工作仍然是练好基本功，这是国际上所有成功的广播媒体所必须具备的条件，要努力扎实广播的收听市场和广告市场，通过提升节目产品和广告产品的质量水准，带动广播产业发展。在此基础上，还需要从市场经营的角度对广播进行深入思考，探索大幅度提升营收规模的可能。

第一，积极探索传统广播广告的开发模式。和国外成熟的广播广告经营不同的是，目前国内的广播媒体还普遍存在节目、广告两张皮的现象，大家手里拿着优质的资源，但是并没有实现两者的有机结合，对广告资源的开发还停留在较为粗放的阶段。在国际发达的传媒市场，除了公共广播电台外，但凡是商业广播，都面临着严峻的生存考验，他们完全从市场角度出发，精心规划频率资源，努力迎合市场需求。虽然我国广播媒体有自身的特点，但是下一步也要加大对于广播市场资源的深度挖掘，实现广播

广告从粗放式经营到精细化经营的转变。如北京电台不断调整广告产品结构，适时推出满足小微企业的行业组合产品，同时准备开发线下活动市场，利用电台的区域性优势，争取在活动营销上取得赢利突破。又如中央人民广播电台近年来推出的突出精准性能的碎片化广告产品等，在业界率先作出了尝试，也取得了理想的经营效果。

第二，借力平台整合，大幅提升广播营收。中国广播产业一个固有的难题是难以在经营上突破地域限制，形成一个像美国那样拥有各级市场、形成联动的广播产业联盟。不过在这一点上，国内广播业的代理公司走在了前面。近些年我国逐渐涌现出一批上规模、专业化的广播广告公司，它们通过多年的发展，不断扩充自己的广播资源，已经实现了跨地域、联网式的经营，同时开始向资本市场靠拢。中国的广播产业在某种意义上依托于第三方的公司实现了行政地域限制的突破，目前已经出现了不同定位的联播网，如环球七福、车语传媒等公司力图建立的音乐联播网、汽车联播网，等等。突破区域限制的联网经营最为显著的作用就是能充分发挥广播平台整合效应，这也体现在这些公司不断增长的营业收入中。面对这样的市场形势，广播媒体应该有更加充分的认识。在我国现阶段，广播仍然是一种区域特征很强的媒介，从某种意义上来说，单个广播媒体面对的市场也是区域性的，是较为有限的，只有形成真正意义上的广播整合平台，传统广播媒体才可能获得大幅增长的市场空间，成长为更具影响力和竞争力的强势媒体。

（二）实现传统广播与新媒体平台的有效融合

第一，要敢于、善于开发广播自有新媒体。清晰频道在巩固传统调频和中波优势的同时，大力建立全球化的数字广播网络，而许多省市广播媒体，也建立起自己的网站和相关数字服务平台。如北京电台的北京广播网（www. rbc. cn），不仅通过网站实现电台广播内容的网络覆盖，一些节目还实现了视频化，这些都为广告的投放提供了更广阔的空间。2011 年 8 月，北京电台在此基础上又推出了北京广播网菠萝台（bolo. rbc. cn）。菠萝台是全国首个支持多路广播节目混排、自定义播放时间、内容时时更新的网络电台，菠萝台上线 4 个月，总收听量已达 9. 1 万次，频道点击量超过了 320 万次。以菠萝台为代表的“DIY + 社交化”的网络广播形态，顺应时代潮流，将网络听众从被动收听变成主动收听，而由此引发的 SNS 互动，更具有广泛的市场意义。这种借助网络的广播形态，如同当前许多网络产品一样，将带来更多的市场机遇和优质资源，也成为广告主非常感兴趣的产品。

第二，扩大和其他新媒体的合作。虽然传统的广播媒体也在建立自己的网络平台，但是事实上国内当下最火的网络广播或网络音频服务，如豆瓣、虾米等，都不是在传统广播媒体中诞生的，对于传统广播来说，则需要积极通过内容分享，实现和专业新媒体平台的合作。一个例子是全球领先的广播数字化技术服务商 Tune In，它的成功就在于积极整合了传统广播资源，把许多传统广播电台的内容成功升级，放到免费的共享平台上让更多的人收听，而它与传统广播媒体共同分享广告收益。另一个例子是前面提到的潘多拉电台，这个网络电台虽然在听众和资本市场获得了不错的成绩，但是它的广告经营仍然和其目标存在差距，按照潘多拉 2011 年在美国广播市场的收听份额来看，它的广告收入应该达到 4.8 亿美元，但事实上它仅做到了一半，显然互联网和移动广播的广告效果还需要市场的考验。因此，在新媒体频出的今天，依然是“内容为王”，这是传统广播媒体的优势所在。扩大和新媒体的合作，将为广播发展带来更大的收益。

第三，广播要具备全媒体经营的意识，和其他媒体开展广泛合作，实现共赢。全媒体环境下，没有任何一类媒体可以独领风骚，相反这是一个百花齐放、百家争鸣的时代，同时在云计算等更为先进的技术推动下，新的媒介形态会不断出现，作为广播来说，应该深刻理解这一时期的特点，认清自己在市场中所处的位置，用更加开放的眼光和谦虚的心态来看待周边，要多做尝试，勇于探索，为自身发展创造更加有利的条件。如中央人民广播电台根据网络搜索关键词概念推出的广告产品，将广播和互联网的广告经营端口进一步结合，获得了理想的市场效果，这也是一个很好的探索和尝试。

在全球传媒产业深刻变革的今天，广播以其权威性、伴随性、突出声音等特点，在全媒体营销领域仍具有不可替代的作用，中国的广播广告市场也将会顺应时代发展，不断开拓、创造新的辉煌。

北京是全国最大的传媒市场，国家对于北京传媒产业的发展也给予了高度的重视。在党和国家的号召下，在北京市委、市政府的领导下，北京人民广播电台会继续发扬“精以务本、进以图强”的精神，一如既往努力向前，寻找新视野，发现新机遇，创造新发展。

（作者单位：北京人民广播电台）

电视内容产业的全媒体转型及增值运营模式初探

宋　毅

一、全媒体转型迫在眉睫

随着《国家“十二五”时期文化改革发展规划纲要》和《中共中央关于深化文化体制改革，推动社会主义文化大发展、大繁荣若干重大问题的决定》等相关政策的出台，以及“三网融合”试点地区（城市）在推动双向进入、推进“三网融合”方面实施工作的逐步开展，传统媒体与新媒体在内容生产与经营等多领域的融合发展趋势已经越来越明晰，电视内容产业的转型问题也因此成为了国内外业界和学界普遍关注并讨论的一个热点话题。

目前，国内多频道电视结构导致的行业内部竞争态势的加剧以及新媒体视频业务对电视媒体发起的冲击，使得传统电视行业在内容生产和经营管理方面受到了前所未有的挑战。在2011年3月的《21世纪经济报道》中，海信集团董事长周厚健更是直言不讳地用“不布局，就出局”六个字总结了传统电视行业在全媒体环境下的现实境况。但庆幸的是，数字化和网络化一方面给传统电视媒体带来了巨大的考验，另一方面也为其创造了又一个把握未来方向的机会。不同媒体间传播功能的融合、不同行业间的市场融合、赢利模式融合为电视媒体的发展提供了广阔空间。媒体从对用户的单向传播发展到与用户间、人机间、人与内容间、多屏多网间的实时多维互动，从单一的渠道发展到多渠道覆盖。在这个过程中，媒体受众的概念逐渐转变为用户的概念。电视媒体以节目为核心的管理方式逐渐向以用户为核心的管理方式转变，用户信息资源的开发和掌握将成为媒体实现管理方式转变的重要基础。可以说，如今的电视媒体已经运行到了自我变革的周期，一个“大改革小成本、小改革大成本、不改革会赔掉本”的阶段。因此，笔者从促进行业发展和社会进步的角度，以实践为先导，结合具体操作案例，通过不断分析和总结传统电视媒体在革新观念、转换思维方面的思考，着重强调了如下三个方面的重要意义，以在新时期稳固兼含喉舌、公共、商业三重属性的中国电视媒体的优势地位。

1．进一步强化电视媒体舆论引导功能，促进社会主义和谐社会建设

个性化是时代的潮流，社会化媒体的出现加速了个性化的张扬。作为具有喉舌功能的电视媒体，却是共性化声音的代表。如何在个性化时代的今天有效防止共性化声音的功能衰减，不仅关系到传统电视媒体舆论引导的效应问题，而且也是社会主义社会和谐、稳定发展必须解决的当务之急。因为只有共性化声音占主导地位，才能充分发挥电视媒体的社会属性，传递积极的价值观和科学的发展观，这也成为开展此种全媒体转型最直接的现实意义。在此方面，笔者认为，传统电视媒体需要站在行业和全局的高度来思考个性与共性的共存问题，根据胡锦涛总书记提出的“个性化制造和规模化协同创新有机结合将成为重要的生产方式”这一观点，在个性化服务的基础上带动共性化的覆盖，才能强化电视媒体舆论引导功能，促进社会主义和谐社会建设。

2．进一步打通电视媒体产业相关附属链条，推动内部产业结构智能演进

调查表明，中国现阶段电视台80%以上的收入来自于广告，相关专家指出，这种单一化的产业模式存在着极大的经营风险。与此同时，摩根士丹利最新一份关于中国媒体发展的报告称，中国的社会化媒体广告收入增速惊人，已远远超过传统媒体。据艾瑞咨询研究数据显示，2011年第一季度网络广告市场同比增长43.7%，达到85.6亿元，互联网数据中心DCCI因此预测到2012年中国网络广告市场将达到461亿元，并将超越报纸(423.9亿元)，成为中国市场第二大广告媒体。

此种局面的出现，进一步印证了专家的观点。传统电视媒体一直以来实现创收、赢利是依靠的内容优势、渠道优势、用户优势。如今，这些优势随着网台分离以及社会化生产趋势的加速遭遇到前所未有的挑战。用户的流失已成常态，尤其是具有较强消费力和二次传播力的年轻用户流失数量更是与日俱增，这就造成了传统电视媒体自身价值和赢利空间的削弱。而传统电视媒体为了挽回颓势，需要在稳住既有用户的同时，进行双向网络改造、IPTV或互联网电视的研发、高清和3D等先进设备的投入、各种人才资源的招募，这就造成了传统电视媒体运营成本将在未来大幅上升。针对如何解决这种投入和产出不对等关系这一问题，笔者认为需要进一步探索电视产业未来走向，在打通电视媒体产业相关附属链条的基础上推动内部产业结构的智能演进。

3. 进一步发掘电视媒体潜在业务优势，优化智慧城市服务决策模型

电视媒体的业务优势在于规模化的用户基数，据此，在电视媒体的社会功能拓展方面，笔者认为电视媒体需要从单纯的生产内容、传播信息转换为融合其他新媒体功能以提供满足人们生活多方面需求的全方位服务平台。在此过程当中，电视媒体将从内容生产、集成、分销商升级为信息服务提供商，这也就为电视内容产业在目前社会化媒体环境和竞争态势下寻找到一个全新的角色定位指出了一条明晰的发展方向。而实现这一转变的基础是充分挖掘电视媒体的潜在业务空间，建立用户信息数据中心。它将为构建智慧城市提供核心数据分析和服务对接平台，将智慧城市现有的以“物物联结”为核心的物联网应用水平提升到“以人为本”的新高度。

二、什么是全媒体

关于“全媒体”这个词汇，百度百科给出的定义是：运用多媒体表现手段，通过不同媒介形态，在“三网融合”的基础上，实现任何人、任何时间、任何地点以任何方式接收任何媒体内容的一种应用。

作为“全媒体”中“全”的重要组成部分，笔者认为传统电视媒体在此领域需要解决的不仅仅是传播方式和技术的表层共通，而需要认真思考在看似大而整的“全媒体”体系下，其针对受众个体所表现出的超细分服务这一特征背后蕴含的深意。结合前期调研的结果，笔者对电视行业的“全媒体”发展方向进行了如下解读：

“全媒体”在电视端的一切应用，其实是要打造一个综合信息服务平台。它是以双向互动电视网络为依托，以用户信息数据库及数字内容库为基础，为用户提供能够满足其日常生活多方面需求为目的，以提供综合性信息及服务为主要业务形式的多功能、多媒体平台。该平台提供的信息内容和服务种类应该涉及资讯、教育、娱乐、购物、旅游、医疗等日常生活的各个方面，它将成为家庭首要信息和服务的收集、获取平台，最终实现电视媒体的三个转变。

（1）从内容生产过程中的劳动密集型状态到科技化全链条组织、协调的集约型生产模式的转变。

（2）从过分依靠广告的单一赢利模式到多样态产业集群齐头并进的转变。

（3）从以内容生产为核心到以内容生产为中心、以信息管理和社会服务为重心的转变。

三、怎样做好全媒体维护和运营

一直以来，传统媒体与新媒体融合的实践脚步停留在整合营销传播领域的初级阶段，即对于同一信息的大范围传播以及对于不同信息的分层次传播阶段。笔者认为，需要以传播学、社会学、统计学、营销学、计算机科学与技术、信息与计算科学等相关学科为理论基础，以打通内容、渠道、用户、衍生四个层面之间的关联为实践目标，从而帮助传统电视媒体在内容层面建成有全媒体影响力的节目和频道品牌；在渠道层面形成全媒体联动的长效机制，在实现已有社会化渠道的稳定运行的同时完善新渠道的开拓手段；在用户层面开发出基于用户关系管理系统的丰富增值应用，构建出面向全国范围的观众兴趣聚集中心和广告主服务中心；在衍生层面探索出一系列全媒体产品开发和赢利增长点，推动商业智能重大演进。在此基础上，规划变电视媒体为综合信息服务平台的三大行进周期，并由此勾画整合营销传播领域“四位一体”的实现方法。具体如下：

（1）内容信息的生产、集成、分销（教育、娱乐、医疗、美食、游戏等各方面的文字、图片、音频、视频内容和信息）。

（2）生活服务提供（如银行还款、天气查询、酒店预订、医院预约、电视购物等）。

（3）广告业务（数字电视平台上的广告资源开发经营，如 EPG 广告、视频插播广告、游戏植入广告、分类信息广告等）。

（4）基于用户数据的业务开发（收视数据、节目满意度调查、营销调研、用户关系管理等）。

落实到实际操作过程中，则必然要求对节目制作部门、广告经营部门、技术部门以及台外媒体渠道资源进行统一规划，使它们之间形成有效关联。以实现电视内容的全媒体化和与用户间的双向互动为基础，最大范围地拓展电视媒体的传播手段、经营方式和经营内容，实现多种商业途径的增值服务，彻底打破以嵌入广告为主要经营支柱的国内电视产业赢利模式。以启用新视角（以用户信息资源的深度挖掘为核心竞争力）、开发新内容（电视屏、电脑屏、手机屏都可渗透的内容产品）、应用新形式（APP、视频、微博、社交、门户、通信相融合）、整合营销（广告、关键词、B2B2C）为突破口，最小代价、最灵活、最快速地探索出一条具体可行的电视媒体变革之路，为电视台应对未来的媒体产业巨变赢得经验和时间，打造实用的全媒体新模式。

从内容生产、业务革新、产业升级的角度综合考虑，笔者对电视内容产业的全媒体转型及增值运营的实现路径和阶段目标进行了如下分解：

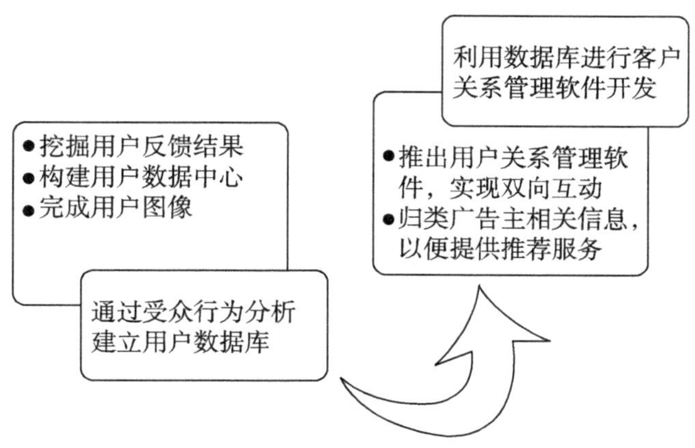

1. 可操作

一期目标定位为全媒体产品开发，即以认可度高、互动性强的电视频道或电视栏目为试点，开发符合其定位的新形式全媒体产品，实现电脑网络、移动通信网络和传统电视的多渠道传递及用户互动，关键是建立基于三屏终端的用户信息应用平台，配合节目内容实现电视台自己的用户信息积累和互动功能。

2. 可赢利

二期目标定位为全媒体产品赢利。此阶段应该在上一阶段的基础上，进一步完善电视台自己的用户信息应用平台，打通整合营销传播所涉及的各个环节，逐步形成以用户为导向的产品开发流程，与电视台经营部门通力合作，深度挖掘多渠道的媒体价值，开发适宜的全媒体产品（在线应用或 APP 应用），拓展增值领域、寻找新的价值点，最终开发出可赢利的产品模式。

3. 可复制

三期目标定位为全媒体产品拓展。作为前两个阶段的最终落点，此阶段将以云计算为技术实现底层，以用户信息数据系统、客户关系管理系统、媒资管理系统、节目评估系统及节目收视预估系统这五大数据中心为依托，构架出集核心内容优势、核心数据优势、核心服务优势于一体的社会化全媒体模型，构建较为成熟的赢利模式，并使之具有可扩展到其他节目部门或电视栏目的可能，逐步实现电视台内部的全媒体转型，有效提升经营增量空间。

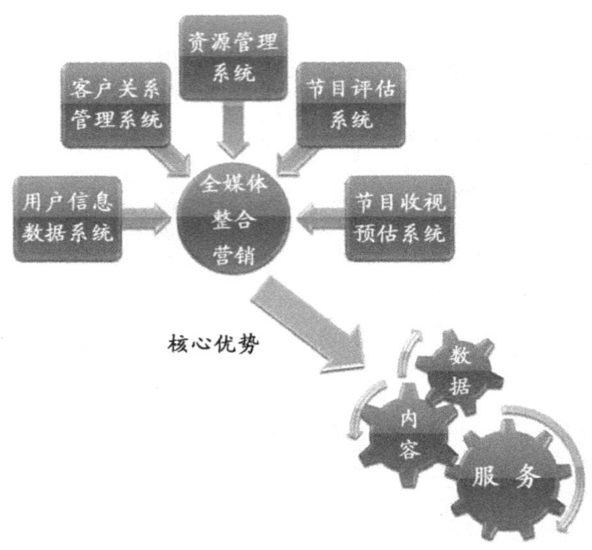

最终，这一套全媒体自优化、自循环系统将以详细的操作步骤指导电视媒体下一阶段的转型规划，并通过实践进一步开拓此论题的研究价值和应用空间。

（作者单位：北京电视台）

电视购物模式的分析与探索

史江兰 马 涛 马晓光 武 威

一、引言

电视购物是一种无店铺营销的新型商业零售形态，为商家开辟了一种新的销售渠道，为消费者提供方便、快捷、高效的购物服务。电视购物自 1982 年从美国开始崛起，随后以每年超过 20% 的增长速度席卷全球。在美国、日本、韩国等国家，电视购物已成为消费者购买商品的一个重要渠道。

电视购物首次在中国内地出现是以 1992 年广东省珠江频道播出的一个购物节目为标志，到现在为止已经走过了 20 年的风雨之路。据央视索福瑞发布的《2008—2009 中国电视购物行业发展报告》显示，2008 年中国电视购物产业规模仅为 105 亿元，只占社会消费品零售总额的 0.1% 不到。由此可见，电视购物在我国仍然属于朝阳产业，发展空间巨大。但是，面对巨大的市场空间，中国内地的电视购物却遇到了发展瓶颈，深陷“失信于民”的泥潭之中，仅有 17.65% 的人对电视购物有明显的信任。究其原因，还是电视购物模式发展的不成熟。本文在对现阶段电视购物模式进行分析的基础上，同时借鉴网络购物的成功经验，试图提出一种全新的电视购物模式。

二、现阶段的电视购物模式分析

随着电视购物在中国的发展与成长，电视购物的模式也在不断地演变，先后经历了电视直销购物模式和电视购物频道模式。现阶段，国内电视购物表现为电视直销购物和电视购物频道两种模式并存并行，前者以橡果国际、七星购物、摩能国际为代表，后者以快乐购、央视购物、家有购物为代表。下面本文将运用经典的 4P 理论，从产品、价格、渠道和促销几个方面对其进行分析，找出它们之间的差异，如表 1 所示。

表 1　电视直销购物与电视购物频道的比较

	电视直销购物	电视购物频道
产品（Product）	大多集中在减肥、丰胸、增高、药品和医疗器械上	多以家庭用品、电子产品为主
价格（Price）	低成本、高定价，大部分电视购物商品的毛利率都在 100% 以上	产品定价更加合理化，利润保持在 50% 左右，但低于商场价格的 20% 左右
渠道（Place）	在电视台的非黄金时段播放录制好的广告短片，进行高密度轰炸	以专门的电视频道作为购物平台，频道的运营商大都具有广电的背景
促销（Promote）	夸大产品功效、大幅度折扣降价、名人代言、消费者亲身讲解等	节目以直播为主，主持人对产品性质、功能、特色、价格做详细客观的介绍，有模特现场展示和操作示范

（一）电视直销购物模式

电视购物在进入中国的初期，主要表现为电视直销购物模式。电视直销购物是由电视直销公司负责组织货源、制作节目，然后向电视台购买价格低廉的“非黄金时间”广告时段来进行播出，观众可以通过拨打屏幕上的销售电话进行购买。

1. 产品

电视直销的产品具有“新、奇、特”的特点，大多集中在减肥、丰胸、增高、药品和医疗器械上，而且是日常生活中大家很少见过或是听说过的品牌。这些东西很容易引起人们的好奇心和兴趣，进而抱着试试的心态去进行购买。

2. 价格

电视直销产品的定价是遵循“低成本、高定价”的原则，大部分电视购物商品的毛利率都在 100% 以上。由于市场上很难找到同类产品进行价格比较，这就给其定价提供了基础，使得操作空间非常大。

3. 渠道

电视直销主要是通过在电视台非黄金时段播放广告短片的方式进行，这些短片一般是提前录制好的。短片的投放采取“垃圾时段 + 高密度轰炸”的策略，一个购物短片短则 5 分钟，长则 20 分钟甚至 30 分钟。

4. 促销

电视直销的短片要在几分钟内抓住观众的眼球并促使其产生购买行为，常用的手段就是夸大产品功效，大幅度折扣降价，此外，名人代言或消费者亲身讲解也是惯用的手段。

（二）电视购物频道模式

电视购物频道是由电视台自身成立的公司或是专业购物频道在自己的频道内经营，是一种虚拟的零售终端，它的生存不再依赖于广告收入，而是直接作为购物平台从交易中提成获取利润，并以频道为主体，全程参与商品开发、节目制作、行销客服、物流配送、资金结算等环节。

1. 产品

电视购物频道的产品多以家庭用品、电子产品为主，都是在商场能买得到的品牌。这些产品更加贴近百姓生活，实用度高，容易获得消费者的青睐与信赖。

2. 价格

电视购物频道的产品定价更加合理化，利润保持在 50% 左右，但商品价格低于商场的 20% 左右。这既确保了产品的价格优势，又避免了如电视直销那样的暴利导致市场混乱。

3. 渠道

电视购物频道是以专门的电视频道作为购物平台，相比于电视直销来说更具稳定性。大多数电视购物频道的运营商都具有广电的背景，如湖南快乐购、央视购物等，具有很大的品牌优势。

4. 促销

电视购物频道的节目以直播为主，主持人对产品性质、功能、特色、价格做详细介绍，有模特现场展示、操作示范，提出“教买不叫卖”的理念，真实度更高。

三、电视购物与网络购物的比较

电视购物和网络购物都是对传统购物在方式上的延伸，只不过一种是基于电视屏幕，一种是基于电脑屏幕。与网络购物相比，电视购物存在着其特定的优势。随着技术的快速发展，网络购物逐渐被人们接受，已经成为人们生活中必不可少的一个组成部分，其许多成功经验也是值得电视购物进行借鉴的。因此，下面本文将对电视购物与网络购物进行比较，发现电视购物的优势与不足，以便对现有的电视购物模式进行改进。

（一）与网络购物相比，电视购物的优势

1．电视购物的权威性

基于中国的国情，电视平台在中国的权威性很高，其品牌的权威性与美誉度远远高于任何一家商业网站。正是由于这种权威性，电视购物节目更容易吸引品牌商家的加盟，如“快乐购物”有合作伙伴索尼、明基等。而网络购物则只能依靠门户网站的品牌美誉度，市场上成功的企业如当当、京东、凡客都是在一些特定商品领域拥有好口碑，而淘宝等网站只是给交易双方提供了一个平台，用户使用身份证即可注册登录，其商品的质量无法充分得到认证，更不要说权威性了。

2．电视购物的大众性

电视购物节目的潜在受众是巨大的，从看卡通片的儿童观众到看连续剧的中老年观众，从看新闻节目的男性观众到看偶像剧的女性观众，从看深度报道的知识分子到看娱乐节目的普通大众，只要他们在看节目之余调到购物频道，都有可能被正在推销的产品所吸引。相比较而言，网络媒体的主要受众还是集中在20—35岁的青年人，而热衷网络购物的更局限在其中的年轻女性，她们的消费能力其实比较有限。

3．电视购物的感染力和说服力

电视的直观性使电视购物节目更具感染力，通过摄像机镜头，观众在画面上可以多角度地观看商品，许多电视购物节目还有了专属的模特进行展示或试用，给电视观众强烈的视觉冲击。同时，主持人在旁边进行详细的解说，用户现场或是打电话到直播现场，谈他们对所买的产品的看法和感受，有的还通过跳秒的方式，告诉剩余的时间和数量有限，营造一种机

不可失、时不再来的气氛，促使消费者尽快作出购买决策。这些都是网络购物所无法匹敌的。

（二）与网络购物相比，电视购物的不足

1. 产品质量和售后服务保障问题

电视直销是一种新兴行业，新颖的销售方式、高额利润吸引了众多商家跟进，部分商家只注重利润而忽视了产品质量，甚至存在一次性买卖的心理，给整个行业带来了恶劣影响。售后服务不完善是消费者对电视购物不信任的重要原因，同时也制约了电视购物行业的发展。消费者在购买产品后发现问题需要维修或退换货时，很难联系到商家，就算联系到了商家也经常会置之不理。

少数电视直销企业的不良行为，已造成消费者对电视购物行业的“信任危机”。因此，家庭购物频道进入电视购物市场，希望借助广电的背景，让消费者对家庭购物频道产生较高的信任度，树立良好的品牌信誉。

2. 消费者只能被动收看产品，无法主动搜索和选择

无论是电视直销购物模式还是电视购物频道模式，消费者都是作为一名观众的角色进行收看，被动地接受产品信息，无法和主持人互动，选择的权利非常小，这不利于形成良好的用户体验，严重阻碍了用户市场的进一步扩大。也正是由于用户参与性低，才使得一些企业丧失责任感，不注重用户关系的长久维持，甚至欺骗用户。因此，有必要探索一种新的电视购物模式，重拾消费者对电视购物的信心，促进整个行业朝着健康的方向发展。

相比而言，网络购物中商家与消费者的互动性非常强大。消费者可以通过产品类别、产品名称主动搜索自己感兴趣的产品，可以对比商品各种指标，比如价格、功能等各方面的信息，选择机会很多，通过多方比较往往能购买到物美价廉的商品。消费者还可以参考商家的信誉度，查看其他消费者的购买记录和对产品的评价，产品质量的保障度更高。

3. 支付方式单一，存在资金安全问题

现有的电视购物的支付方式大多数是预付费方式，包括邮寄汇款、电汇、银行转账等，也有少数是由物流公司代付的。但这种支付方式存在着很大的风险，容易给一些不法商家造成可乘之机，使其欺骗消费者，从而

引发消费者对整个电视购物行业的不信任。而且这种支付方式也不太方便，消费者需要到邮局、银行等办理相关手续，容易导致消费者消费冲动的消退，进而致使交易取消。

相比而言，网络购物的支付更加多元化，也更加安全。淘宝可以通过第三方支付确保消费者资金安全，顾客在收到产品并查看满意后，才把钱付给商家。京东、凡客可以货到付款，而且收到产品不满意可以无理由退货，让消费者非常放心。

四、基于高清交互平台的电视商城模式

高清交互平台的建立是有线电视发展史上的一个质的飞跃，用户不仅仅可以观看到比以往更清晰、更逼真的电视节目，而且可以通过“主页”的“菜单”选择性地享受到一系列的增值服务，实现了用户从“看电视”到“用电视”的转变，也为电视购物模式的转变创造了有利条件。因此，本文在借鉴网络购物经验的基础上，结合电视购物自身的特点，试图提出一种全新的电视购物模式——电视商城模式。

（一）电视商城的定位：专卖店+超市

顾名思义，电视商城就是指在电视平台上利用信息媒体技术等各种手段，达成从买到卖的过程的虚拟场所，是现实当中实体商城的虚拟化。为了更好地进行商品的展示，电视商城里设立一个个店面，按照店面的性质将其分为电视专卖店和电视超市。

电视专卖店的定位是“高端、精品”，主要引进一些国内外的知名品牌入驻。专卖店的产品应该是适合且需要电视屏幕展示的产品，如旅游、汽车、电影类等。这些产品通过在电视上的进行大量的视频展示很容易冲击消费者的眼球，引起消费者的注意和兴趣。

电视超市的定位是“大众、实用”，主要是一些家庭用品、快速消费品等。超市的产品都是大家生活中比较常见常用、认可度比较高的品牌和产品，只需要展示品牌、名称、价格等商品基本信息即可，不需要过多地包装和修饰。

（二）电视商城的运营模式

电视商城由专门的电视商城运营商进行运营管理，主要包括商家的选

择管理、物流公司的选择管理、消费者的管理，以及处理消费者的咨询和投诉。原则上，电视商城运营商不直接参与商家与消费者之间的交易，只是为其提供一个交易的平台，并为交易的顺利实现提供一系列相关服务。电视商城的运营模式如图1所示。商家在电视商城进行商品信息的发布以供消费者搜索、查看，消费者选中商品后可以在线下单并支付货款给商家后，然后物流公司把商品送达消费者手中。如果出现退换货的情况，消费者通过物流公司把商品退给商家，然后商家把相应的货款退还消费者。

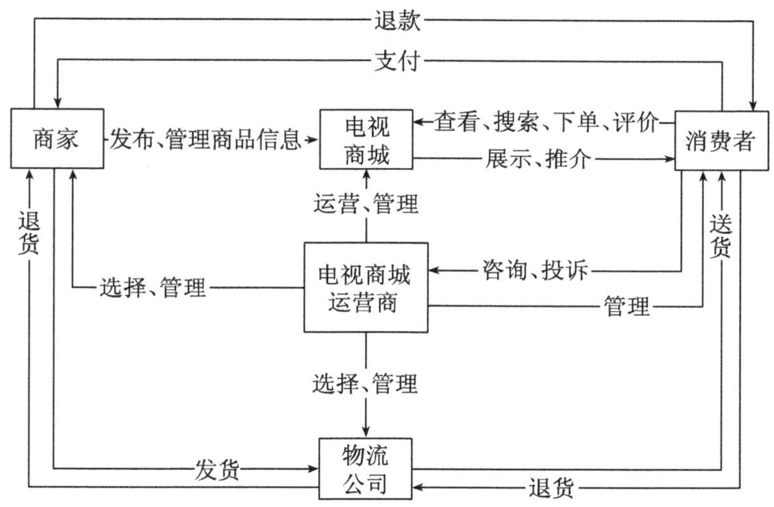

图1　电视商城的运营模式

（三）电视商城的特色

1. 发挥电视展示优势，还原真实购物环境

电视专卖店将充分发挥电视展现的优势，通过实景拍摄、Flash甚至3D等视频展示手段，为消费者呈现出友好的、逼真的电视购物界面，尽可能还原真实的购物环境。消费者在进入商城的“专卖店”专区后，无论进入任何一家专卖店，都将如同进入到实体店中一样。每一个专卖店都设有专门的“导购”为光顾的消费者提供服务，通过询问预先设置好的问题协助消费者进行选购。消费者在看中某一商品后，可以观看360度全方位的商品介绍视频，也可以随意选择观看感兴趣的商品某一部分的介绍视频。

超市将设立类似于实体超市的货架，分类别、分品牌集中展示各种商品。消费者可以不受任何干扰，随心所欲地挑选商品，并可以把自己感兴趣的商品放入购物车。最后，通过各种比较决定最终购买的商品并进行下单支付。

2. 从观众到消费者，消费者更多的参与

对于电视商城而言，它所面对的将不再是坐在电视机前看广告或节目的“观众”，而是通过电视终端逛商场和购买商品的“消费者”。从“观众”到“消费者”的转变，决定了电视购物中商家的行为和心态。

在电视商城，消费者拥有更多的权利，可以更多地参与进来。他们可以选择更具特色和吸引力的店面或商品，可以通过界面快速地查询并定位到自己感兴趣的商品，可以通过价格比较选择其中性价比比较高的商品，可以通过评价打分表达自己对所购买商品的满意与否。这些因素使得市场向买方倾斜，在给商家施加压力的同时也提供了动力。为了提高自身的竞争力和扩大销售额，商家会更加注重自己的品牌形象、产品和服务的质量以及消费者的感受和反应。

3. 无须注册与登录，自动通过实名认证

在产品同质化的情况下，方便才是产品被选中的决定性因素。越来越多的消费者选择网络购物的很大一个因素就是其相对于传统购物的方便性。为了对用户进行管理，购物网站几乎都要求用户在首次登录时进行注册，在以后的每次登录时都要输入用户名和密码。但是，电视商城的用户无须注册，也无须登录。消费者一打开电视，系统就会通过智能卡的卡号定位到有线电视的注册用户的姓名和地址等信息，这也就是电视商城的用户。

此外，购物过程中的安全性也是人们非常关注的一个问题。不同于网络上注册的用户，有线电视注册用户都是实名制的，其信息都是用户凭借户口本、身份证等有效证件进行登记的。因此，由有线电视注册用户自动生成的电视商城用户都是通过实名认证的，一旦出现问题，可以很快地确认消费者的身份并联系到他，有利于保障用户的合法权益。

4. 统一运营和管理，全面保障消费者权利

电视商城由专门的运营商统一装修、统一运营、统一管理，为消费者提供省心、舒心、放心的购物环境。消费者可以轻松地实现在线下单、在

线支付等功能，在家足不出户就可以购买到所需要的商品。消费者有任何问题都可以拨打电视商城的统一客服电话进行咨询或投诉，再也不必担心商品的售后问题。

作为电视商城的运营商，在商家的挑选上会有严格的要求和一套完善的程序。尤其是专卖店模式的门槛非常高，能够进入专卖店的都是国内外大品牌、在各自行业内已经被消费者熟知和认可的知名商家。商家入驻前必须提供相应的资质证明、产品质量检验等相关文件。此外，电视商城还会对入驻的商家进行定期清理，消费者评价不好的商家在一定时期内将不允许进入商城。

为了保障消费者的权利，电视商城还建立了“先行赔付”机制，商家在入驻时会拿出一部分资金由商城统一管理，当消费者和商家就产品和服务问题出现纠纷时，消费者可以向电视商城提出赔偿，由电视商城先行赔付。

五、结语

技术的发展使得人们的生活越来越丰富，购物方式越来越多元化。电视购物模式的发展也依赖于技术的支持程度，高清交互平台的建立为电视商城的搭建提供了可能。在“三网融合”的大趋势下，电视商城除了要充分利用电视屏幕，还要充分利用手机、电脑等技术手段，走多屏幕、多终端相结合的发展道路。

（作者单位：北京歌华有线电视网络股份有限公司）

电视台发展电视剧产业框架探索

刘　星

近年来，省级卫视的竞争日趋激烈，各家电视台在节目、电视剧、收视率排名等各个方面展开了全方位的比拼。其中，电视剧作为播放总量最大、吸引观众最多的电视节目样式，在产生巨大的社会影响力的同时，也产生了丰硕的经济效益。党的十七大报告明确提出，要促进社会主义文化的大发展、大繁荣。电视传媒业特别是影视剧产业，已经站到了文化产业的前沿。电视台如何在方兴未艾的电视剧产业发展过程中顺势而上，做大做强，是一个需要认真思考和探索的问题。本文从电视台在电视剧产业中的发展现状出发，分析了未来产业化发展中的隐忧，在此基础上，希望探索出一些适合电视台产业化发展的突破方向。

一、电视台之电视剧大战风云四起

在过去的两年里，电视剧制播行业风云激荡，从资源争夺到播出大战，全面进入了竞争白热化的阶段。总体来说，从2009年到2011年，电视台在电视剧竞争方面呈现出以下态势。

（一）优质资源的争夺更加激烈，电视剧价格急剧飙升

虽然每年投拍的电视剧在14000集左右，但能够产生年度影响力的作品通常在10部左右，这10部作品，往往会在央视和十几家实力雄厚的省级卫视之间展开激烈争夺。这种对优质资源不计成本的争夺直接导致了电视剧发行价格的成倍增长，不断突破天价，电视剧优质资源的争夺已经从平台之争转为实力之争。具体参见表1。

表 1　2009—2011 年卫视首轮电视剧价格变化表

播出年度	2009 年	2010 年	2011 年
四家联合每家单集价格	《潜伏》15 万	《婚姻保卫战》26 万	《借枪》34 万
	《我的团长我的团》18 万	《三国》40 万	《男人帮》48 万
两家联合每家单集价格	《北风那个吹》25 万	《杜拉拉升职记》28 万	《风声传奇》42 万
	《勇者无敌》25 万		《永不磨灭的番号》55 万
独家价格	《美丽的事》30 万	《同龄人》50 万	《养父》80 万
			《风车》80 万

（二）独播剧渐成为市场宠儿，高投入、高风险、高产出成为重要模式

据央视索福瑞媒介调查数据显示，2011 年 19：30—24：00 时段省卫视播出的电视剧，其中平均收视率超过 1% 的电视剧约有 37 部，其中有 26 部属于独家首播剧，占总量的 70% 。四家上星剧约 6 部（占 16%），两家上星剧 5 部。作为一种在一定时间范围内资源独占的播出方式，独家首播的影响力正在从 3 年前的概念宣传化，逐渐走向市场实效化，在很大程度上实现了频道高投入高产出的目标。从 2011 年独家首播剧分布情况来看，半壁江山（14 部）被湖南卫视所占据，《回家的欲望》收视率居首（80 城市组，4. 17%），《宫》、《天使的诱惑》收视率也超过了 2%；其次为江苏卫视 5 部独播剧，其中最高收视率 1. 32% 为《活佛济公第二部》；浙江卫视 3 部。北京卫视的《乡村爱情交响曲》也取得了收视率 1. 73% 的不俗效果。独家首播具有编排灵活性，但成本消耗巨大，需要强大的经济实力做后盾。

（三）电视剧发行模式改变，地面影视频道将面临片源困局

优质资源的稀缺、省级卫视激烈竞争的加剧，使得电视剧发行模式自 2008 年开始有了较大改变。目前，越来越多的优质电视剧开始限制地面发行数量，甚至不发行地面直接上星播出，以确保首轮上星播出的收视率和影响力。而新的发行方式将使众多地面影视频道优质片源大幅减少，陷入片源匮乏困局。目前来看，省级卫视份额的增加、年轻观众的流失与数字

电视的崛起，造成地面频道收视市场蛋糕的缩小，上海、天津、江苏、浙江等很多传统优势地面电视剧频道收视下滑已经显现。

二、电视台单纯作为播出角色定位带来的隐忧

从资源大战到现在播出大战，电视台在近两年燃起的硝烟和烽火，归根结底，都与电视台在电视剧产业链中的角色和地位——播出平台，密不可分。第一次制播分离的浪潮中，影视剧行业一马当先，成为文化产业中最为活跃的一大领域，制作播出行业都充分享受到市场化带来的繁荣。然而，在获得了制播分离带来的强劲发展动力、分享到了发展果实之后，冷静思考，会发现制播分离对作为播出角色的电视台来说，也会带来一些负面效应。

（一）电视台掌握电视剧版权情况堪忧

由于大量的电视剧都由上游制作公司发行公司投资拍摄，除了极少量的自制剧，电视台手中大量积累的是有时间限制的播映权（如3年、5年等），而对于能够持续产生效益的版权几乎为空白。这样使得电视台容易受制于上游制作行业，也丧失了版权带来的利益空间。

（二）电视台对于电视剧产品的宏观趋势缺乏掌控性

电视剧制作公司具有分散性的特点，出于对经济利益的追求，它们对电视剧产品的生产大多从短期市场需求出发，而缺乏对于长期宏观趋势的判断。而电视台作为播出行业不直接参与电视剧内容生产，处于“等米下锅”的处境，失去了对行业宏观发展的掌控权。

（三）电视台的品牌建设工程失去了重要组成部分

电视剧作为最受观众欢迎的电视节目形态，长期以来一直占据着最大的市场份额，会聚了大量的观众，原本可以成为电视台品牌形象建设的重要推动力，然而现在由影视制作公司制作的电视剧往往可以卖给多家电视台，电视台反而处于内容同质化的不利境地，想要通过电视剧树立电视台品牌形象更是无从谈起。

正是由于以上原因，很多处于发展先锋改革前沿的省级卫视已经敏锐地意识到了电视台在第一次制播分离浪潮中的劣势，其中一些电视台已经开始悄然着手积蓄力量，例如，湖南卫视、江苏卫视都曾高调宣布了自己

在自制剧领域的战略部署，并已有切实的行动。

三、实现两个转变，构筑产业化发展框架

大浪淘沙，不进则退。在文化产业日益繁荣昌盛的今天，面对即将到来的第二次制播分离的浪潮，电视台应当与时俱进，在改革的浪潮中奋勇争先，占得先机。综合分析和研究电视台未来面临的竞争环境，我们认为，电视台应该从传统的强化发展电视剧的播出业务行为，转变为以打造电视剧采购编播等核心业务竞争力为中心，逐步发展成为综合影视文化产业集群。具体的做法之一就是从播出原点，向产业链两端延伸，更完整地参与电视剧制作、播出、营销、推广等整个产业链。当然，这些都需要在体制、机制上进行积极有效的配套改革，我们才能在新的发展机遇面前不至于束手束脚，不至于再次错失良机。未雨绸缪，电视台在未来电视剧产业化发展的道路上，应从以下几个方面进行突破。

（一）打破单一赢利模式：从“成本中心”转变为“投资中心”

传统媒体的赢利模式是，媒体制作内容产品，并经过大范围的传播换取公众注意力，再“二次售卖”给广告商，换得广告收入。电视剧是我国目前制播分离较为成熟的行业，因此绝大多数电视台都是依靠购买电视剧、播放电视剧、再卖出广告时段来获得广告收入为赢利模式。每个电视台都有负责电视剧购买和播放工作的部门，如果借用管理学的概念，这样的部门对于电视台就是“成本中心”。

从传统媒体的发展趋势来看，依靠广告的单一赢利模式所受到的威胁和挑战越来越大，广告与宏观经济具有很强的正相关关系，加之新媒体的大量崛起，将对传统媒体的广告蛋糕进行较大份额的蚕食。单纯依赖广告的赢利模式会造成传统媒体在未来发展中抗风险能力大为弱化，同时也流失很多赢利增长空间。如何打破目前电视台的电视剧播放以广告收入为主的较为单一的赢利模式？这就需要创造新的利润增长点，从改造既有成本中心着手，挖掘成本投入的附加增值空间，就如同报业的发行部门向物流中心角色转换、有线电视网络开发交互式点播和银行缴费业务，等等。

电视台的电视剧采购与播出中心具备从传统意义上的成本中心，转变

角色，形成对成本和利润都有一定追求的“投资中心”的基础。省级电视台每年用于购剧的成本少则一两亿，多则三五亿。在未来几年内，电视台应转变工作理念，将这部分巨额资金从单纯的投入“买剧”逐步转化为能够带来较大回报资金，在保障目前播出需求的基础上，循序渐进地把单纯的购买行为变成带有新的赢利目标的产业内合理投资，具体的方式包括：

1．投入到定制剧领域

定制剧在版权价值、品牌推广等方面对于电视台来说意义重大。首先定制剧可以成为独家资源。独家占据市场往往比2—4家联合购买共同均分蛋糕获得更大的收视利益；其次，定制剧拥有版权或无限播映权，就像是一本万利的买卖，能够创造出类似湖南《还珠格格》式的重播十年不败的神话，从长期角度来看性价比非常合适；再次，定制剧能够最大可能地符合本台的主力观众群需求，制造和引领收视时尚；最后，定制剧还可成为独有的品牌资源，能够最大可能地与本台的品牌推广等相关活动相结合，互为推动。

目前的现状是，绝大部分电视台长期以来并没有电视剧制作机构和制作能力，在定制剧发展方面必将是从头学起，一步一步地摸索。2010年一些具备敏锐发展眼光的电视台已经在定制剧或自制剧方面进行积极探索，例如，湖南卫视在2010年计划摄制包括《新还珠格格》、《一起来看流星雨2》在内的8部自制剧，并且单部剧投资过亿元；安徽电视台在2010年将拍3—5部自制剧，主打偶像剧类型；江苏卫视高调宣布翻拍海岩经典三部曲；江西电视台则提出要“打造一支以文学策划为重心的精英团队”，并主打“军事牌”、“红色牌”，等等。

2．投入到电视剧联合制作领域

对掌握在电视剧产业链上游制作公司手中的具有潜力的项目，电视台可以拿出一部分购剧资金进行合理的投资，从而确保自己在激烈竞争中“先下手为强”，牢牢抓住优势资源，保证其在自己平台上播放的同时，还能获得一定比例的投资回报。投资合作方式可能包括两种：一种是固定回报的合作方式，例如，投入500万元，获得10%也就是50万元的固定投资收益。由于电视台长期以来与制作公司结有广泛而密切的联系，因此投资项目的选择视野较为广阔，如果每年成功投资几笔这样的项目，将会有较为可观的回报。另外一种是风险回报的合作方式，出于资金安全的考虑，目前电视台还较少进行。随着行业发展和电视台专业水准的提升，可以考虑小比例尝试风险投资合作方式，即风险共担，投资收益共享，对于一些具备巨大潜力的项目，成功的风险投资合作将带来更具价值的经济收益。

3. 投入到版权资源积累领域

以上两种投资，都会使电视台积累部分优势版权资源，但和一年播出量相比，显然这还是远远不够的，电视台应当考虑再拿出一部分资金用于对优势经典大剧资源进行版权储备和积累。例如，中央电视台对其播出电视剧主要都是购买永久播映权，一些省级卫视对经典剧会直接买断其独家播映权甚至版权，例如，浙江卫视将《贫嘴张大民的幸福生活》独家买断，其他电视台如果想播出必须要获得该台许可并付出一定成本。积累版权资源不仅可以有效降低重播成本，也能通过售卖或交换播出版权获得新的收益，这部分投资将在较长时间内获得较多回报。

（二）开发产业链衍生领域：以“无形资产”创造“有形资产”

电视台作为大众媒体，是拥有最广泛受众的传播者。经过多年的发展，在制播分离的大背景下，电视剧产业链中占据播出环节的电视台，相对于产业链上游的影视制作公司及下游的观众、广告商来说，其实已经积累了很多“无形资产”，例如，优质品牌，广大观众认可；电视剧宣传推广的成熟模式；对电视观众有更贴近的交流和更深入的研究；电视剧播出具有社会风向标效应；面对制作公司在购买行为的主动权和话语权；对电视剧的商业价值和社会影响力具有更敏锐的判断；广告经营信誉和对广告商的影响力，等等。

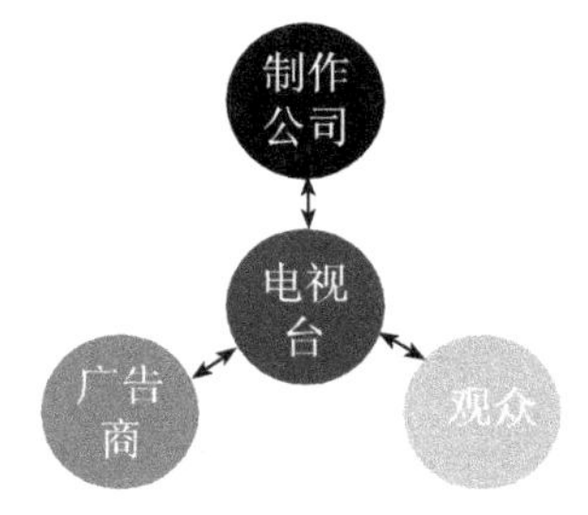

这些无形资产如果加以有效的利用，能够转化为有形资产，形成新的产业扩张机会和收益增长点。具有雄厚资金后盾的电视台，应从位于产业链中部的播出平台出发，深入介入电视剧产业链上下游，拓展工作领域，可能包括：影响和参与产业链上游的电视剧制作行业；电视剧植入广告等商业价值开发；建立电视剧发行平台；面向观众市场的专业电视剧营销推

广服务；电视剧产业增值业务开发；研究观众收视反馈，为上游行业提供项目咨询业务；研究更为科学有效的电视剧项目测试体系，提供咨询服务，等等。

各种信息咨询服务、植入广告等商业活动，可以直接转变成经济效益，而建立在品牌影响力下的电视剧推广宣传，以及帮助制作公司引导发行、开发电视剧产业增值业务等也可以通过建立适当的合作方式而形成间接的经济效益。电视台应从播出平台的角色出发，充分开发自己的优势，将各种无形资产通过积极有效的管理与商业运作，转化成有形资产。

四、以自制剧运作为切入点，科学组建产业链的各环节

从“成本中心”到“投资中心”，以“无形资产”创造“有形资产”，是电视台发展电视剧产业的战略构想，是电视台发挥自身实力、角色优势和品牌影响力，做大做强文化产业的重要方向。近两年来，很多省级卫视都选择自制剧作为试水影视产业的切入点，从实际操作层面来看，各家卫视的自制剧项目目标各异，运作方式各异，商业模式各异。归纳起来，电视台在运作自制剧项目时，应该结合自身实际情况，在以下几个方面寻求合理的界定、方案和机制。

（一）确立运作自制剧的实体化机构的职能与管理机制

从目前来看，电视在运作自制剧时，一般通过台内的影视剧或节目购销部门、专业的影视制作公司等。自制剧专门机构的职能设置，依据机构的主体性质的不同及市场化程度的高低，可能包括剧本策划与创意、联系确定制作公司主创团队、确定主演阵容、拍摄制作过程的监管、植入广告经营、对外发行销售，等等。

如果是公司化运作主体，则需要妥善处理好自制剧制作公司与台内的影视购销部门之间的关系，形成优势互补、资源共享的良性互动机制。从目前来看，有两种合作关系：一种是紧密合作制，甚至是“一组人马、两块牌子”，电视剧项目一般都是两者共同审评确定，如无意外，台里会照单全收；另一种是更加市场化导向，对内较为独立，对外较为开放，电视剧会走全市场发行的方式，例如，江苏的幸福蓝海公司模式。

（二）电视台对于自制剧的生产监管

无论采用哪种自制剧运作主体，电视台对电视剧项目都需要严格监管，做好生产引导和资源保障，具体包括在项目创意和剧本遴选阶段设计科学的审评方法与机制；保证电视剧更好地结合电视台的总体定位和品牌形象；制定有效的方式督导制作全程，如派制片人或责任包干；维护核心创作人才，例如，针对知名导演、编剧的奖励机制，等等。

（三）自制剧投入和产出效益规划要素

电视台对于自制剧或定制剧的投入规模，需要综合考虑市场资源与购剧价格变化、电视台自身的节目生产投入与广告回报、未来几年的影视产业发展规模战略等。

自制剧的回报与效益包括以下很多方面。其中显性的、易量化的包括收视效果、植入广告收益、发行收益、电视硬广增量等；隐形的、不易量化的包括版权价值积累、给电视台品牌影响力的积极影响、人才队伍的培育和影视资源的积累，这些对电视台产业化发展具有长远意义。

自制剧发行收入回报方式，视投资比例、版权要求和风险分担模式不同，一般有四种：一是参与部分投资与固定回报模式，一般回报比例在10%左右，投资风险相对最小，一般没有版权；二是参与部分投资与风险回报模式，投资回报率与其他的投资方相同，可能获得部分版权，风险相对较大；三是参与全额、主投（控股）方式，占有版权，风险较大；四是定制模式，即给公司出“家庭作业”，版权可协商，发行收入不是主要需求。

在近期国家广电总局出台“限广令”等行业监管措施缩减电视剧广告插播资源的情况下，自制剧在植入广告方面的经营空间获得了更多的关注和青睐。在运作自制剧项目时，都市剧、生活剧等现实题材有运作植入广告的前提；植入广告的经营需要从剧本阶段就开始介入，需要量身设计剧情和台词，让植入广告的嵌入更为巧妙，更恰如其分，尽量减少观众的不佳感受；植入广告的经营采取代理模式还是台内统一经营，也需要与电视台整体广告经营模式相适应。

如何才能做大做强文化产业，是我国电视台必须认真思考和扎实推进的肩头重任。而站在市场化浪尖的电视剧行业更应以此为己任。乘借第二次制播分离浪潮的东风，电视台应积极寻求在体制和机制上的大刀阔斧改革的保障，以进一步解放发展的动力。只有这样，才能在新一轮的文化产业发展机遇面前，真正地推动电视事业大发展、大繁荣。

（作者单位：北京电视台）

对3D电视产业发展的思考

任媛媛

2012年年初，国家广电总局宣布正式开播3D电视试验频道，而英国天空电视台和BBC今年2月也宣布，2012伦敦奥运会也将实现3D全程转播。根据欧洲视听观察公司公布的数据显示，欧盟境内目前开通20多个3D电视频道。可以预见的是，3D技术将成为下一步电视技术发展的技术潮流和投资重点。但是，我国目前的3D电视产业链，还有这样那样问题，存在着技术、政策和市场壁垒，本文将从若干层面出发，全面解析3D电视产业的现状与未来。

一、3D电视的由来

3D是Three－Dimensional（三维立体图形）的缩写。其物理原理是基于人的双眼观察物体的角度略有差异，因此能够辨别物体远近而产生立体的视觉。三维立体影像电视正是利用这个原理，把左右眼所看到的影像分离。3D电视是一种能够模拟实际景物的真实空间关系的新型电视，它利用人眼的视觉特性产生立体感，让观众感受到观看的影像是具有深度特性的三维立体场景，有触手可及的震撼效果。

3D电视的起源，最早可以追溯到1903年，科学家发现了“视差创造立体”的原理。实质上，早在20世纪20年代，人们就已经开始着手研制立体电视。但由于种种原因，3D电视在长时间内仅仅停留在实验阶段，直到三星和美国电影工作者将其推向世界舞台。2009年12月，由詹姆斯·卡梅隆执导，耗资5亿美元的电影巨作《阿凡达》同时以2D、2DIMAX、3D、3DIMAX等多种版本在全球公映，世界各地由此便掀起了3D的热潮。

二、国际上3D电视产业的发展

随着《阿凡达》的热映，国际上纷纷加大3D产业的投入力度，一些国家已经开播3D电视频道。目前，英国、法国、德国、意大利、葡萄牙、美国、土耳其、阿联酋、韩国、日本、澳大利亚等国都开通了3D电视频道，内容涵盖电影、风光、体育、纪录片等多个方面。

1. 美国的3D电视产业

以前，美国的3D产业主要在3D动画领域，而新一轮的3D热潮中，美国开始促进从内容商、传输商到设备商这一整条产业链。美国卫星电视公司DirecTV新发射的卫星投入运营，并开播全球首个3D高清电视频道。美国探索传播公司旗下的探索发现频道也宣布，同索尼公司和IMAX公司联手，在2011年年底推出了24小时不间断播出节目的3D频道。探索传播公司预测，未来两年左右时间里，在美国1亿户家庭中，将有500万户用上3D电视。5—10年后，这一数字娱乐技术有望得到更广泛的普及。

2. 欧洲的3D电视产业

目前，欧洲国家先后共推出了20多个专用的卫星3D电视频道，占全球已推出的卫星3D电视频道总数的60%，欧洲已成为世界上3D电视发展最快、频道最多的地区。随着多个卫星3D电视频道的开播，2011年以来的欧洲市场上，全高清3D电视机的销量不断增多。根据专业机构《电信及媒体资讯》进行的市场调查称，到2015年，将有2500万户欧洲家庭每户购置一台全高清3D电视机。

3. 日韩的3D电视产业

日韩电子产业历来竞争激烈，在3D电视产业盛行的当下，日本的索尼、松下和韩国三星则在3D电视机市场展开了激烈竞争。从全球的3D产业链来看，日本掌握着约50%的专利。索尼是目前唯一能提供完整3D体验的消费电子巨头，产品涵盖从拍摄到播放的各个环节。而松下与20世纪福克斯公司在《阿凡达》的全球宣传上合作，用以宣传自己包括3D在内的众多视听产品。三星则在3D电视机终端上加大研发与推广力度，目前已占据亚太市场第一的份额。

三、我国3D电视产业的现状

3D电视在2011年被国家广电总局列为“十二五”重点发展项目，根据规划，我国将在“十二五”期间开播10个3D电视频道，发展目标包括：制定中国的3D电视标准，整体性提高全国3D电视制播能力，使3D影视存储量和播发能力达到一个较高的水平。

在终端市场方面，从2011年开始呈现迅猛发展态势，长虹、TCL、康佳、海尔、海信、创维等各大彩电企业相继生产3D电视机，目前市场上已有100多款3D电视机，高清电视机中也有30%支持3D电视功能。据中国电子商会消费电子产品调查办公室《2011年1—6月份中国平板电视城市消费者需求状况调研报告》分析，2011年3D电视机全年销售量有望突破600万台。

我国当前3D电视产业还有若干发展瓶颈，主要面临的挑战是：作为一项新兴的创新技术产品，3D电视在价格上对于大多数消费者来讲还是偏高一些；在内容上，3D的节目源匮乏成为制约3D电视普及推广的首要因素；在行业标准上，目前国内还没有完善的3D电视配套标准出台。简言之，目前我国3D电视产业面临着“标准不统一、售价高昂、片源匮乏”的困境。当然，这些问题也正在慢慢得到解决。

1．政策和技术标准出台

在政策方面，工业和信息化部会同国家广电总局，在2011年已经出台了扶持3D电视产业的相关的鼓励政策。中国3D电视推广联盟与中国电子商会也发布了全高清智能3D电视选购标准。工业和信息化部下属的数字电视标准符合性检测中心也表示，3D电视标准也将尽早完稿，这意味着在标准的指导下，厂商有了更明确的研发方向，消费者也有了更清晰的选购标准。

2．价格有望下降

当前，3D技术已经成为各彩电厂家必须掌握的技术，随着产业规模不断扩大、生产成本不断降低，3D电视的价格已经不再如当初面市时那般“奢侈”，3D电视将成为电视市场新的增长点。从2011年下半年开始，夏普、索尼、LG、三星等外资品牌，TCL、康佳、创维、长虹等国产彩电品牌纷纷加大马力扩大产能，中国3D电视机的降价也已成必然趋势。

3. 内容将越来越丰富

按照国家广电总局的工作部署，我国3D电视试验频道于2012年1月1日试播，2012年春节正式播出，由中央电视台、北京电视台、上海电视台、天津电视台、江苏电视台、深圳电视台6家单位联合开办。3D电视试验频道是我国首个立体电视节目综合性试验频道，每天的总播出时间为13.5小时。目前，多家电视台均在加强3D节目储备，央视已经购买了2012年伦敦奥运会3D电视报道权，提供包括开闭幕式、田径、游泳、体操赛事等300小时的3D直播节目。根据国家广电总局的计划，到2015年年底之前，具备制播100个高清频道和10个3D频道的能力。

四、我国3D电视节目急需解决的问题

就3D电视产业而言，说到底，最根本的问题还是内容。只有具备了良好的3D电视节目，才能在未来吸引受众、拓展市场并做大做强。所以，当前最迫切的还是要尽快解决制约3D电视节目发展的若干现实问题，才能实质上推动我国3D电视产业的发展。

1. 3D制作技术有待提高

目前，各电视台录制3D电视节目的技术五花八门，大多是租赁外部设备。有用一体机的，也有用支架分别架设两台摄像机同时录制的。一体机操作较为方便，但其不能承担复杂的摄制任务和转播。支架录制的功能较为全面，但操作较为复杂，花费时间长。基于成本的考虑，各电视台还没有重视技术设备的投入和技术力量的储备，因而在3D电视节目生产上，还不能满足制作需要。所以下一步，各电视台急需投入重金引进一批3D制作设备，适合自身节目制作的需要。同时，还要培养一支技术领先、能力过硬的3D节目制作队伍。

2. 技审标准和工具尽快确定

目前，3D电视节目的技审没有统一的标准，还是按照国家广电总局科技司的技术建议进行人工检测，存在技审人员主观差异的问题，容易造成问题认定的分歧。如何客观真实地反映节目中存在的3D质量问题，对技术审看的权威性认定至关重要。因此，需要权威部门尽快出台技审标准和

工具，并推进与此相关的培训，培养各地专门的技术审看人员，对3D电视节目提出专业的技术意见。

3. 需要国家层面的资金支持

3D电视频道的开播宣告了电视的立体时代的到来，弥补了我国电视市场的空白，为我国的文化产业注入了新的活力。但一个现实问题是，无论技术设备的投入，还是节目制作的投入，3D电视频道的开办成本几乎是高清电视频道的3倍以上，目前开办3D电视频道的6家电视台，无一例外都遇到了经费紧张的问题。所以，为进一步支持3D电视频道的发展，起到科技引领市场、新兴市场带动产业升级的效果，国家有关部门应该从政府层面给予专项的资金支持和政策支持。当然，这也需要3D电视产业链上下游的共同努力，悉心培育这个新兴市场，才能开创我国3D电视产业的美好未来。

（作者单位：北京市朝阳区广电新闻中心）

技术篇

北京电台数字广播发展

张　旭

一、背景与重要意义

随着经济全球化进程的加快和科学技术特别是信息技术的迅猛发展，信息传播的方式正在发生质的变化，广播影视正面临着自诞生以来最为深刻的一场变革。这场变革改变了声音、图像、文字等信息的生产、传播、交换、消费的方式，使信息传播正在从单向单一形态向双向多元形态、从资源垄断向资源共享、从自成体系向开放体系、从不对称传播向互动交流方向转变。

随着数字技术、网络技术的快速发展和普及应用，世界广播影视正处在从模拟技术向数字技术全面转换的关键时期，广播电视与通信、互联网等行业正处在融合、汇聚、转型过程中，国家对推进“三网融合”提出明确的要求。相关行业利用数字技术，采用各种方式正力图进入传统的广播影视服务领域，收音机、电视机和银幕已不再是广播影视独享的接收和显示终端。技术与媒体的不断融合导致传统的行业界限正在模糊，新兴产业群不断出现，开放与融合已成为当今技术发展的主流。

传统模拟技术体制所形成的专业、封闭、单向、单一的生产方式，与信息时代兼容、开放、共享、多样、对等、通用的内在要求产生了巨大的冲突，与国家、社会、人民在新时期对广播影视发展提出的新要求形成了很大反差，数字化是广播影视发展的必然选择。

近年来国家大力推进广播影视数字化，发展广播影视数字内容产业。在国内，相关行业已完成从模拟技术向数字技术的转换，具备了提供音视频服务的能力。广播电台在节目生产制作的各个环节都基本完成了数字化、网络化的改造，唯独在播出发布环节一直未能找到可行的从模拟向数字转换的途径，“最后一公里”始终是广播电台符合信息化社会发展和广播数字化发展的潮流，迎合“三网融合”大形势，不断探索发展的瓶颈。

数字广播的发展为解决广播覆盖提供了新的途径，使现有广播频率资源紧张的状况得到缓解，电台可以提供内容更丰富的类型化的广播节目，以满足广大群众的需求，弥补了电台媒体形式单一、经营手段单一所造成的抗风险能力差的弱点，通过实现电台多元化媒体经营，拓宽了发展渠道，从技术层面上为电台的产业化运作提供了全新的平台。

发展历程回顾：

2005 年 3 月，在国家广电总局和北京市领导的大力支持下，北京电台以承担国家广电总局“数字广播在 III 波段应用研究项目”为契机，启动数字广播系统工程，为发展战略寻求新的突破点。

2006 年 3 月，国家广电总局颁布了数字广播标准：GY/T214—2006《30MHz—3000MHz 地面数字音频广播系统技术规范》，后批准北京电台开展数字广播业务。

2006 年 6 月，北京电台数字广播项目被列为“科技奥运”项目。

2006 年 9 月 6 日，北京电台举行了数字广播节目的开播仪式，开始 16 套数字音频广播、4 套数字多媒体广播的播出。

2007 年，北京电台数字广播被确定为北京文化创意产业发展的重要平台之一。

2008 年北京奥运会开幕前夕，北京电台完成了前端播出系统、数字多媒体及公共信息服务数据平台、单频覆盖网络等基础设施的建设工作，正式推出 1039 多媒体系列接收终端，为服务奥运做好充分准备。

奥运会期间，在奥运场馆内、公交车内、街头路边经常可以看到市民手持数字广播终端关注奥运健儿的精彩表现，数字广播的 16 套音频节目、4 套多媒体节目以及公共信息服务平台连续 17 天 24 小时不间断播出，使市民及境内外来宾能够随时随地收听收看奥运比赛实况，并能获取到新闻、天气、交通、赛事、生活等多种资讯服务。数字广播出色地完成了奥运服务任务。

2008 年年底，北京地区数字音频广播接收终端保有量达到 18 万台。

2009 年年底，正式发布了推送式广播业务及其专用终端。

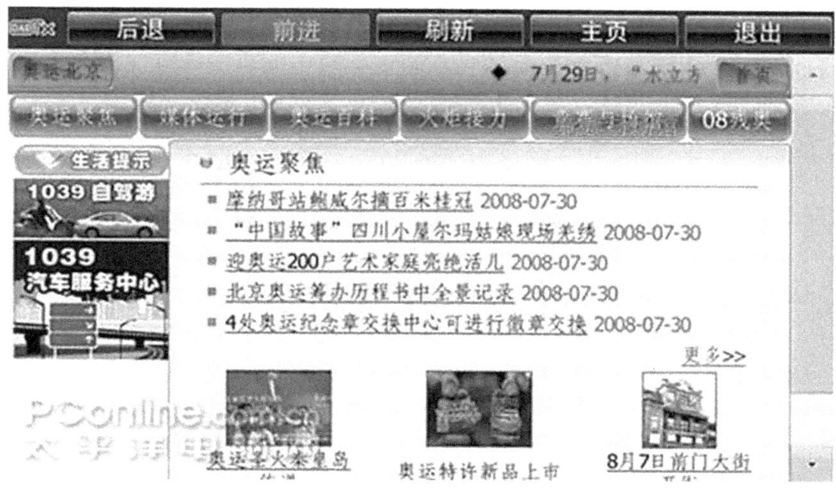

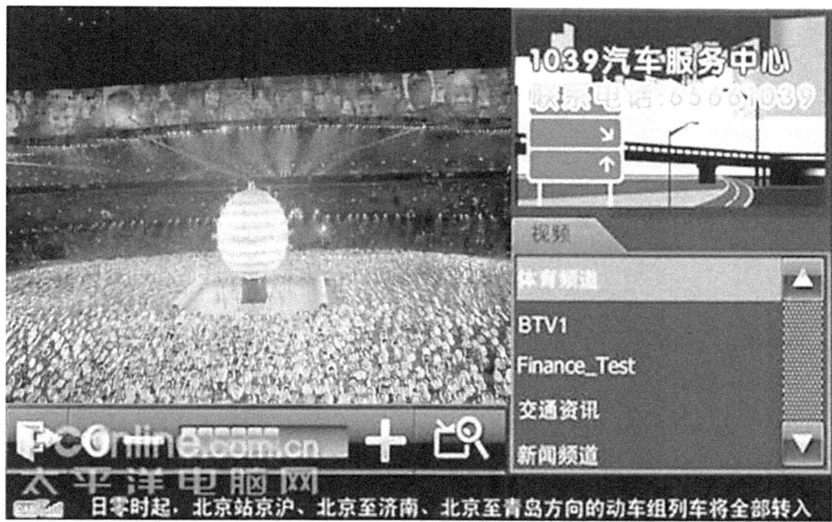

二、运营情况

1．频率资源

（1）北京电台数字广播运营使用频道。

（2）频率范围从 207MHz—215MHz，拥有 8MHz 的频带宽度，相当于 40 个调频广播节目的频率资源总和。

（3）III 波段 200MHz 这一频段具有良好的无线电传输特性，最适合大范围的广播无线覆盖。

（4）11A、11B、11C、11D 四个频率块独立发射，在现有的工作模式下，每个频率块可提供 1.15Mbps 的业务净码率，对于重点业务可以采取多频点发送的方式提高其安全性。

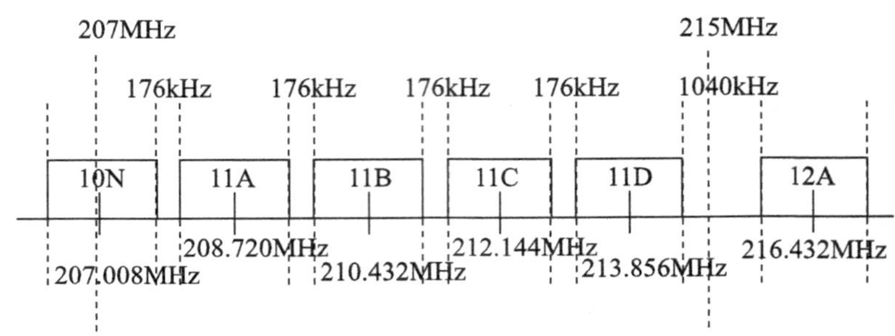

2. 技术体系

（1）核心的 OFDM（正交频分复用）调制技术是现有最成熟、最有效的移动通信技术之一。被国内外众多广播通信技术标准所采用（CMMB DVB－T DVB－H WIMAX MediaFlo ISDB－T HD Radio DMB－T 等均以此为核心技术）。

（2）时间交织、频率交织对高速移动接收情况下的多普勒效应有很强的抑制能力。包模式、流模式两种业务模式和可删除型卷积编码的参数选择，可为不同业务提供差异化的误码保护。在业务规划时，可根据不同业务（尤其是数据业务）的业务特点（流量、实时性）及其面向的特有接收终端形式、接收习惯，提供丰富的配置组合。

（3）频率、带宽、芯片功耗等方面的性能表现最适合移动低码率业务的开展。

（4）单频网组网在网络增益方面的优势大大提高频率资源的利用率。充裕的保护间隔使地面大面积同频网建设的经济性十分突出，特别适合数字广播的需要。

3. 业务开展

（1）传统音频广播。在数字广播平台上已开通音频节目 17 套，包括中央人民广播电台中国之声，中国国际广播电台的环球资讯广播、轻松调频、劲曲调频，北京人民广播电台的新闻广播、城市服务管理广播、故事广播、体育广播、交通广播、文艺广播、音乐广播、外语广播、爱家广播、古典音乐广播、欢乐时光广播、长书广播、怀旧金曲广播。

音频编码方式：MPEG－1 Layer II

音频模式：联合立体声

采样频率：48kHz

业务总码率：128kbps

（2）视讯业务。视讯业务是对传统音频业务的多媒体扩展，探索在播出音频的同时配以每三秒钟一幅图片。

音频编码方式：MPEG－4 HE AAC V2

音频模式：立体声

音频码率：80kbps

业务总码率：128kbps

与传统数字音频广播业务占用相同码率，音质有很大提升，同时丰富了信息发布的手段，试播内容包括财经资讯、交通路况、演播室图像、卡通动漫、旅游信息等。

（3）公共信息服务平台是基于数字广播数据业务通道搭建的，在平台上已经开展了智能交通诱导和政务、新闻、生活资讯信息浏览等多媒体新业务。

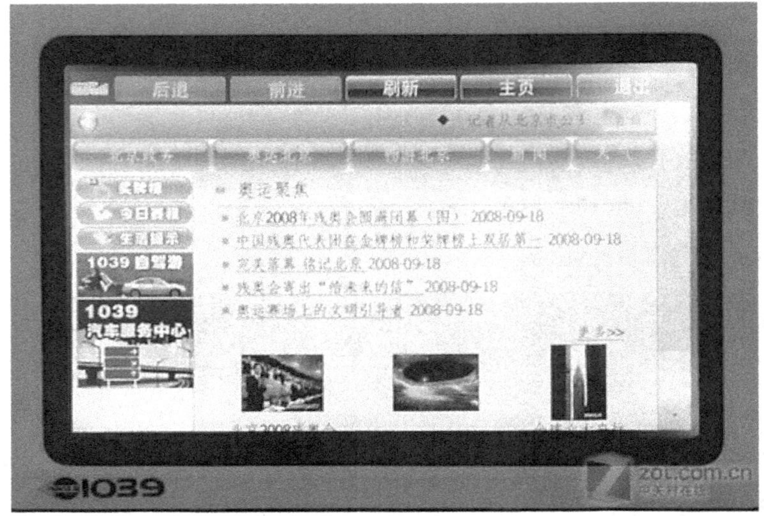

（4）智能交通诱导充分发挥交通广播具有的交通路况信息优势，为缓解北京市的道路交通拥堵助一臂之力，较传统 GPS 导航具有革命性的进步，通过数字广播数据通道实现道路状态实时更新，在规划路径上实时提示前方突发事件、交通管控、通行速度快慢等信息，以便用户随时调整到最佳路线躲避拥堵路段。

（5）推送式广播。将音频节目、图片、文字等多媒体内容以文件方式传输并自动储存到用户的接收终端上，用户可以自主选择时间、地点和所喜欢的节目进行收听，并可将节目收藏后反复收听，彻底打破了传统广播“我播你听”的服务模式，能够为用户提供更为灵活的收听方式。

受播出时间和广告经营等限制，传统广播的节目安排很难做到用户细分。但是推送式广播在节目安排方面可以最大限度满足不同群体的需求，提供更为专业化、个性化的服务。此外，推送式广播还可以轻松实现对团体用户的节目接收控制，既可以控制不同节目的接收用户范围，也可以控制用户接收的时间期限，从而实现为集团客户提供定向信息和广告服务。

点播式广播节目现有栏目设置：

音乐不断：经典老歌、新歌推荐、欧美流行金曲、好歌回放、古典音乐。

精彩重现：锵锵三人行、文涛拍案、开车现场秀、欢乐正前方、百姓健康大讲堂。

文艺时空：相声、京剧、有声小说、名家诗歌散文朗诵。

宝贝计划：准妈妈准爸爸课堂、胎教幼教音乐、儿歌、故事、少儿英语等。

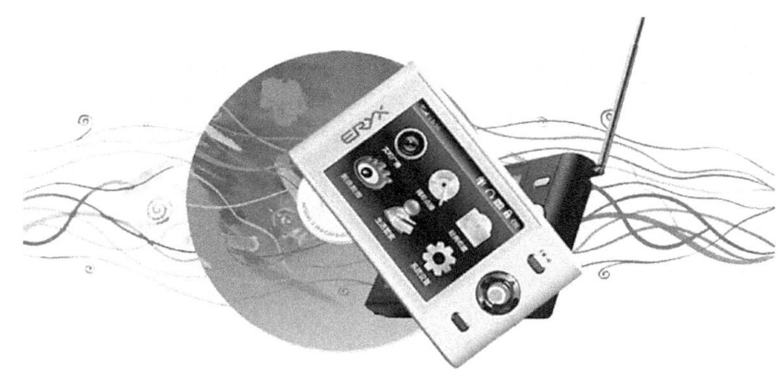

4. 覆盖网络建设

(1) 现有发射站点15个，包括中央广播电视发射塔、名人广场、广播大厦、广电总局491发射台、顺义广电中心、大兴广电中心，远郊区房山、延庆、怀柔、密云、平谷5个“村村通”无线覆盖转播站点，以及通州、怀柔、密云、良乡4个郊区城关站点。

(2) 从发射站点向外扩展到红色区域边界，数字广播具有良好的覆盖效果，可以保证手持终端在室内、公交车、私家车内各种移动接收条件下接收到高质量的节目。

(3) 草绿色区域内：对于使用手持便携接收终端在私家车内进行接收，除个别高大建筑物非常密集的地段，信号都可有效覆盖。

(4) 如果使用手持接收终端在室外接收，仅需一个主力站点发射，就可以保证在整个北京平原地区有良好的信号质量。

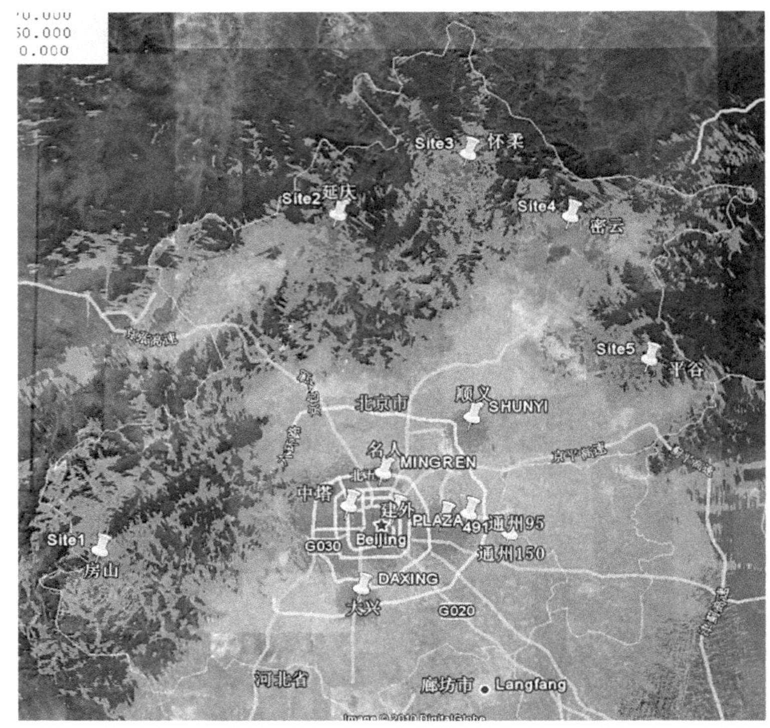

5．系统构架

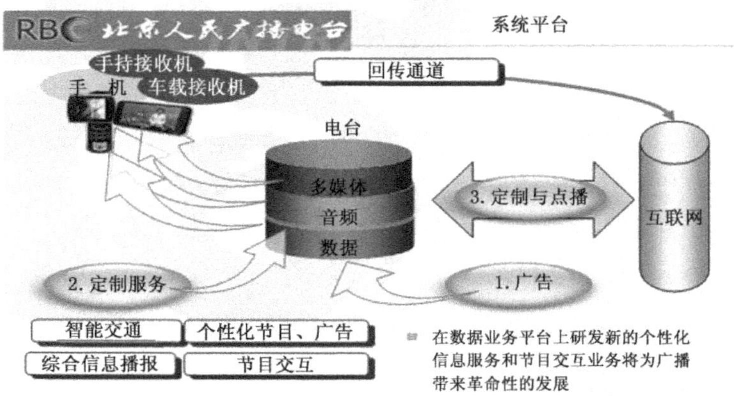

6．接收终端发展状况

大力发展数字广播的关键在于数字广播接收机的普及程度。目前，数字广播的接收终端无论从价格上还是从种类上都不尽如人意，需要积极推进其研发、生产和推广工作。未来几年，我们将在这方面持续投入，使数字广播接收终端价格更低，形式更为丰富，更容易成为受众易于使用的产品，并大力推动其普及。

目前终端类型主要有手机、GPS 导航仪、USB 接收头、MP4 等。

大量单芯片解决方案的推出使接收机功耗大幅下降，同时终端价格大幅度降低，手机接收终端降至千元以内，带动态信息显示的音频接收机仅需不到 300 元，为数字广播的推广创造了条件，奔驰、奥迪等高端乘用车厂商正在进行车载接收机的相关测试。

（作者单位：北京人民广播电台）

音频节目移动终端应用研究

王　秋　许秀玲　李　玥　王　伟

本次研究以服务广播移动互联网终端应用发展，加快广播新媒体传播平台的建设为目标。首先，从宏观移动终端产业发展背景分析入手，对移动互联网与终端现状与发展趋势进行概括，以此对广播在移动互联网产业的角色进行定位。其次，选取国外具有代表性的移动互联网终端应用案例作为研究对象，归纳出适于广播发展的移动互联网终端应用。最后，在上述宏观和微观两个层面分析的基础上，为北京电台发展音频移动互联网终端应用提供策略建议。

本次研究源于一个问题：广播发展移动互联网应该从何处做起？

互联网与移动通信是当今世界发展最快、市场潜力最大、前景最诱人的两大业务。移动互联网即是融移动通信网和互联网二者为一体，目前已成为各方重金投入的新媒体领域。广播参与移动互联网发展的动力主要来源于以下三个方面：第一，移动互联网为广播带来了广阔的发展空间。移动互联网终端可成为广播所涵盖的资源，是广播可以发掘和利用的平台。第二，国家文化体制改革、文化产业发展为广播发展移动互联网提供了有利的政策空间。第三，人的移动需求。人最大的需求是自由，对信息的充分获取、使用与分享，是人获得真正自由的条件之一。这个需求是许多历史性变化的重要驱动力，互联网的移动化是历史的必然，且不局限于信息的获取与表达以及娱乐需求，而是涵盖移动对生活的重组所产生的价值需求。移动需求将使广播的传播方式发生深刻变化，也必然对广播的传播理念、传播形态、运作方式，特别是竞争策略产生深刻的影响。因为在这样的时代，受众已转变为用户，他们需要广播提供的内容已超越了声音、节目的局限，他们更需要广播提供基于内容品牌所延伸的更为丰富的移动互联网服务。服务的载体可以很具象，最直接与用户“对话”的是移动互联网终端上运行的应用软件，也就是我们常说的 APP。因此，研究广播发展移动互联网的起点也将从这里开始。

一、移动互联网产业发展与广播定位

移动互联网终端与应用是移动互联网产业发展的重要组成部分，本质上是研究移动互联网产业发展的硬件与软件建设。在移动互联网产业发展现状与趋势的宏观背景下，广播应将自身定位于移动互联网产业的内容与服务提供商，积极与移动互联网产业链各方合作，提供满足用户需求的广播移动互联网终端应用。

（一）移动互联网及终端发展现状与趋势

1. 现状

（1）全球处于移动互联网快速发展时期

全球移动互联网的发展目前处于发展初期，用户的普及率和业务使用率有很大的提升空间。国际电联（ITU）公布的数据显示：2010 年全球移动互联网用户数为 8.65 亿人，约占 2010 年全球移动通信用户数量的 16% 。其中，中国有 3.03 亿人，美国有 1.15 亿人，日本有 0.86 亿人，欧洲有 0.71 亿人，俄罗斯有 0.24 亿人，印度有 0.12 亿人（如图 1 所示）。

Rank	Country	CQ3:10 3G Subs (MM)	3G Penetra-tion	3G Sub Y/Y Growth	Rank	Country	CQ3:10 3G Subs (MM)	3G Penetra-tion	3G Sub Y/Y Growth
1	USA	141	47%	27%	16	Taiwan	11	42%	40%
2	Japan	109	95	12	17	Malaysia	9	26	23
3	Korea	40	79	12	18	Saudi Arabia	8	18	50
4	Italy	34	40	21	19	Sweden	7	57	43
5	UK	31	41	32	20	South Africa	7	15	36
6	Germany	28	28	26	21	Turkey	6	10	160
7	Spain	27	48	21	22	Netherlands	6	32	27
8	Poland	23	50	35	23	Philippines	6	7	98
9	Indonesla	21	11	54	24	Portugal	6	35	8
10	France	21	33	30	25	Austria	6	46	30
11	China	20	2	450	26	Tsrael	5	52	18
12	Brazil	19	10	177	27	Vietnam	5	4	707
13	Australia	18	66	29	28	Singapore	4	59	48
14	Canada	12	50	147	29	Egypt	4	7	34
15	Russia	12	5	67	30	Greece	4	26	28

Global 3G Stats: Subscribers=-726MM Penetration=14% Growth=35%

图 1 2010 年第三季度全球 3G 注册用户分布占比及年增幅

来源：KPCB（Kleiner Perkins Caufield & Byers）日前发布了《移动互联网趋势报告》。

（2）中国移动互联网爆发之势初显

2011 年是中国移动互联网行业加速发展的一年，移动互联网的爆发之势初显。根据艾瑞咨询统计，从全年市场规模来看，2011 年移动互联网市场规模将达到接近 400 亿元的水平。艾瑞咨询、DCCI 与 CNNIC 三家研究机构均显示，用户对移动互联网业务的需求可概括为获得即时通信、新闻资讯、生活娱乐三个层面的服务。因此，即时通信、新闻与信息搜索、社交网络这三个移动互联网的热点应用，作为上述三个层面的代表，值得引起关注。广播移动互联网应用的研发也要与用户需求热点结合。具体情况如图 2 所示。

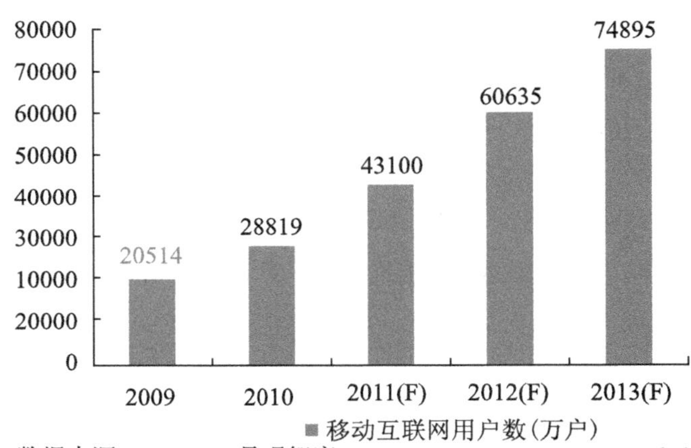

图 2　中国移动互联网用户数发展预测

（3）手机与平板电脑成为热门移动互联网终端

移动互联网终端设备是在移动便携数码设备的基础上发展而来的，从 PDA（Personal Digital Assistant）到如今的智能手机与 XPAD（平板电脑）走过了 17 年。移动互联网终端设备在外部网络环境和用户体验需求双重因素的作用下，形成了清晰的演化路径。智能手机与平板电脑是目前移动互联网硬件发展重点。

2. 趋势

从近几年的发展趋势看，全球移动互联网发展呈现出创新速度快、产业规模大、新平台不断涌现、移动数据量激增、新型市场机会众多等特点。随着移动网络技术的成熟，移动互联网终端产品的一体多功能化将是终端发展的整体的趋势，并逐渐由高端产品走向低价竞争阶段。移动互联网的发展将以终端与丰富的应用软件为核心，电信运营商的价值会更加明显。广播应与电信运营商建立起战略同盟关系，开拓更大的移动互联网内容与服务增值市场。此外，“基于用户位置的定位服务”将会成为增值服务市场的标配，也应引起足够的重视。

（二）广播媒体在移动互联网产业中的定位与要素

1. 广播在移动互联网产业链中的定位

在移动互联网价值链中广播媒体必须找到自己的位置，即做品牌内容及信息服务的应用供应商。移动互联网尚处在起步阶段，因此大量适用性强的应用还在不断地开发当中，这其中不仅包括基于固网的互联网的应用延续过来，还将衍生出更多更丰富的应用。广播也应顺应移动互联网发展潮流，在移动互联平台上，结合自身适于移动收听的优势，全面开发具有品牌内容及服务的移动互联应用。

2. 广播发展移动终端应用发展要素

通过对移动互联网及终端发展现状与趋势的梳理，对移动用户人群特征及使用偏好与需求的分析，广播移动互联网终端应用的发展应从以下七个方面入手。

第一，研发用适用于 Android、苹果 ios 操作系统的应用软件，此类操作系统用户与市场认可度较高，有助于广播移动终端应用的推广与普及；第二，积极与各类移动互联网终端厂商合作，将广播移动终端应用内置于终端之中；第三，关注 18—34 岁青年男性的移动互联网终端应用需求，结合广播内容提供适于移动互联网主要人群的终端应用；第四，探索 GPS、位置定位服务（LBS）、移动社交网站、移动即时通信、移动搜索业务与广播移动终端应用的结合方式；第五，注重与运营商及各类移动互联网应用推广渠道的合作，做好广播移动互联网终端应用的营销；第六，密切关注移动互联网应用的热点与创新趋势，学习借鉴先进移动互联网应用的创新理念；第七，将移动终端的硬件技术应用于广播移动终端应用之中，提升用户的广播移动互联网应用体验。

二、音频内容的移动互联网应用探索

当前很多广播媒体认识到移动互联网终端的良好前景和潜在的市场规模，将其视为新媒体战略的重要组成部分，以率先登陆 iPhone、iPad 为荣。但是发展思路多是围绕互联网展开，业务基本上是照搬互联网，较少真正思考移动互联网的本质与智能移动互联网终端的价值。广播的移动终端应用的发展不能闭门造车或凭空猜测，要在尊重移动互联网发展本质的基础上，首先从国内外成功案例中汲取营养。

（一）广播移动互联网终端应用案例分析

目前，受移动互联网普及程度的影响，国外广播移动互联网发展在速度与质量上优于我国。下面将重点分析两个较成功的国外广播移动互联网终端应用案例，“系统构建”、“娱乐增值”是这两个广播移动互联网应用的精髓。

1. NPR 移动终端应用的发展策略

（1）集成广播网站的核心业务

移动互联网应用的本质是对互联网核心热点内容快速便捷的呈现。NPR 移动互联网应用所提供的内容与服务，从根本上来讲是对其网站内容的概括与提炼。将 NPR 网站内容改造成适于移动终端的形式进行二次呈现。对比 NPR 网站与 NPR 移动终端应用，我们不难发现两者之间内容的相似性。NPR 移动应用开发成功，归根到底还是 NPR 网站内容与功能设计到位，在新媒体整体发展策略之上集中发展移动终端应用。

（2）树立 COPE 的新媒体生产与传播理念

NPR 新媒体多平台传播模式的发展，源于“Create One，Public Everywhere（COPE）”这一核心理念，即一次性生产，多平台发布。这些平台包括 NPR 自身网站与移动终端、附属台与合作者的集成系统与网站、Google 类内容集成平台、人际传播的社会化媒体。这一策略一方面大幅提高了 NPR 的内容利用效率；另一方面也有助于出精品，同时帮助 NPR 扩展了不同终端的用户群体。

（3）构建完善的内容管理与分发系统

NPR 实现音视图文内容跨平台的高效传播，不仅需要树立理念，更要建立一套可以支持其内容多媒体生产发布的内容管理与分发系统。NPR 的内容生产与发布流程分为 6 个步骤，具体为内容输入、标准化存储、内容模块化切割、内容按需重组、内容优化过滤，最终使内容得以多平台发布。具体如图 3 所示。

图 3　NPR 内容管理与分发系统

2. 英国 Absolute 广播的移动终端应用

英国伦敦 Absolute Radio 是一家主打流行和摇滚音乐的电台，重视探索新媒体广播，旗下较多附属台以数字广播、网络广播与移动互联网终端广播形式呈现，是英国电台中较早进行手机广播的实践先锋。与偏重内容呈现的 NPR 移动终端应用相比，Absolute Radio 以服务目标人群为宗旨，所提供的移动终端应用偏重娱乐增值。与不靠广告创收的 NPR 不同，Absolute Radio 的应用中有很多植入性广告的亮点，可为广播移动终端赢利模式的探索提供参考。Absolute Radio 提供的应用可分为 6 类：听音频、参与知识测试、主持人叫早闹钟、与出版单位合作有声读物、体育比分及实况转播以及参与电台活动赢奖品等服务。具体见表 1。

表 1　Absolute Radio 的应用服务类型

应用名称	服务内容
听音频	用户可利用电台为多个平台设计的应用，在 iPhone、iPad、Windows Phone7、BlackBerry、Nokia N8 平台上听传统广播的网络广播直播或点播的音频节目。
音乐知识测试	用户可通过诺基亚 N8 平台参加音乐知识测试。网站会刊登移动终端高分用户的网名与得分排行榜。移动互联网终端中的题目测试服务源于 Absolute Radio 电台官网，电台官方专门提供专区，供用户在线测试音乐与体育知识，并刊登高分排行榜。

续表

应用名称	服务内容
主持人叫早闹钟	用户可选择自己喜欢的主持人做叫早闹钟，主持人录制的幽默叫早声音在用户设定的时间响起，如果用户想听节目按手机上的电台图标即可。Absolute Radio 的此项应用幽默实用，广受好评。
体育比分实时掌握	可通过 iPad、iPhone 与 Android 平台了解足球比赛的实时进程，为关注的队伍赛况设置提醒。还可以了解参赛队伍、背景资料、查看赛程、了解比分、预测结果与比分、听实况转播与点播、下载有声读物以及参与电台活动。
下载试用有声读物	Absolute Radio 还与第三方 Audiobook 公司合作，利用 Android 与 Kindle 平台向电台移动互联网终端用户提供 14 天免费使用的音频读物，14 天后每部书要收取 7.99 美元下载费。此应用不仅为用户提供了更多样化的服务，而且拓展了增值业务。
参与电台活动赢奖品	电台与广告客户联合在网站开辟有奖参与活动专区，鼓励用户通过互联网与移动终端参与抽奖活动，本质是广播网站创收并增加网站点击率的植入性广告内容。活动通常以奖品的名称命名，例如，“赢得 500 英镑宜家购物卡”、“赢得滑雪旅行”、“赢 iPhone 4S” 等。

（二）国内外移动终端应用案例分析

移动互联网应用是移动互联网产业的发展重心与创新热点，其中位置服务、语音社交与音频识别应用、健康类应用和路况交通这四类应用，可启发广播移动互联网应用与创新。

1. 位置服务及其扩展应用

位置服务在移动互联网的主要表现形式是位置签到服务，位置签到服务引入用户主动签到机制（Check－in），围绕签到行为提供虚拟激励，探索本地化服务开拓及移动营销等商业模式，在此基础上聚合用户、开发者及广告主形成完整的产业链生态系统。

位置定位服务可谓是移动互联网应用的重量级应用。可利用信息推荐形成电台、用户、广告商的三方共赢局面。电台通过广告植入的方式盘活、整合优势资源，为用户赢得实惠的价格与服务，不断积累真实有效用户，打造本地化生活服务商圈，用户获得高性价比商品与服务，广告商获得影响力深入的宣传效果与真实的用户消费，未来可将购物卡纳入结算体系之中，提升知名度、增加用户、吸纳资金。广播发展位置定位应用的模式，可以向 LBS + 分类生活信息 + 折扣信息 + SNS + 团购发展，将广播的互动性、移动性、商家资源充分地利用起来。

2. 语音社交与音频识别类应用

语音社交与音频识别类应用的核心，是满足了用户在移动状态下解放双手的需求，可为广播移动互联网终端应用的发展提供借鉴。语音社交应用是将语音与目前流行的 SNS 结合在一起，成为语音应用与 SNS 结合的新模式。电台可以利用语音群聊页面收集用户语音反馈，适当加入节目丰富内容与节目形式。

音频识别软件是根据说话人的语音识别出相应的语义，可作为音频内容的输入及搜索方式。例如，SoundHound 是一款音乐识别软件，可通过输入及语音识别两种方式搜索歌曲。语音搜索是此应用的亮点，用户可以通过说出英文歌名，或者哼唱歌曲片段的形式搜索歌曲。歌曲显示结果页面还载有丰富的歌曲相关资讯，让用户可以深入了解相关音乐类型。与此同时，用户还可将结果分享到社会化网站上与朋友进行互动。近期 Sound-Houd 升级了应用与苹果云服务 iCloud 进行了整合，陆续增添了支持歌词、语音识别以及集成 Spotify 的功能。

3. 健康类应用

目前健康类智能手机软件也是应用中的创新亮点。例如，美国约有 800 万人使用 Lumosity 大脑锻炼系统应用。该应用中的内容结合众多医学专家制定而成，可根据自身情况量身制订测试与锻炼计划，帮助增强记忆力延缓衰老。电台可以健康瘦身为主题研发“瘦身电台”。集成多个由专业主持人制作的健康养生瘦身节目，提供实用的语音节目和运动健康指南，回答用户的健康问题。瘦身电台核心在于社区功能，在社区里有专门的健身专家，结合实体服务与虚拟网络提供专业减肥服务。用户方便认识志趣相投的同伴，在瘦身道路上互相激励。

4. 路况交通应用

移动终端路况交通类应用以用户生成地图应用为主，与电台路况交通栏目内容有天然的适配性。此类应用若与电台路况信息类节目结合，关键在于让用户自愿而主动地暴露自己的速度、位置等各种信息。电台可让用户免费使用导航服务，用户在享受免费的同时必然贡献了相应的信息。其次电台可以通过设置各种任务（如报告堵车情况、报告地图等）让用户可以赚取积分，给予用户相应的荣誉与奖励。

Waze 是一款有代表性的移动终端应用，其创新优势在于，以 GPS 为基础的自动反馈系统。用户开启带有 GPS 的手机或其他移动互联网终端，终端可自动将行驶速度反馈到服务器，这些来自用户的信息聚合可直观反映即时路面状况（如图 4 所示）。Waze 无须消费人工电话，也无须人工筛选信息，而是通过 GPS 移动互联传输数据。用户可以根据服务器的统计数据和他人提供的信息选择更好的行车路线，充分体现了大家服务大家的理念。

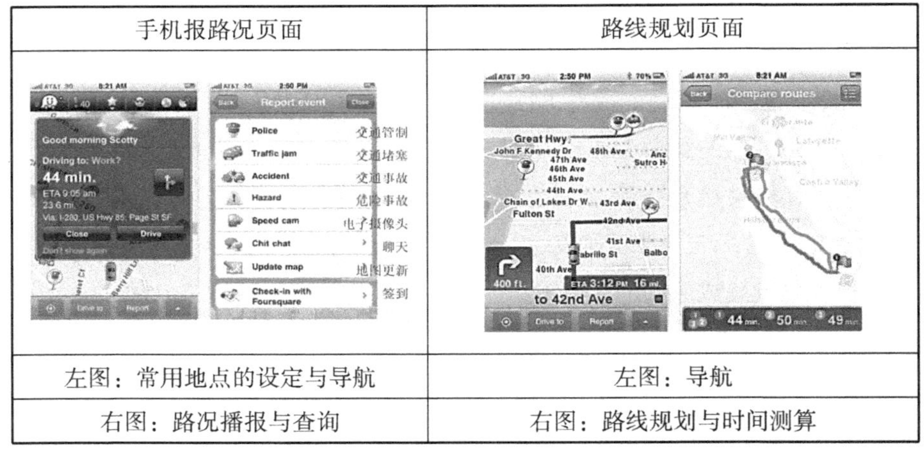

手机报路况页面	路线规划页面
左图：常用地点的设定与导航	左图：导航
右图：路况播报与查询	右图：路线规划与时间测算

图 4

三、北京电台移动互联网终端应用发展策略

古语道：“善弈者谋势，智者借势，强者造势。”

研究广播移动互联网终端应用本质，是思考广播如何发展新媒体，由谋势到借势，最终造势。移动互联网终端上的广播应用绝不是传统广播的翻版，而应该融合移动互联网络及移动终端特性发挥更大的优势。北京广播网十年的发展经历了“转化”、“利用”、“融合”三个阶段。北京台对广播与互联网融合的探索，使广播对新媒体的发展有了深入的理解。第一，受众向用户转变；第二，传播向服务转变；第三，节目向产品转变。作为互联网的延伸与扩大，广播发展移动互联网也将经历“转化”、“利用”、“融合”三个循序渐进的过程。与此同时，用户、服务、产品理念带来的变革也必将更加深入。

（一）转化

移动互联网为广播带来了发展的机遇，可使广播所研发的应用与增值服务化身成为一个图标，占领用户的移动终端桌面。北京电台目前处在移动互联网终端应用的转化阶段。移动互联网是互联网的延伸，广播发展移动互联网首先可想到的方向，是将网络广播内容嫁接至移动互联网。目前，北京电台网络广播形态呈多样化发展趋势。主要可概括为网络直播、点播、推送式广播几种形式。这几种网络广播形式都可以订制成移动终端应用，作为广播发展移动终端的基础，将电台特色内容转化到移动互联网与移动互联网终端上。在此可借鉴美国 NPR 的移动终端应用与新媒体发展模式，将移动互联网终端的发展目标确立为：第一，构建跨互联网与移动互联网运营的系统平台；第二，研发以广播网站内容为基础的广播移动终端软件应用。

1. 构建适应互联网与移动互联网统一运营的系统平台

在媒介融合的大背景下，建立适应互联网与移动互联网统一运营的系统平台是一种趋势。实现媒介融合的基础是数字化多媒体平台的新闻采编工作的合并与兼容。以 NPR 为代表的国外知名媒体已经完成了统一传统广播、互联网与移动互联网的系统平台构建，实现资源的共享，满足内容的一次生产多平台分发的技术需求。北京电台建立适应广播网与移动互联网，应用统一协调发展的系统平台应包含以下几点。

第一，构建统一的用户管理系统。统一用户管理有利于在不同业务模式下对同一用户进行唯一标识，有利于用户行为的分析、用户分类及积分管理。

第二，传统广播与新媒体资源共享。传统广播生产方式和新媒体内容生产方式的融合，重点在资源共享。一方面，可以共享采编资源。另一方面，可以通过网络舆情分析系统获取互联网信息资源。

第三，构建统一的内容发布系统。构建统一发布系统的优势，在于实现节目内容的一次生产多次分发，这无疑对控制成本、增加收益有很大的好处。这一概念已经被国外多家知名媒体集团进行过深入探索，有一定的成熟案例。

2. 研发以广播网站内容为基础的广播移动终端软件应用

北京电台目前已经开发了基于 iPhone 和 Android 两种主流智能手机系统的手机客户端。通过开发智能手机客户端，将电台所提供的相关服务开发成模块，作为手机软件提供给手机用户，方便其收听或使用。北京交通广播基于其内容的移动互联网终端应用，其中除了音频内容收听外，还增加了语音互动的功能，使应用的功能多样化。用户个性化编排点播是北京广播网发展的一个亮点，为发展北京电台移动互联网终端应用创新奠定了基础。北京人民广播电台菠萝网络电台是全国首家支持多路广播节目混排、自定义各节目播放时间，且节目内容实时更新的网络电台。其拥有北京人民广播电台 9 套开路广播、15 套有线调频广播的 600 余档直播、回放节目，网友可根据个性化需求，在这个庞大的音频资料库自由定制节目，形成自己的专属电台，具有向移动互联网终端拓展的潜力。

（二）利用

当广播完成了向移动终端的初步转化，随之而来的是与移动互联网进行深层次的结合，通过移动互联网扩大广播的影响力。广播在此阶段发展应树立整合观念。充分对移动互联网的新技术、信息来源进行整合，以此实现广播移动互联网传播内容与技术的创新升级。

1. 整合移动互联网新技术

广播发展移动互联网终端应用要打破传统思维，技术上可关注广播与地理定位技术、传感器技术、虚拟现实技术以及二维码的结合。软件设计上可参考位置服务及其扩展应用、路况交通应用、基于用户偏好的信息推荐应用、语音社交与音频识别类应用与健康类应用的业务模式，与电台移动终端应用的业务与赢利模式。

2. 整合信息来源渠道

传统广播信息的来源多为官方或其他媒体及通讯社。在网络自媒体时代，信源的垄断被打破，广播需要正视并从中发掘机会。移动互联网时代，广播不但要整合内部信息资源服务多平台生产发布，而且要积极展开与其他媒体，特别是网络媒体的合作，更应整合民间信息资源，利用网络与手机信源。

3．内容强调服务性与本地化

北京电台在发展时需注意专业化和本地化的平衡。第一是进行专业音频节目的深入探索，在自己的优势资源上做足文章，形成品牌优势。第二是结合节目特点，通过进行内部调整和外部合作，为本地区受众提供个人化、一站式的服务，使网站用户在最短的时间获取最多的相关信息或服务。致力于呈现与本地区受众生活息息相关的新闻和资讯，满足目标受众的各方需求。

4．完善用户分析与内容推送系统

广播移动互联网发展到融合阶段，需要将内容充分地融入移动互联网渠道之中。移动互联网时代，最好的内容传播方式是将内容植入到智能演算的推荐与建议中。广播应充分利用成熟的社交媒体的用户资源，逐步进行用户数据积累，同时拓展广播的社交传播功能。基于用户且形式多样的内容分析与推送是一种巧妙的管理用户与内容的方式。

5．培养全面的采编与技术人才

随着移动互联网的建设和发展，必须重视手机广播的队伍建设和人才培养，手机广播电台迫切需要一支高素质的新一代人才队伍。但在广播移动互联网发展的“转化”阶段，不宜对新媒体人才投入过大，但在“利用”阶段应逐步增加新媒体人才的培养力度，同时加大对新媒体技术人员研发能力的培养与考核。

（三）融合

完成了广播内容向移动互联网转化，实现了广播对移动互联网技术、应用与资源的整合后，广播需在内容上进行拓展。此阶段内容的含义超越了节目与单向“广播”的概念，更准确的表述是具有广阔增值空间的移动互联网应用软件、产品与服务。与此同时，广播应重新评估自己在移动互联网行业的价值，以投资者的眼光与心态进一步发展移动互联网。当广播移动互联网终端应用的发展经历了转化、利用、融合三个阶段，较为彻底地变革后，广播与移动互联网的融合才算取得了成功。也许到那时，传统广播、移动互联网、新媒体的概念将成为历史。

1．打造适于移动互联网传播的广播内容产品

把传统广播节目搬到新媒体终端上是广播的进步，但不是移动互联网

行业的创新，所以不意味着必然的内容增值，也并非拥有了核心竞争力。广播需要根据移动互联网的技术、用户特征及赢利模式，结合广播优势设计内容及应用，以满足移动终端用户的需求。吸引用户参与互动的核心是将移动互联网的虚拟状态与现实生活紧密结合起来。用户可通过使用并参与多种形式的广播移动互联网活动，获得物质奖励。

2．加强技术研发队伍建设

竞争力较强的移动互联网企业多拥有开发实力雄厚的研发团队，快速响应产品内容需求，及时研发，适时升级，以应对市场形势的飞速变化。当广播发展移动互联网处于高级阶段时，需要一支对内部流程和需求有深刻理解，可快速研发适于广播移动互联网发展需求的技术队伍。以满足实际的业务生产需求和个性化的产品需求，缩小与新媒体公司的差距。

3．通过并购投资实现快速突破

广播发展移动互联网是一个庞大的系统性工程，需要巨额的资金支撑。众多互联网与移动互联网公司的发展显示，如何通过市场运作为自身的转型提供充足的资金支持，拓展融资渠道，是广播转型必须面对的问题。与此同时，广播在移动互联网发展的融合加速阶段，可直接并购具有市场潜力的移动互联网企业。利用传统媒体资本手段在新媒体领域完成扩张。

（作者单位：北京人民广播电台）

电视台节目制播业务网络化发展技术层面的思考和设想

毕　江

一、北京台节目制播业务网络化的发展概况

近年来，国内电视台节目制播业务的全面网络化成为趋势，文件替代磁带作为制作、传输、交换、播出的载体，大规模、集约化、流程化工作模式形成节目生产流程的突出特征。

在此背景下，北京电视台新台址制播业务的网络化进程大致分为三个阶段：第一阶段是标清网络化节目制播体系的建设，从 2004 年年底开始、于 2009 年年初完成，覆盖 BTV1、BTV2、BTV3、BTV4、BTV6、BTV8 共 6 个标清频道。第二阶段是在第一阶段系统框架基础上进行的高清网络化节目制播体系一期建设，从 2009 年下半年开始，于 2010 年年底完成，覆盖 BTV1、BTV2 两个高清频道。目前处于第三阶段即高清二期建设，作为高清一期建设的延续，从 2011 年年初开始，预计于 2012 年年底前完成，目标是在现有基础上再覆盖三个高清频道，并实现台内高标清业务的全面融合，以及针对技术资源和业务实现的深度优化。

现阶段该网络化节目制播体系在系统、业务方面的基本概况见表 1。无论从系统配置、流程覆盖率、业务规模、技术复杂度还是资料保有量，均在国内外同类系统中处于领先地位。

表1　北京电视台网络化制播体系概况

序号	项目	明细	
1	设备数量（台）共计约2000台	工作站点	1550
		功能类服务器	550
		基础类服务器	400
2	跨系统流程（个）共计约16个	节目备播类	4
		资料调用类	4
		节目制作类	5
		演播传送类	3
3	用户规模（个）	账户数量	2000
		栏目数量	120
		标清频道数量	6
		高清频道数量	2
4	业务承载量（小时）2011年1—6月日均值	节目首播量	100
		演播回采量	35
		素材收录量	30
		节目归档量	60
		资料调用量	45
5	资料累计保有量截至2011年6月	备播节目保有量	5.5万小时 0.37PB
		媒体资料保有量	15.7万小时 2.88PB

该网络化体系在正式启用后的近三年时间里，整体运行态势平稳。其间虽然经历了业务层面的需求、负载变化，以及技术层面的大规模改造过程，也发生过一些局部故障和异常，但在历次重大制播任务的考验面前总体上交出了一份比较圆满的答卷。与此同时，随着应用的不断深入，也发现了一些需要改进之处，例如，系统运行稳定度与确保安全播出的日趋严格要求相比仍有提升空间，业务流程实现的适配度和方便性需要与节目形态进一步磨合和适配，用户个性化需求满足程度和方式需要研究解决等。

2011年年初，台研发部通过台内调研提供了各节目中心、部门反映技术系统使用问题的列表，其中也包括针对网络化制播业务的部分。对此，技术部门进行了认真研究和讨论。同年5月，在台技术年会上，各技术部门自身也提出了很多针对制播网络发展的建议。在此基础上，从解决现存问题、跟随技术进步和顺应节目发展的综合角度，通过对业务、技术层面生产数据的分析和研讨，形成了一些初步思路和设想，总体来说就是通过改造、适配和优化，力图在系统安全、运行效率和用户方便性三个方面做到实质性提升。这些都将融入目前正在进行的高清二期规划和建设阶段进程。技术与业务之间的磨合是长期的，通过磨合达到的契合程度将给双方发展带来机遇。

二、关于节目制播业务网络化发展方向技术层面的思考

1. 总体规划目标

（1）提升网络化业务应用效果：在技术条件具备、业务规则允许的前提下，通过流程设置、参数配置、操作方式的调整和重构，使节目制播业务在更顺畅、更便捷的环境中运转，充分发挥网络化的作用。

（2）提高系统管理维护能力：突出自动化、智能化、规范化程度，以现代化的技术手段为网络管理维护保驾，提高系统运行水平，为节目发展提供稳定的基础环境。

（3）促进系统资源整合和综合利用：加强综合性成本核算意识，统筹考虑建设和运行因素，提升资源利用率、降低消耗成本，通过技术资源的整合奠定业务融合的基础。

（4）开展新媒体交互数据服务：向外部新媒体系统提供内部生产业务数据，同时将外部新媒体数据引入内部生产系统，实现新媒体双向数据交互，谋求内部制播网络与外部新媒体系统的协作双赢。

2. 总体规划原则

（1）以保障系统运行安全和业务连续性为基本目标：系统运行安全是业务连续性的基础，业务连续性是系统运行安全的目标，正确认识两者的辩证关系至关重要。有时为了保障关键业务的持续运行，可能不得不暂时适当降低系统运行的安全级别；有时为了保障系统运行的整体安全、及时消除严重隐患、更好地为业务连续性服务，可能不得不使一些局部一般性业务暂时中断。两者辩证关系的确立，将为技术系统建设和维护，以及业务运行过程中的协调指明方向。

（2）为业务应用、业务管理和技术维护、技术管理提供多方位服务：

网络化应用初期，更多关注业务应用和技术维护这一对基础性目标。随着应用的深入，尤其是信息化时代的到来，管理性需求日趋强烈，甚至成为步入信息化阶段的判定条件。管理和应用本身同等重要，应用的合理、有序、适度、可控，需要从管理角度控制和保障。

（3）顺应 IT 发展和业务融合潮流、切实引进创新理念和技术：IT 化趋势不可阻挡，业务融合成为潮流，新型理念和技术是推动上述发展的原始动力，其积极应用及相应的风险规避是系统建设和改进的重要课题。

3. 网络化发展方向

（1）总体层面：促进从网络化到信息化阶段的转变，突出特征是关注点从存储文件化、网络互联化、业务流程化等实现形式，逐步转向寻求操作使用、系统运行、业务流转、管理秩序、技术维护状态的合理化目标。从节目制播角度，技术资源使用和节目流程运转的全面合理化，是主要的发展方向。

（2）技术层面：促进业务配置包括流程、资源、规则、权限等的适配度和合理化，使网络化真正为业务发展服务。

整合技术资源、实现动态分配，使网络化系统成为具备一定业务负载波动适应能力的制播体系。

提升制播体系的业务覆盖程度，通过建立位于办公域，利用安全交换区与制播域应用系统进行数据交换的综合性生产业务支撑平台（如图 1 所示），促进技术手段与业务需求的信息化融合。

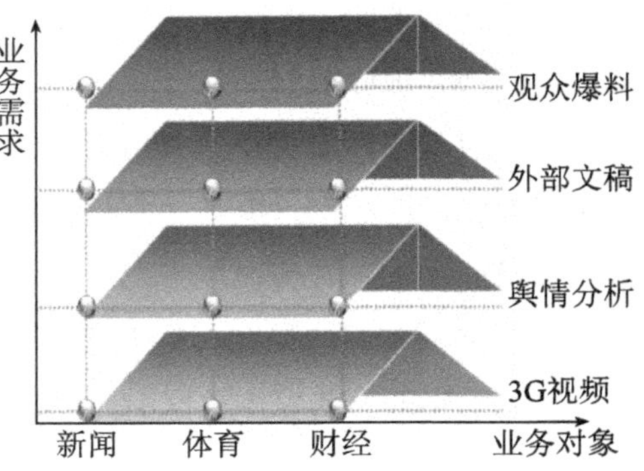

图 1　综合性业务支撑平台示意图

4. 新技术应用

（1）云计算模式

简要说明：是一个非常大的资源共享平台、一种新的基础架构和管理方法，能够把大量的、高度虚拟化的资源管理起来，组成一个庞大的资源池，统一提供服务。

应用性质：以资源整合、服务封装，应对负载变化。

应用方向：从技术实现成熟度和改造对现行业务影响的角度看，暂不具备大规模直接和全面实施条件，但考虑对其基本构成要素进行局部尝试。

（2）分布式处理技术

简要说明：是一种并行处理形式，将位于不同地点、具有不同功能、拥有不同数据的多台计算机用通信网络连接起来，在控制系统的统一管理下，协同完成信息处理任务。

应用性质：以任务分配、执行细粒化，提高设备使用率和任务执行效率。

应用方向：拟作为重点任务，以媒体处理（合成、转码、分析等）作为主要应用场景，主要应用于主干、媒资、简单编辑、审片等媒体处理密集型系统。

（3）虚拟化技术

简要说明：是指计算机元件在虚拟而不是真实的基础上运行，可以扩大硬件的容量，简化软件的重新配置过程。

应用性质：以物理与逻辑层面的映射和转换，提高资源利用深度。

应用方向：拟作为重点任务，以服务器、存储、共享服务作为主要应用对象，主要应用于主干、媒资等软硬件资源密集型系统。

5. 新理念引入

（1）关于核算：关注资源使用效率、流程运行效率、任务执行成功率、设备使用故障率等指标，引入成本理念为系统和业务优化提供对比数据。

（2）关于管理：从系统、业务、资源、用户等运行状态数据统计入手，应用技术手段为综合性管理提供参考依据。

（3）关于整合：通过系统、流程、资源、信息、安全、服务等多层面的整合，以技术整合为业务融合创造条件。

三、关于网络化节目制播体系技术层面改进措施的设想

根据前述对北京电视台制播业务网络化发展方向的思考结果，在技术层面从功能性、维护性和展现性需求三个角度考虑了以下落实措施。为方便理解，部分技术措施采用了示意图的直观方式。需要说明的是，技术措施的应用是极为缜密、严谨、慎重的过程，不仅要以业务数据作为依据，

深入讨论和验证可行性和必要性，还将认真衡量现行业务承受力的因素。

1．功能性需求的落实

（1）高标清业务兼容：通过主干平台融合（如图 2 所示）、总编室编播系统融合（如图 3 所示）和制作系统接口重构，提升高标清业务兼容度，使得不同类型业务可以在制播体系内部运行畅通无阻。

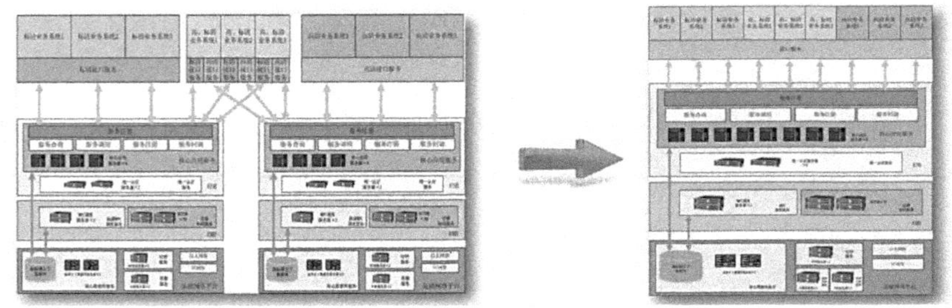

图 2　主干平台融合示意图

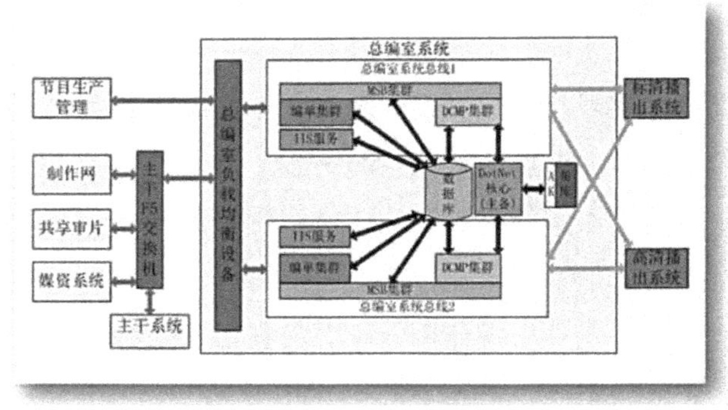

图 3　总编室编播系统融合示意图

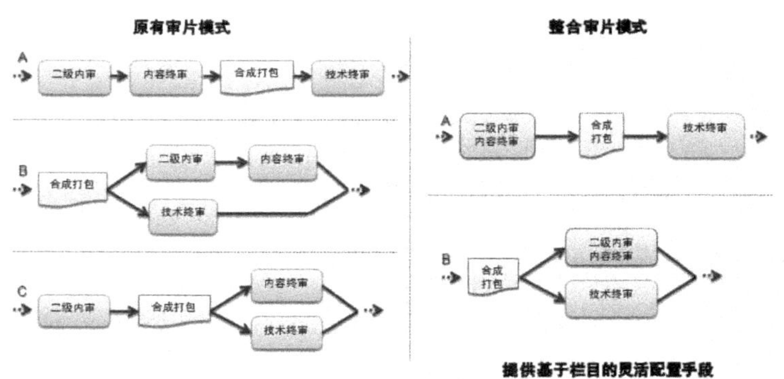

图 4　业务流程优化示意图

（2）业务流程优化：通过审片业务在技术环节配置层面的整合，以及在环节执行顺序上的相应调整，并提供基于栏目的灵活配置手段，提高流程运行的方便度和效率（如图4所示）。

（3）人机效率提升：通过应用智能分析技术、采取“自动技审+人工复核”替代“纯人工”的工作模式，降低人工审片压力（如图5所示）；通过应用分布式处理机制，提高后台服务环节的任务执行效率（如图6所示）；通过推广代理编辑格式，降低网络带宽压力和设备配置档次，适应业务负载变化（如图7所示）；通过资料域与制作域之间数据交换的字幕分离，方便资料的循环利用（如图8所示）。

图5　自动技审结果示意图

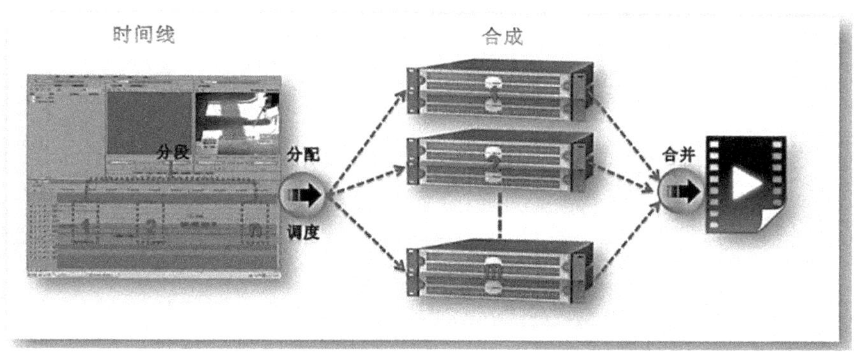

图6　分布式处理机制用于节目合成示意图

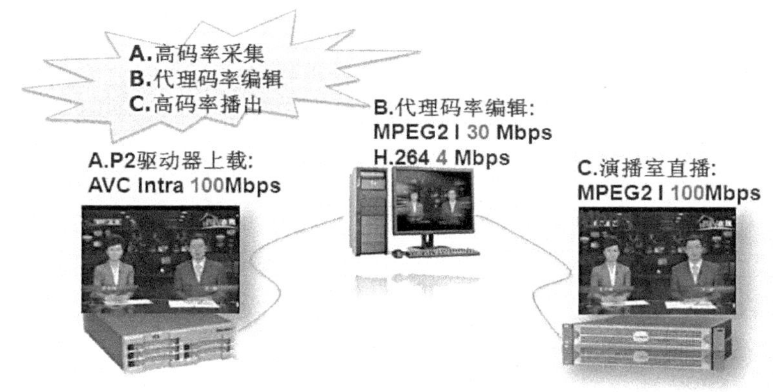

图7　代理编辑格式示意图

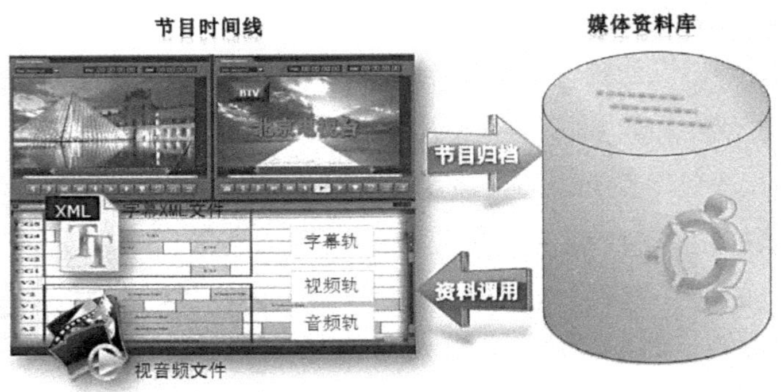

图 8　字幕分离示意图

（4）内外服务拓展：通过重构和加固数据安全交换区，应对生产网与办公网之间不同类型的业务交互需求（如图 9 所示）；通过建设综合性生产业务支撑平台，增强专业化业务支持力度并开展新媒体交互（如图 10 所示）。

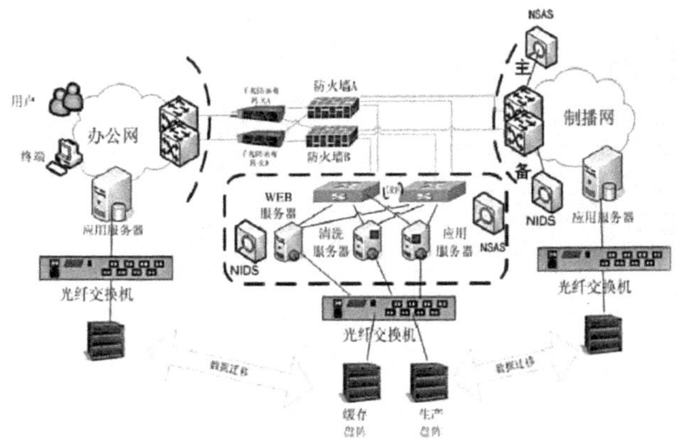

图 9　高安全区示意图

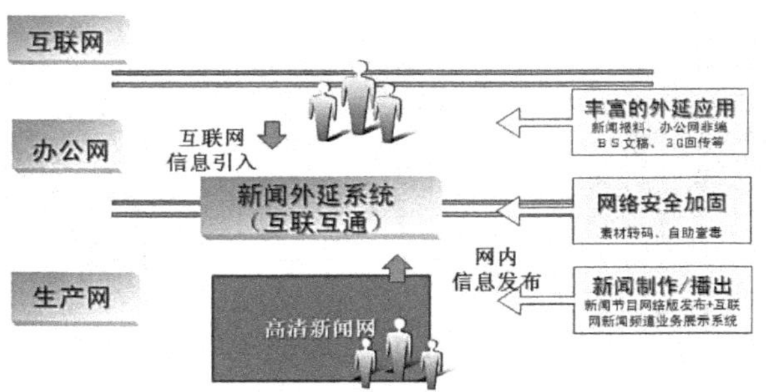

图 10　新闻外延功能示意图

2. 维护性需求的落实

（1）系统可用性：通过对总编室编播等系统关键业务服务冗余方式的改进，提高服务可用性；通过主干、总编室系统融合，降低维护压力；通过新闻演播模块分离加固，应对新闻频道改革，保障直播安全（如图 11 所示）。

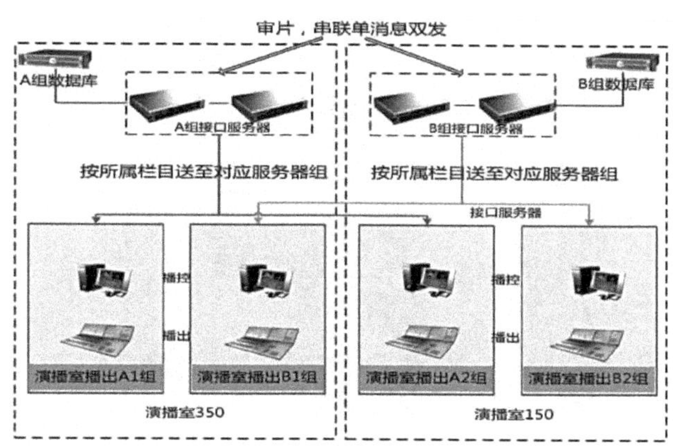

图 11　新闻演播模块分离加固示意图

（2）数据有效性：通过建立媒资数据在完整生命周期内的冗余、校验和复查机制，以及介质异地存放和管理手段，初步满足资料容灾需求（如图 12 所示）。

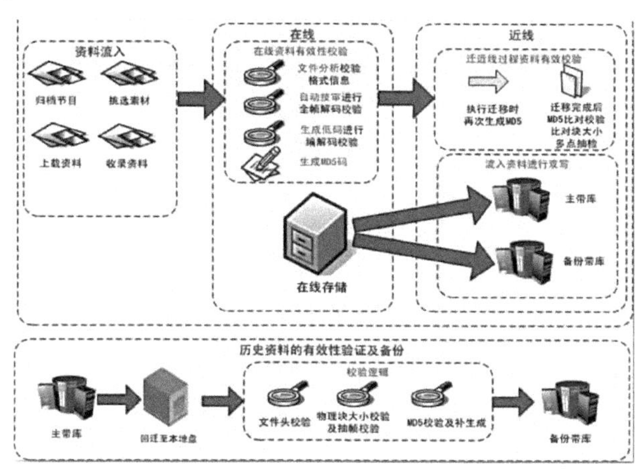

图 12　媒资数据有效性验证及备份示意图

（3）资源整合：通过对媒资、总编室等共享服务型系统低码率存储设备的整合和媒资等存储密集型系统高质量存储的虚拟化管理，以及建立整个制播网络范围内的公共资源共享池，初步实现系统资源与业务需求之间的动态适配。

（4）业务监控：通过实现在流程状态呈现基础上的智能化处理和异常报警功能（如图 13 所示），促使系统维护从被动向方式主动方式转变。

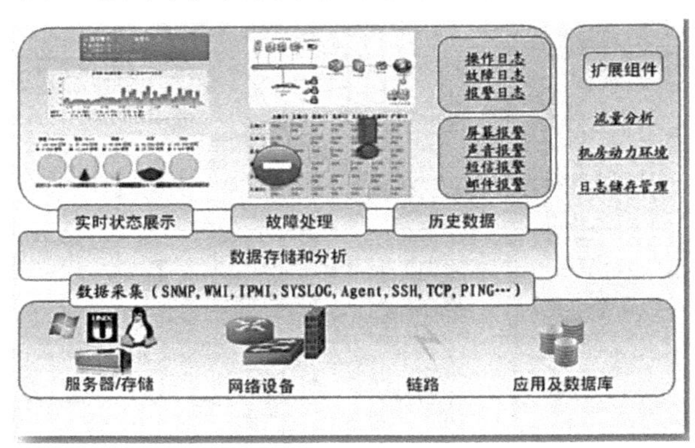

图 13　监控系统智能化处理和报警功能示意图

（5）运行数据统计：通过对业务、系统层面基础生产数据的收集、分析和整理，为系统管理、网络维护、业务管理提供依据（如图 14 所示）。

（6）安全等级保护：通过建立等级保护体系，达到保证措施合规、控制业务影响、突出实用功能、整合安全服务的目的，在信息安全角度给予充分保证。

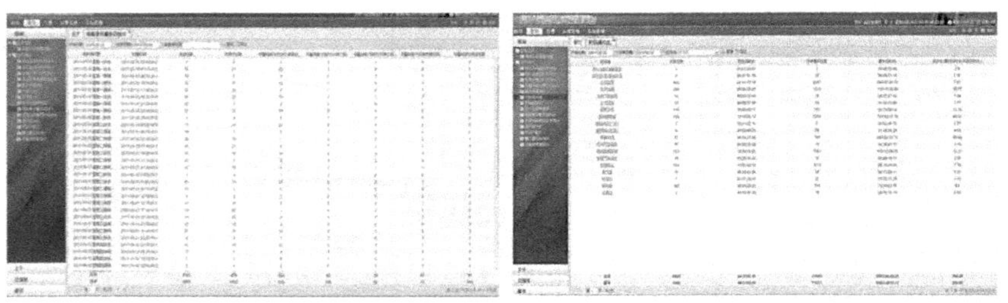

图 14　业务/系统运行数据统计示意图

3．展现性需求的落实

（1）运行状态发布：通过机房外挂信息展示屏等多种途径，将系统、业务的状态直观展现出来，增加网络运行透明程度，促进技术资源的合理规范使用（如图 15 所示）。

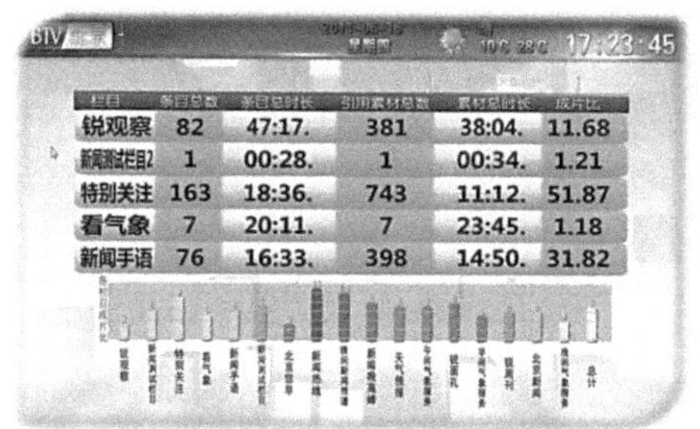

图 15　业务/系统运行状态发布示意图

（2）整体推广和互动：通过大力宣传、推广和引导绿色网络操作理念（如图 16 所示），力争在应用软件规范操作、存储空间合理分配、技术资源节约使用等方面取得进展；通过系统运行过程中的连续使用技能培训推广、与节目部门就系统应用情况组织定期交流互动等活动，使整个网络化制播体系更加开放和包容。

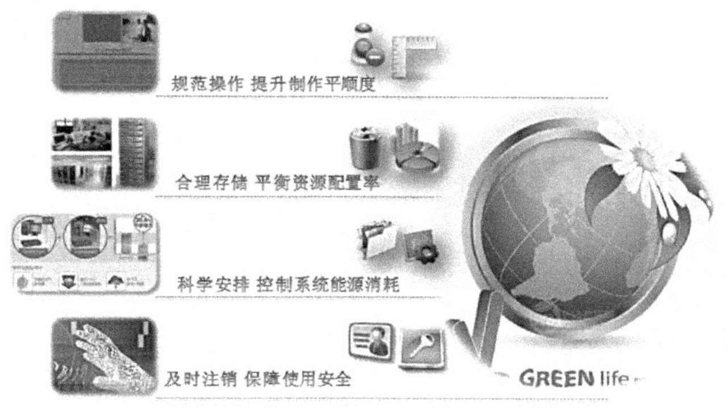

图 16　绿色网络操作理念示意图

以上对北京电视台节目制播业务网络化的运行概况，以及关于技术发展方向和改进措施的一些思考和设想作了阐述。以网络化阶段逐步积累的运行、管理和维护经验为基础，寻求迈向信息化目标的有效途径，促使各种资源在网络化环境下的合理配置和应用，应当成为最重要的工作方向。总之，未来技术和业务之间日趋紧密的融合发展，将成为电视节目整体进步的核心驱动力。技术手段的创新，将为业务实现拓展空间和舞台；业务需求在应用过程中的进一步明确，又将为技术实现指明后续发展方向。作为网络化向信息化阶段迈进的关键性阶段，通过沟通、分析和研究，突出技术为业务服务的原则，落实技术与业务紧密结合的措施，从而促进这两者的协调进步，为电视台总体发展的战略目标服务。

（作者单位：北京电视台）

全台制播网络架构下高标清兼容共享审片系统设计

陈广鑫　张　硕　李　萍

一、高标清兼容共享审片系统定位与建设思路

1. 高标清兼容全台制播网络架构

北京电视台从2005年开始全台制播网络的建设工作，经过需求调研、前期设计、工程实施、系统试运行到正式投产，实现了标清节目制播生产的网络化全流程，提升了全台制播工作的整体技术水平，取得了良好的应用效果。随着我台高清频道的陆续开播，原有标清制播网络已经不能满足业务发展的需要，我们根据台里的整体工作部署，从2009年陆续开始进行标清制播网络向高标清兼容制播网络过渡的改造工作。

在标清全台制播网络的建设之初，我们就遵循SOA软件架构设计全台制播网络，这就为该系统的进一步发展提供了坚实的基础。在高标清兼容全台制播网络中，我们主要通过以下几方面的改进措施来适配高清节目网络化制播生产业务并为现有标清业务提供更完善的共享服务体系。

（1）原有共享服务型系统升级为高标清兼容系统。

（2）新建高标清兼容共享服务型系统。

（3）原有标清制作系统改造成高标清兼容系统或接入新建高标清兼容共享服务型系统。

（4）新建高清制作系统。

因为原有标清制播网络已经投入正式运行，这对整个系统的改造升级工作增加了很大的困难，除了要保证日常节目生产的有序进行，还要按期保质地完成项目建设。我们采取了分步实施的策略来应对这一难题，即先

建设独立的高清制播网络，使其能够完成高清节目网络化制播的全流程，然后再使这两个系统实现融合，达到高标清兼容制播网络的设计要求。

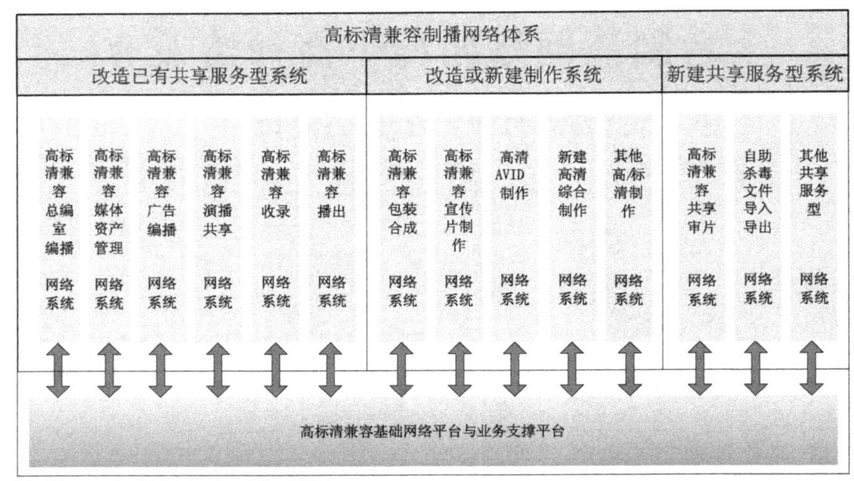

图1　高标清兼容全台制播网络示意图

如图1所示，高标清兼容制播网络由基础网络平台与业务支撑平台以及各种应用业务系统组成。基础网络平台与业务支撑平台作为全台制播体系各应用业务系统互联互通的桥梁，其上承载了各种跨系统业务流程。在这些应用业务系统中除了已有的共享服务型系统和制作系统之外，我们根据台内业务发展的状况，归纳总结出了一些新的跨系统业务流程，其中最具代表性的就是共享审片业务流程，由此应运而生出高标清兼容共享审片网络系统。

2. 高标清兼容共享审片系统设计定位与建设思路

我台标清全台制播网络包括数个节目后期制作网络系统，本文选取两个具备典型性的系统作为分析案例，即普通制作网络系统和综合制作网络系统。它们分别代表了两代标清制作网络系统的设计方案。

上述制作系统的节目生产流程都可以简单概括为节目文稿编辑、节目制作、节目审查、节目合成和节目发送等流程环节。每一个流程环节的推进效率都直接影响节目的整体生产效率。在节目审查环节，我台目前采用两级技术审查、三级内容审查的审查制度，在各个制作系统中都配备专门的审查站点用于各级审查业务，技术审查由技术部门的审查人员完成，内容审查由节目部门的审查人员完成。

普通制作网络系统采用的是如图 2 所示的审查流程。从图 2 可以看出，内容二审、内容终审、技术终审需要按顺序完成，只有在前一级审查通过后才能进行下一级的审查工作，整体效率依赖每一级审查工作都高效推进。我们将这种审查流程称为串行审查流程。

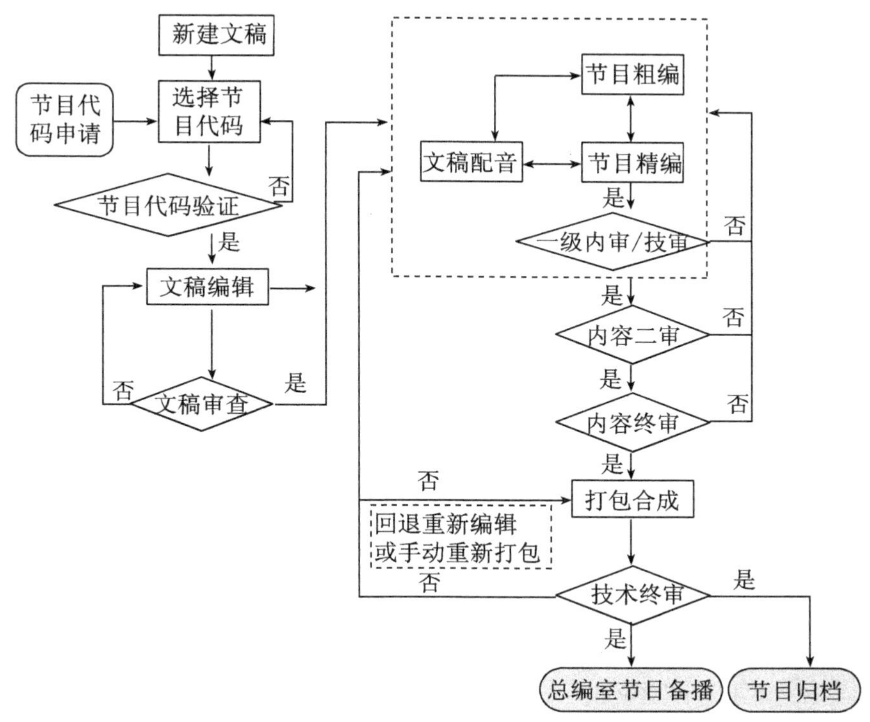

图 2　节目生产流程——串行审查流程

综合制作网络系统作为我台新一代标清制作网络系统中的代表，采用的是如图 3 所示的审查流程。这种审查流程基于内容审查和技术审查这两类审查业务从工作人员角度具备并行工作的可能性而设计，从图 3 可以看出，内容二审、内容终审与技术终审之间采用同时处理的审查方式，我们将这种审查流程称为并行审查流程。采用这种工作方式在一定程度上减少了流程等待环节，提高了节目生产效率。

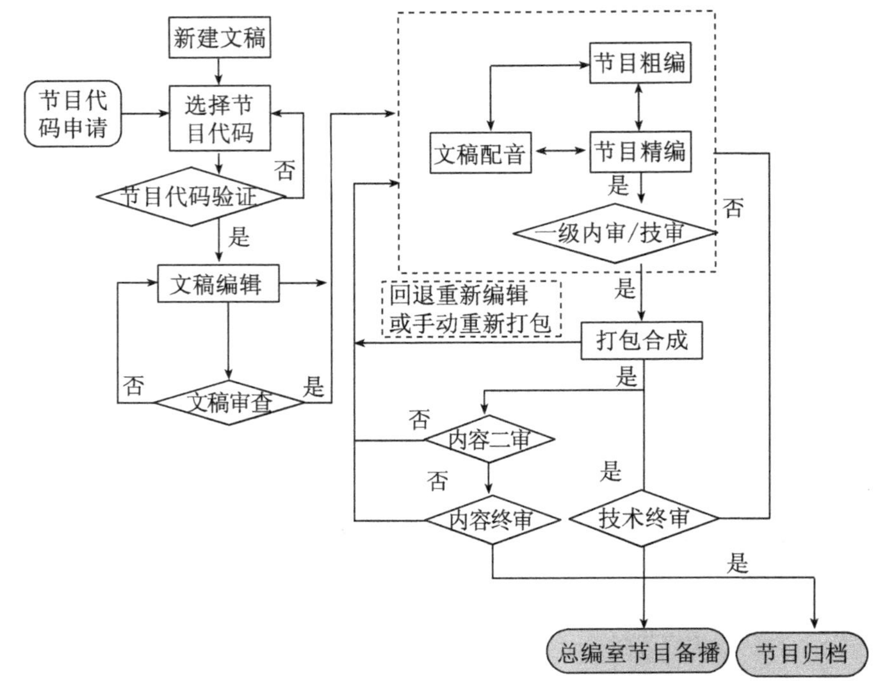

图3　节目生产流程——并行审查流程

我们根据这两代标清制作网络系统在节目审查流程方面的演变，又归纳汇总了在多个独立的制作网络系统中节目审查工作还存在的一些使用不便，可以进一步优化和提升的方面，主要包括：

（1）多个制作系统机房分散，技术审查人员难以合理调配。

（2）人工技术审查效率较低，人员投入较多，不利于大规模节目生产制作。

（3）各个制作系统都在制作机房配置单独的审片站点，不同公司的审片软件不尽相同，造成审片人员使用不便。

（4）制作机房距离节目部门办公区域较远，节目内容审查不便。

通过对上述问题的分析，高标清兼容共享审片系统的设计定位与建设思路逐渐明晰，即整合与优化各制作系统的审片业务，通过建立高标清兼容共享审片系统并与原有各制作系统的审片功能配合，提供更完善、更人性化的审片服务。

（1）将各制作系统的审片业务相对集中、统一处理，并保留少量原有各制作系统的审片业务处理能力以便应急业务处置。

（2）整合技术审查工作，集中部署较大规模的技术审查站点，便于技术审查工作人员的合理调配。

（3）增加自动技术审查功能，通过自动技审服务器为人工技术审查提供技术指标的预检，提升工作效率。

（4）在各节目部门办公区部署内容审查站点，方便节目内审人员的审片业务。

（5）进一步优化和完善串行、并行审查流程，使各种流程适配不同栏目的工作特点。

（6）增加台领导节目审看业务的网络化流程，方便台领导对重点节目的把控。

（7）增加节目重播重审（包括带上下变换）业务的网络化生产流程。

二、高标清兼容共享审片系统设计方案

1. 重点模块功能

高标清兼容共享审片系统（以下简称“共享审片系统”）作为共享服务型系统，主要为全台高标清制作网络系统提供审片服务，包括如下重点功能：

（1）节目技术审查功能

① 提供自动技术审查模块和人工技术审查模块；

② 支持同一节目，多人同时分段进行技术审查；

③ 支持不同栏目配置不同的审查流程；

④ 技术审查人员可在共享审片系统客户端机房或各制作机房对节目进行技术审查工作。

（2）节目内容审查功能

① 提供内容审查模块；

② 支持不同栏目配置不同的审查流程；

③ 在节目部门办公区域部署内容审查站点，节目内容审查人员可在自己的办公区或各制作机房对节目进行内容审查工作。

（3）台领导节目审看功能

① 提供台领导节目审看模块，由节目中心人员将节目推送至台领导审看页面；

② 台领导节目审看业务不作为节目审查的必需环节。

（4）节目重播重审（包括带上下变换）功能

① 总编室系统发起节目重播重审业务，共享审片系统将审查结果发送回总编室系统；

② 共享审片系统对审查通过并带有上下变换的节目发起备播流程。

（5）紧急备播功能

当与共享审片系统互联的制作系统出现故障，导致不能发送节目备播流程时，共享审片系统可通过紧急备播功能将已经存在于本系统并审查通过的节目发送至总编室系统。

2. 系统架构和工作流程

（1）系统架构

共享审片系统采用以太网络架构，系统配置36台各类服务器、20台内容审查站点、20台技术审查站点。在线存储有效容量72T，有效读写带宽达到600MB/S以上。如图4所示为整个系统的拓扑结构图。

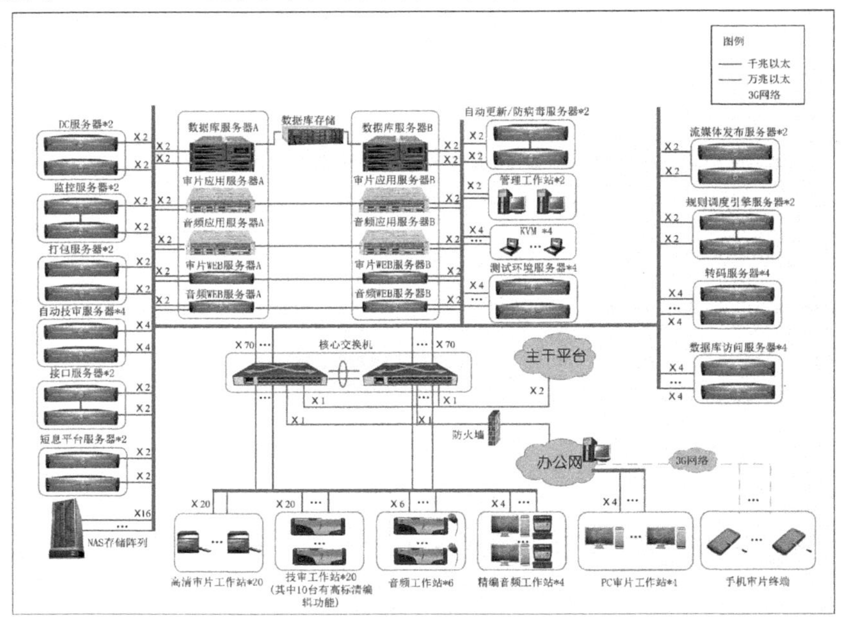

图4 共享审片系统拓扑结构图

（2）系统主要工作流程

为了应对全台各栏目多样化的生产模式，共享审片系统创造性地提出了与各制作系统协同工作的双线审查工作模式，当各制作系统完成节目时间线合成为播出版格式文件后开始启动该工作模式。我们通过在制播网络业务支撑平台上注册“节目审查任务锁定”、“节目审查任务锁定通知”和“消息通知”接口来实现共享审片系统和各制作系统的双线审查业务逻辑。根据不同的节目时间线合成节点，共细化出以下三种双线审片业务流程。

① 内容终审后合成时间线启动双线审片流程。

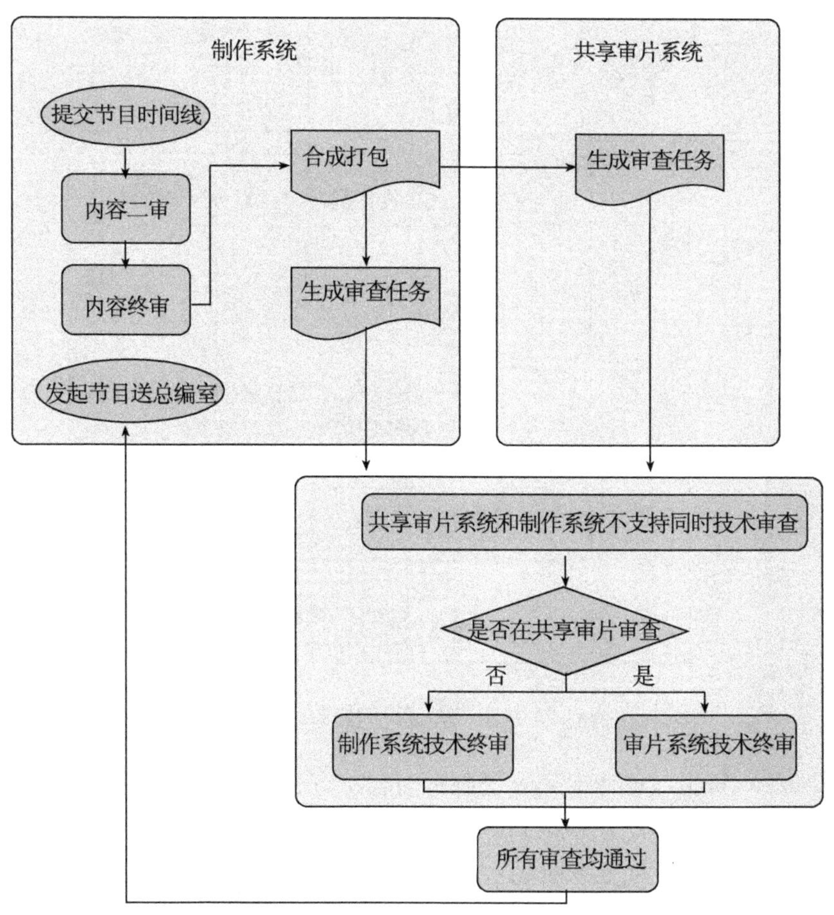

图 5　内容终审后合成时间线启动双线审片流程

如图 5 所示，这种审片流程应对内容审查工作全部在制作系统完成的工作场景。类似前述的普通制作网络系统串行审查流程，只是将技术终审抽取出来，支持在共享审片系统和制作系统两者间灵活选择来开展工作。该流程为多栏目集中进行技术审查提供了很好的支持。

② 一级内审/技审后合成时间线启动双线审片流程。

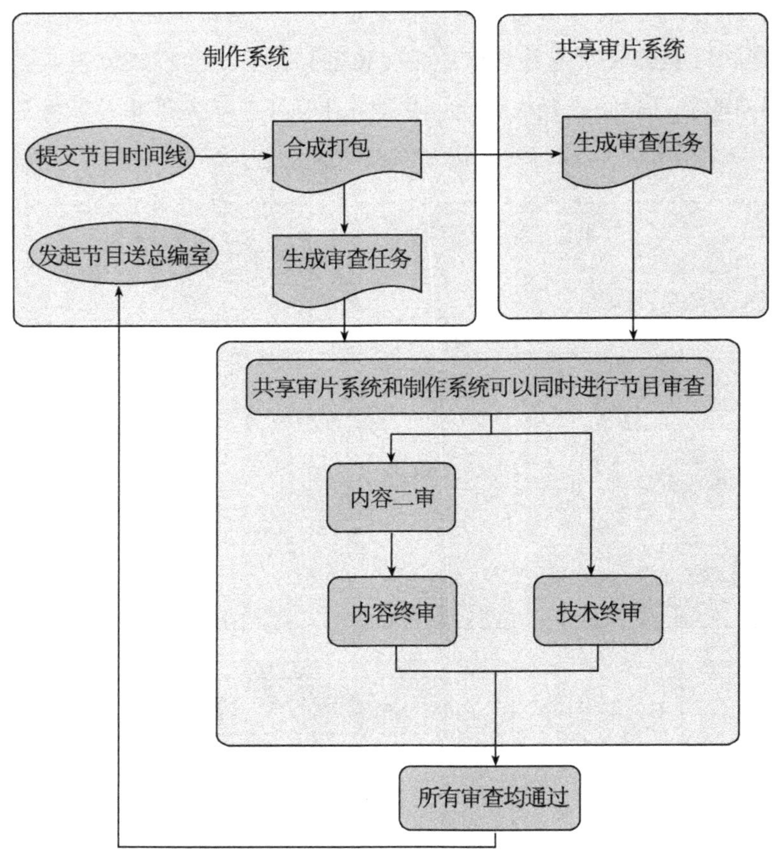

图6　一级内审/技审后合成时间线启动双线审片流程

如图6所示，这种审片流程应对内容二审、内容终审、技术终审全部可以在共享审片系统和制作系统两者间灵活选择来开展工作。类似于前述的综合制作网络系统并行审查流程，只是将各级审查环节再并行地扩展到共享审片系统中，为各栏目提供了尽可能多的开展审片业务的选择权。

③ 内容二审后合成时间线启动双线审片流程。

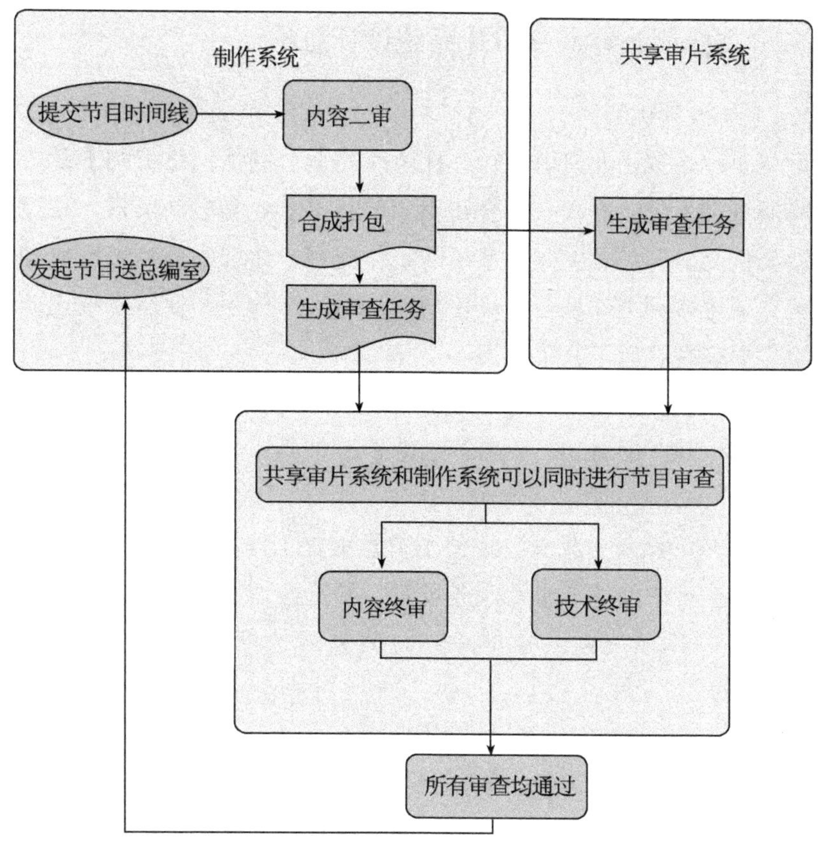

图 7　内容二审后合成时间线启动双线审片流程

如图 7 所示，这种审片流程应对内容二审工作在制作系统完成的工作场景。将内容终审和技术终审抽取出来，支持在共享审片系统和制作系统两者间灵活选择来开展工作。某些在内容二审环节要做多次修改的栏目选取此种业务流程，能够有效地避免进行多次打包合成处理环节，有效地提高工作效率。

共享审片系统为了满足台领导对于我台节目审看的业务需求，还设计了台领导节目审看网络化流程。以替代原有的由制作系统下载录像带，到台领导办公室或专用审看室通过录像机进行审看的工作模式。台领导可以使用配备大屏幕的专用站点来审看由各节目中心推送来的待审看节目。

三、高标清兼容共享审片系统设计总结

1. 系统设计优势

共享审片系统是北京电视台高标清兼容全台制播网络架构下的一个全新共享服务型系统，是我台整合和优化节目审查业务的新尝试。在设计过程中，我们充分考虑相关制作系统的工作流程，体现服务型系统协同工作的优势，兼容多种工作场景，优化制播网络生产体系，使得系统设计优势明显，主要表现在以下几个方面。

（1）系统架构简单，易于实施和扩展。系统链路采用以太网络，在线使用 ISILON12000 型号 IP 存储，配置 8 个节点，6 + 2 的数据安全冗余机制。

（2）采取双线审查模式，方便了节目审查工作。我们梳理、归纳了我台实际节目生产中使用的审片业务场景，创造性地提出了每一级审查节点均可以在各制作系统或共享审片系统间灵活选择进行的双线审查工作模式。

（3）多种审查流程并存，增强了审查环节的灵活性。针对我台各栏目的节目播出形态、制作习惯、审片方式的不同，共享审片系统在原有内容审查与技术终审串行进行和并行进行两种审片流程基础上，优化设计出内容终审与技术终审并行进行（见图 7）的审片流程。同时新增了台领导审看、重播重审等审片业务流程，使审查业务更加丰富灵活，适应我台制播体系的各种审片工作模式。

（4）采用自动技审技术配合人工技审复核，节省人员投入。使用专门的技审服务器来完成节目技术指标的预审工作，为人工技术审查工作提供参考，减少人力投入并提升技术审查的工作效率。

（5）充分考虑审片站点部署特点，方便系统使用和管理。共享审片系统的内容审查站点分散部署于各节目中心办公区域，审片软件模块采用了 B/S 架构，家电化操作方式，业务扩展简单方便，维护管理快捷高效。

2. 系统使用现状及实施推广难点

共享审片系统于 2011 年年初开始投入试运行，为我台节目网络化生产发挥了重要作用。到 2011 年 10 月，全台共有 60 余个栏目使用共享审片系

统进行节目技术审查，占全台栏目的50%以上。与共享审片系统互联的各制作系统平均日送审节目22.3小时，通过共享审片系统进行审查的节目为18.9小时，审核率为84.7%。自动技审检测效率为4:1，在设定的检测参数下审查正确率为100%。

共享审片系统的技术审查业务已得到广泛应用，但内容审查业务尚未得到充分应用，主要原因如下：

（1）目前还有一些制作网络没有与共享审片系统实现互联，可开展的业务范围偏少。

（2）节目时间线合成为播出版格式文件效率较低，尤其在高清节目生产中比较明显，导致对时效性要求较高的栏目不能做到很好的双线审查流程的支持。

（3）在办公区的内容审查业务不便于审查人员与编导人员就节目内容修改进行直接的沟通。

3. 应用发展前景

通过近一年的使用，共享审片系统已经成为高标清兼容制播网络中非常重要的共享服务型系统。综合考虑我台节目生产的业务变化及使用过程中发现的不足，我们可以从如下方面推进系统的改造工作，使其能得到更好的应用效果。

（1）将制播网络内全部的制作系统都与共享审片系统实现互联，扩大可以开展的审片业务范围。

（2）通过使用分布式合成技术提高节目时间线的合成效率，扩大内容审查业务在共享审片系统的使用范围。

（3）增强自动技术审查功能。通过使用高性能硬件平台提升自动技审的运算效率，增多可以进行的检测内容，更好地节省人力资源。

（4）增加办公网络内容审查功能。使用办公网络的以太链路，将审查任务采用流媒体的方式发送到内容审查人员的办公电脑上，进一步提高内容审查工作的方便性。

（5）增加移动终端内容审查功能。采用简约、便携的移动终端设备（如iPad）作为硬件平台，使审片业务不再局限于电视台内部网络范围，可以考虑通过3G网络开展工作。

（6）扩充办公区内容审查站点的功能。可以考虑将其扩展为办公区展示生产系统业务信息的平台。在没有审片业务需要处理时自动为各节目中心提供各种生产信息，便于大家对节目内容、生产进度等方面进行了解和把控。

总之，随着我台网络化制播体系的不断深化发展，作为其中一员的共享审片系统必定能够适应更广泛的业务模式和工作场景，为全台节目生产乃至办公信息化等方面贡献出自己更大的力量。

（作者单位：北京电视台）

终端的力量

高　巍

长期以来，通信领域的王者一直是电信运营商，终端设备制造商则是低眉顺眼的“小媳妇”角色。而随着移动互联网的兴起、苹果 iPhone 横空出世，特别是当以 iPhone 和 Android（安卓）为代表的智能手机摆脱了单纯的通信工具、开始有了“智能”并大行其道时，大家才蓦然发现，电信运营商已然江山飘摇，智能终端设备商在移动通信和移动互联网领域已开始扮演越来越重要的角色，甚至成为主角。“三网融合”其实亦如是，“三网融合”，网络只是基础，最终竞争的是内容和服务，而面向用户、承载内容和服务的是终端，也就是说，谁用己方或合作方的终端占领了更多用户（不管是保住了自己的用户，还是蚕食对手的市场），谁就取得了胜利，正如国家信息化专家咨询委员会常务副主任周宏仁所言，“对‘三网融合’的思路是不是可以不停留在网络上，而是把注意力、把关注焦点放在终端上。”因此，广电网络运营商必须“以史为鉴”，以开放包容的态度、高度重视而不是漠视终端的力量，才能在“三网融合”的竞争中求得生存和发展。

一、“死地求生”——用机顶盒“人海战术”换取广电的战略空间

一直以来，大家一提到广电数字电视终端，就会联想到机顶盒。的确，很少有人想到，当年作为数字化过渡产品的机顶盒，会牢牢占据数字电视终端数十年。原因其实很简单，就是广电数字电视所采取的封闭技术体系，因为我国数字电视采用的欧洲 DVB 标准没有对关键的加密和中间件技术标准进行详细的规范，各 CA 厂家的 CA 接口规范都是私有的，其对

CA技术严格封闭，对数字电视机顶盒实行软硬件捆绑，导致只能由各广电网络运营商定制化生产和推广机顶盒，而无法实现完全的市场化销售。由此，广电在业务上完全依赖机顶盒，并且每上升一个台阶，就要面临一次更换机顶盒设备的窘境。事实上，与其说封闭造就了机顶盒，毋宁说封闭使得机顶盒成为压在我国广电网络运营商肩头最沉重的一座大山。

随着“三网融合”竞争的到来，高清交互数字电视已成为广电应对“三网融合”的必由之路，而广电高清交互业务需要前端、网络、终端、内容等整个系统的支撑，其中最大的难点就在于终端。高清交互机顶盒的推广方式无非市场化的销售或整转免费配发模式。而市场化推广的速度是非常慢的，据2011年7月份的报道，某省级广电网络公司“之前投入几亿元基本上完成了网络的双向改造，但是目前高清互动用户数量只有几千户”。据统计，截至2011年12月底，我国高清机顶盒用户近730万，采取市场化推广的用户不到一半，而同期，我国有线数字电视双向网络覆盖、可具备开展高清交互业务的用户达到7650万户，即高清机顶盒市场化推广的渗透率不到5%。

彼路难通，广电网络运营商又一次面临只能以一己之力推广高清交互机顶盒的苦酒，并且只能选择喝下去。因为广电网络运营商的命运已经与机顶盒捆绑在一起，没有机顶盒的普及，广电的高清交互业务都将是空中楼阁，前期已投入的高清交互前端、双向网建设、节目内容巨额成本也将彻底“沉没”。更重要的是，在“三网融合”时代，广电已没有时间慢慢培育市场，一旦电信光纤入户改造到位，并携巨大的资金优势，以类似“订购上网服务免费送节目包”的捆绑策略，低价甚至免费进入视频服务市场，则广电将会面临“巨额成本全部浪费、市场大幅萎缩”的可怕局面。因此，以整转的方式迅速推广普及高清交互机顶盒几乎已成为广电唯一的选择，广电只能以“置之死地而后生”的决然态度，用机顶盒的“人海战术”换取发展的战略空间。意识到这个问题，目前越来越多的城市广电网络运营商采取了高清交互机顶盒的免费推广模式，高清交互机顶盒拥有量排名前几位的北京、济南、浙江金华三地都是高清交互整转模式，而陕西广电网络也计划3年内投资23亿元，采取“公司补贴配置高清互动机顶盒、整体推广普及、全业务营销”的模式实现180万户的高清交互用户规模。

当然，能生方可先置之死地，事实上，我国目前有几亿台电视机无法直接接收数字信号，必须通过机顶盒才能收看到数字电视节目，这些用户升级换代新的电视机需要较长的时间，机顶盒不会短时间内被替代，广电网络运营商投入巨资推广高清交互机顶盒有着广大的用户市场。此外，数字化十余年，用户已基本上已经接受了“机顶盒 + 电视机”的视频接收终端组合，高清交互机顶盒的普及，将使得其他视频接收方式面临更高的进入门槛和用户转换成本。因此，只要思路正确，广电推广高清交互机顶盒并不会血本无归。

1. 借中央“文化大发展、大繁荣”东风，开拓数字文化内容

高清交互数字电视的竞争对手已不仅仅是电信 IPTV，还包括互联网视频、UGC 等各种新媒体。因此，广电在传统的数字电视内容之外，必须借中央“文化大发展、大繁荣”东风，创新业态，立足于发掘和采集生活中的文化内容，并将其数字化、可视化，从而使线下生活中的内容变为线上数字空间的内容、口头相传或文字描述的内容变为可视的内容、个人拥有不可分享的内容变为网络可分享的内容、瞬间不可留存的内容成为可留存重现的内容，最终基于广电数字电视平台形成有广电特色的内容服务。有了有特色的、为用户所喜欢的内容，高清交互机顶盒才能真正成为一个“活”终端而不是放在用户家中随时可弃的铁盒子，广电也才能开展各项业务获得收益。

2. 基于庞大的高清交互机顶盒用户，“运营客户群”

通过整转方式发放高清交互机顶盒，再加之有竞争力的内容，从而形成庞大的客户群，这将是广电最大的资源。因此，广电高清交互数字电视的运营思路就是“运营客户群”，核心是基于高清交互平台的广告。从某种意义上讲，高清交互平台意味着电视收看的“栏目化”，革的是“电视频道”的命，带来的是基于电视收看栏目化的巨大广告价值。同时，基于高清交互平台的广告还可以做到精准投放，这正是广告业主所梦寐以求的。因此，广告经营将是广电网络运营商在高清交互时代最大的金矿。目前，像北京歌华、江苏有线、杭州华数等都已开发了高清交互平台广告，包括开机广告、各栏目页面广告、VOD 及时移回看的贴片广告、音量条频

道切换条广告等。

当然，广告只是模式之一，广电网络运营商可以利用栏目资源，吸引政府、大企业在平台发布各种信息、实现各类应用，从而收取信息发布和应用费用等。

3. 通过高清交互普遍服务，争取政府补贴资金

《中共中央关于深化文化体制改革，推动社会主义文化大发展、大繁荣若干重大问题的决定》中明确指出，要“保障人民群众看电视、听广播、读书看报、进行公共文化鉴赏、参与公共文化活动等基本文化权益”。随着科技、文化的发展，人们对于电视收看的需求不断提高，“基本文化权益”的门槛也会随之提高。据 2011 年调查数据显示，北京市已有 78.11% 的家庭拥有高清平板电视机，这样的大趋势下，电视收看普通服务上升到高清交互层次将是必然的结果。而作为政府，实现高清交互普遍服务将有利于满足居民文化精神娱乐的需求，有利于推动家庭信息化，实现数字城市、智慧城市，有利于拉动产业，经济和社会效益巨大。事实上，广电网络运营商通过免费发放方式实现高清交互数字电视的普遍服务，政府是最大的受益者之一，理应给予普遍服务的补偿。

4. 基于高清交互平台开展各种增值应用，向下游收费

无疑，抓住了作为互联网基础设施的机遇是电信业近十年取得迅猛发展的重要原因之一，“三网融合”时代广电网络的出路同样在于要作为互联网的基础设施而存在。事实上，在全球，广电网络在互联网接入服务方面占据着近 2 成的份额，在美国的互联网接入市场，甚至超过一半以上的家庭使用的是广电双向 HFC 网络接入。而在我国，截至 2011 年年底，我国广电宽带用户有 400 万左右，仅占全国宽带用户的 2.5% 。因此，广电网络在互联网接入市场的发展潜力巨大，而广电双向网改造特别是高清交互机顶盒的普及，将极大地有利于广电发展互联网接入业务。

此外，高清交互机顶盒普及后，广电网络运营商可以开展高清直播频道、高清点播、3D 频道、3D 点播等高端视频付费服务。

最后，可以利用高清交互机顶盒的家庭网关功能发展数字家庭应用，如连接家庭防盗报警器、火灾报警器、摄像头等的家庭安防应用，连接冰箱、灯光控制、温度控制（空调）等的家居生活应用，以及实现数字家庭

购物、数字家庭远程教育、数字家庭社区服务等。

二、“重续前缘”——与电视机厂商联合打造融合广电血统的智能电视终端

对于广电网络运营商而言，最理想的视频终端自然是“高清交互机顶盒+高清电视机”，广电高清交互平台垄断经营 VOD 点播、信息发布、电视游戏等各种视频非视频应用。但终端的强大力量，使得电信运营商失败在前，由 Google TV 倡导的智能电视机的日益盛行则再次证明，这只是广电的一相情愿。

终端电视机厂商本与广电有着天然的联盟关系，模拟电视时代，大家分工明确、相互促进，有线电视的出现更是使得电视机真正成为了家庭娱乐中心。而到了单向数字电视时代，广电封闭的 CA 技术体系造就了数字电视机顶盒，电视机厂商虽然希望能与广电联手实现数字电视一体机，对“机顶盒+电视机”的数字电视终端模式也捏着鼻子认了，但广电的这种封闭、对终端的垄断也为电视机厂商的逆袭埋下了伏笔。其实，为了在视频终端有更大的话语权、延伸产业链，国内电视机厂商在 2009 年年初便推出了所谓的互联网电视机或网络电视机，但一方面限于技术，它还不能做到真正自由的访问互联网、看视频，另一方面，互联网电视机遭到国家广电总局的严格管制，使得互联网电视机昙花一现，但电视机厂家的野心已暴露无遗。而随着以 Google TV 为代表的智能电视机的出现，智能电视以其开放性、可扩展性，使得广大用户看电视或视频再也不用依赖特定的 ISP（不管是广电网络还是电信），用户只需接入互联网便可看视频、玩应用、自由搜索选择，从而彻底颠覆了传统广电“你播我看”的电视收看模式，用户的收视习惯由线性的、被动式的选择向多维的、主动式的选择转变。此外，智能电视机的“简约为王”、先进的外观和界面设计，对用户的吸引力也远远高于笨拙的机顶盒。

更糟糕的是，广电的数字电视平台与智能电视机完全不相容。目前主流的智能电视都基于 Android 等开放的操作系统，可以方便地接收和播放来自互联网的视频，包括支持电信 IPTV。而由于广电的封闭性，无论多先进的智能电视，需要机顶盒才能加载广电数字电视节目，电视机依然无法

摆脱沦为显示器的命运，这显然是电视机厂家也是智能电视机用户所无法接受的。

由此，如果智能电视机无法支持广电数字电视业务，那么当智能电视普及之日，就是广电高清交互数字电视彻底失败之时。事实上，虽说目前还有政策面的管制，智能电视机的普及已不可阻挡。据统计，自 2011 年 4 月份国内电视机厂商推出智能电视后，短短 5 个月内，智能电视渗透率已达到 12%，预计 2012 年国内智能电视机出货量将达到 800 万台，到 2014 年智能电视有望成为标配。可以想象，再过 5—8 年，当智能电视在中国的拥有量超过 1 亿台之后，如果广电不能将自己的数字电视业务加载到智能电视上，而是还试图借助机顶盒通吃一切，那么曾经作为第一视频收看方式的广电数字电视，将会彻底被用户和市场所抛弃，就如同海信公司在其官方微博上的一句话，“今天，世界向数字电视告别，原因只因数字电视是电视台（网）的独家游戏；而智能电视来得如此之快，正是搭上了全民分享的互联网东风。”

那么，面临着咄咄逼人的智能电视机，广电网络企业又该如何呢？答案其实也简单，顺势而为，以“拥抱而不是排斥智能电视，实现共赢而不是独占”的思路，与电视机厂商再续前缘，双方联合打造融合广电血统的智能电视终端。而广电要想积极拥抱智能电视机，核心是开放！在技术上开放、在市场上开放、在运营和赢利模式上开放。而要在技术体系上开放，就必须摒弃原先封闭的数字电视技术体系，在终端方面与智能电视机融合、在平台方面采纳开放的平台、在内容方面引入第三方的应用开发者。事实上，国家广电总局在今年年初出台下载式 CA 行业标准，开放了终端机顶盒、中间件及应用业务软件，就是向开放迈进的一大步。

1. 作为过渡，先行推出基于广电平台的高清交互一体机

在单向数字电视时代，广电与电视机厂家也曾合作推出了基于 CAM 卡的单向高清一体机，并在北京、深圳、重庆、武汉等地展开销售，但由于其不能支持交互功能，随着互联网电视机、智能电视机的出现，单向高清一体机已逐步退出市场。但这并不意味着基于广电高清交互平台的高清交互一体机没有市场，毕竟，现阶段的智能电视机无法直接收看广电高品质的专业视频内容；此外，传统电视的发展趋向“老龄化”、“低龄化”，

而智能电视机完全移植互联网的概念和操作习惯，对于老年人和孩子这两种很少使用互联网的消费群，存在着很大的问题。如果广电网络运营商与电视机厂家合作，能研发基于广电平台、可直接收看广电专业视频内容的高清交互一体机，则将有很大的市场。

因此，在原有的技术体系暂时无法突破时，广电网络和电视机厂家联合推出集成广电平台的高清交互一体机将是双方共赢的局面。2011 年 7 月，创维与陕西广电网络联合推出了一款高清交互一体机，2011 年 9 月，同州与深圳天威也联合发布了“有线智能数字一体机”，进入 2012 年以来，海信等国内厂家也在研发高清交互一体机，建议广电网络运营商应积极与电视机厂家合作，推出广电高清交互一体机。

2. 积极与智能电视机融合，使智能电视机成为展现广电业务的最佳终端

事实上，智能电视机也是电视机，它的核心功能还是看电视或视频，而即使在互联网时代，高品质的专业视频依然有强大的市场，正如美国沃顿商学院新媒体总监肯德尔·怀特豪斯所言，“人们既喜欢免费的原创内容——就像你在 YouTube 上所看到的那些视频一样，也喜欢好莱坞制作的专业内容”。在视频内容之外，才是网游等非视频类的互联网应用。因此，广电网络运营商通过与智能电视机的融合，可以建立如下的业务模式。

（1）电视机厂商和广电网络运营商联合推出融合广电应用的智能电视机，将原来基于广电高清交互平台的视频应用（如高清频道、3D 频道、视频点播、时移回看等）和数字文化内容，移植到智能电视机平台上，并作为智能电视机最核心、最基本的应用。用户买了智能电视机，接入广电网络，就可享受到当地广电网络运营商提供的专业视频内容和数字文化内容。

（2）智能电视机可通过广电双向网络，访问互联网视频、实现应用下载等。广电在充当“管道”的同时，可发挥防火墙的作用，过滤掉一些不健康甚至违法的内容，进一步还可利用新一代广电网络 NGB 在内容推送方面的强大能力，将主流的、优秀的互联网视频和数字文化内容直接“推”入智能电视用户终端，以引导健康、主流的文化传播，同时增强广电应用的黏性。

三、跨越“屏”障——开拓第三屏、第四屏等移动视频新市场

随着iPad等移动终端的发展，广电网络运营商不能再把终端仅仅定义为传统的电视机，只要能收看视频的终端，都应是广电的服务对象和潜在市场，就如美国VIZIO公司首席执行官William Wang所言，“无论画面尺寸多大，能为用户提供影像内容的产品全都是电视机”。事实上，目前基于移动智能终端（智能手机、平板电脑等）的移动互联网视频服务发展迅速，而目前这些服务基本都由三大电信运营商提供接入服务、各互联网视频网站提供内容，广电几乎被排斥在外。而如果广电在移动视频服务领域不提前布局的话，未来随着4G等移动通信技术的成熟，移动视频服务建立对有线传输的视频服务的替代性竞争优势之时，广电的有线视频服务将面临被边缘化的威胁。因此，广电网络运营商必须以攻代守，全力进军移动视频服务市场，切入点就是WIFI。在我国，目前三大运营商、各地政府都在积极推动基于WIFI的无线城市的建设，而部署WIFI需要一张完整的有线城域网络来支撑，这方面广电网络具有一定的优势，因此，广电应大力部署WIFI网络、开展移动互联网接入服务，并在此基础上发挥海量内容优势，将其推送到iPhone、iPad等智能终端上，形成有广电特色的移动视频服务。目前，杭州华数、北京歌华等广电运营商已经在当地开始部署WIFI网络，北京歌华还推出了“歌华飞视”业务，给移动视频终端用户提供几十套电视频道和一些视频节目的收看服务。

在2012年CES展会上，Google提出了“重新发明电视”的口号，2012年5月8日，联想在国内正式推出首批4款智能电视，用实际行动“重新发明电视”。面对终端的力量，广电网络运营商要做的其实很简单，就是“重新发现终端”，高清交互机顶盒也罢，智能电视机也罢，移动智能终端也罢，只要这个终端能支撑广电的业务，帮助广电巩固和拓展市场，就是我们所需要的终端，如此而已。

（作者单位：北京歌华有线电视网络公司）

关于“三网融合”下有线电视系统架构演进方案的探讨

曾 春

一、前言

回顾有线电视发展的历史，其前进的每一步都与信息技术的发展和进步联系到一起，卫星技术的商业应用给了有线电视便于即时获取的丰富内容；光纤技术的发展与应用使通达千家万户的有线电视网络更加便于建设及可靠运维；数字化的发展不仅使有线电视网络可以容纳更多传送内容，还使得有线电视传输质量进一步得到提高；通信技术的发展与点播电视的应用使得用户观看电视的方式发生了深刻的变化；那么，时代发展到今天，由于数字化、IP 技术的发展，又开启了“三网融合”的新时代。

在“三网融合”的时代，有线电视行业面临着电信行业的巨大竞争压力。一方面，电信行业依赖其多年的政策、资源优势，在发展电话通信业务多年的基础上，在宽带接入领域强力推进，其市场份额已经占据了绝对领先地位；另一方面，随着“三网融合”试点城市的启动，北京市的 IPTV 业务也蓄势待发，且将捆绑语音及宽带接入业务，真正以融合业务的姿态进入市场竞争。

面对如此强劲的竞争压力，有线电视行业该如何应对？

有线电视业应对竞争之道就是“转型”，要从单一的电视服务提供者向集视频、宽带、多媒体语音服务于一体的多业务运营商（Multiple Service Operator，MSO）转型。这不仅是技术系统方面的要求，还是面向市场、统筹业务及运维能力的综合要求。电信行业在这方面是先行者，其所提出的 eTOM（enhanced Telecom Operations Map）架构是向多业务运营商转型的良好指南，值得有线电视运营商认真地研究与借鉴。因 eTOM 内容涵盖广泛，涉及企业运营的方方面面，不在本文中赘述，但有一点，笔者认为是十分重要的，这就是在市场竞争环境中，什么最为重要？答案是客户的优质体验最重要，因为客户有权利依照其所感受到的服务质量来选择提供服务的运营商。作为参与市场竞争的运营商，必须以优质的用户服务体验来赢得客户，运营商所有的运营活动都要以优质的用户服务体验为中心展开。

在“三网融合”的背景下，有线电视运营商要给用户什么样的用户服务体验呢？

（1）可以在家享受广播电视、交互电视、高速数据接入、多媒体语音、无线宽带影音服务，实现跨屏视频服务。

（2）用户喜爱的知名服务品牌，有不同产品组合，可进行多业务捆绑销售。

（3）方便用户开通业务（包括客服一站式服务、用户自服务等）。

（4）保障业务服务的高质量，迅捷地处理用户故障（需全程全网网络管理、电子工单流转系统的支持）。

（5）统一的用户账单。

有线电视行业理应是视频服务专家，首要的任务就是保障有线电视视频服务的质量，不仅是继续做好直播电视服务，还要使用户由看电视转变为用电视，要在网络内保障海量的高质量视频节目内容，不仅是传统数字电视、VOD（Video On Demand）点播的内容，还要有可管可控的互联网视频内容；其次，要通过点播电视、时移电视、云端录像、用户端视频推送等服务的提供，保障用户看电视的时间随意性；再次，要让视频服务“飞”出传统电视机，跨入电脑、平板终端、智能手机等多种终端；此外，还要让视频服务动起来，不受等特定场所的限制，也就是要与无线移动解决方案相结合。

作为“三网融合”服务提供商，必须为用户提供高速互联网接入服务，其 IP 接入带宽至少要能够与电信运营商提供的用户接入带宽相媲美；还有必要为用户提供多媒体语音服务，实现“三重服务”（Triple

Play）或“四重服务”（Quad Play）。而这些服务的提供不能维持在“烟囱式”的服务水平上，各做各的，互不搭界，必须统筹安排，面向不同的用户需求，推出不同的服务产品，实现捆绑销售，同时整合业务运营体系，建设公司的运营支撑技术平台，形成运营商的良好品牌形象，使用户对有线电视运营商有个良好的认知，感受到其周到、方便、快捷的优质服务。

为实现上述用户体验，要做的事情很多，本文仅从技术系统架构的角度进行讨论，怎样才能为上述用户体验目标提供支持。

二、歌华有线电视网络技术架构的选择

首先，支持前述用户体验目标，要依托一个什么样的接入网络来实现？对这个问题众说纷纭，有人认为现在技术发展已经呈现强烈的IP化趋势，因此，技术系统建设应该一步到位，实现全IP化目标，为此，提出了各种PON（Passive Optical Network）+EOC（Ethernet Over Coax）的接入网络解决方案，甚至是直接光纤到户的解决方案；单就北京市有线电视网络发展的历史和现状而言，这样的解决方案未必合适，一是北京地区整体上有线电视网络一直是按照HFC（Hybrid Fiber Coax）结构及DOCSIS（Data Over Cable Service Interface Specification）标准设计与建设的，DOCSIS标准自身也在不断改进与完善，特别是DOCSIS3.0版本的推出，适应了用户大带宽接入的要求，放弃DOCSIS标准相当于放弃了前期大量尚未赢利的投入；二是作为竞争的弱势一方，避免与竞争对手进行同质化竞争尤为重要，特别是在与对手体量差别巨大的情况下，更应该选择能够充分发挥原有网络技术优势的技术架构；三是技术架构的选择还要充分考虑有线电视网络人力资源的构成，宜选用现有维护队伍较为熟悉的、方便接手维护的技术系统，在HFC网络上，以频分复用技术实现的直播、窄播、数据服务，其天然的QOS效果更容易为现状技术维护队伍所接受；为此，北京市的有线电视接入网络采用了基于DOCSIS技术标准的双向HFC网络架构。

1. 设计原则

系统开放性原则：重标准化、重产业化，模块化系统，使其可扩展；

现新业务快速部署，可即插即用，降低业务部署成本；

把“可运营”落实到计费和 SLA（Service - Level Agreement）保障能力上；

把“可管理”落实到规范的安全和网管系统上；

支持个性化，力争创建一个有线应用平台。

2. 设计目标

以用户需求为起点、以优质用户体验为终点；

自顶向下、分层次设计；

逐步实现网络资源从静态分配向动态管理的转变；

以产业化标准构建开放的运营体系：

——基于 NGOD 2.0 的视频点播业务架构（如图 1 所示）

——基于 Packet Cable MM 的 IP 业务架构（如图 2 所示）

——基于 Embedded DOCSIS 2.0 的家庭网关架构

实现开放性、安全性、身份特征三位一体；

系统设计了多业务综合网管运营支撑系统（OSS），可完成多业务部署（Provisioning）、多系统设备故障管理、多业务综合计费等功能；部署了 PKI（Public Key Infrastructure）系统，可实现四个根的证书信任链，分别用于内容、代码、设备和前端的认证：

（1）为内容入网提供认证网关系统，保证所有注入网络的内容文件都通过认证校验，所有入网的文件都有不可否认的记录。

（2）为代码版本配置管理系统发放服务器证书（代码）。

（3）为每个终端设备发放入网证书，提供设备证书的实时查询能力。

（4）为网管前端发放服务器证书。

配合产业发展，为运营体系转型升级做好准备，同时适应网络技术的发展，系统具有可扩展性。

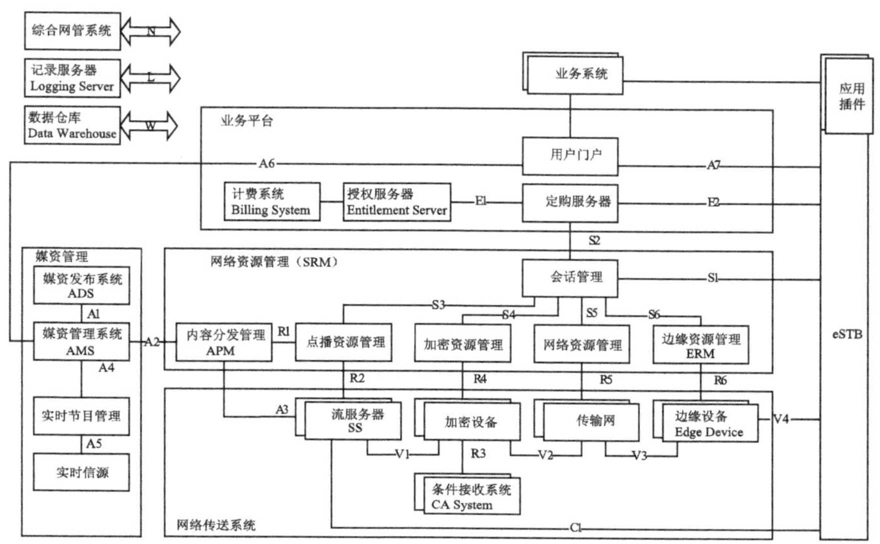

图 1　NGOD 2.0 的点播业务架构图

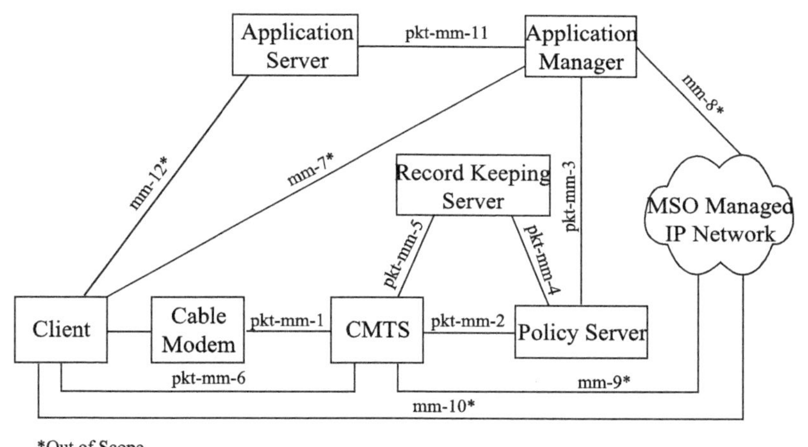

Figure 2-PackerCable Multimedia Architectural Framework

图 2　PCMM 架构图

经过多年努力，北京歌华有线电视网络已经大力推广了高清交互数字电视服务，截至 2011 年年底，高清交互数字电视用户数将达到 260 万户，同时，积极开拓发展了宽带互联网接入用户逾 10 万户，还积极开展了 IP 语音服务的实验探索；在此基础上，作为“三网融合”试点的重要参与者，北京歌华有线电视网络面临着新的挑战，深刻认识到必须全面满足前述用户优质体验需求，为实现这个目标还需要解决下列的问题：

（1）如何满足更多的窄播 QAM 用于 VOD 和 SDV 应用？

（2）如何满足可以与竞争对手相媲美的 IP 接入带宽需求？

（3）如何在接入网络合理解决“光进铜退”以缩小服务组群的需求？

（4）如何在网络前端满足日益增长的设备占地及功耗需求？

在笔者看来，北京有线电视网络需要解决的问题，也是欧美有线电视运营商面临的问题，他们的解决之道对我们相关问题的解决是有所助益的。

三、关于有线电视网络架构演进的探讨

为了解决上述问题，北美最大的有线电视运营商 COMCAST 公司提出了一个解决方案，主要思路是开发一种高密度、多目标功能、结构简单、方便集成又易于操作的设备，即 CMAP（Converged Multiservice Access Platform），以此作为其下一代接入架构 NGAA（Next Generation Access Architecture）的重要组件。简单说起来 CMAP 平台组合了 EQAM 和 CMTS 的相应功能，也可分成整合型和模块型两类实现方式（如图 3 所示）。

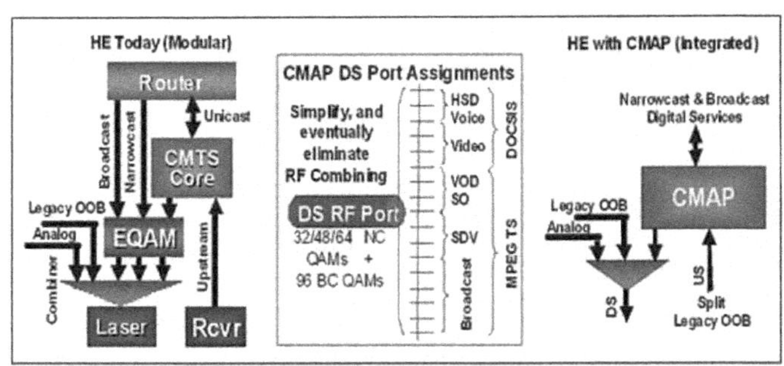

CMAP's goal is to combine the capabilities of the edge QAM and the CMTS into a single platform. It also implements all DOCSIS and MPEG-TS QAMs from each RF port and can be deployed in either an integrated or modular manner.
Source: Jorge Salinger/Comcast

图 3　CMAP 概念图

北美有线电视行业标准化组织 CABLELABS 吸收了 COMCAST 公司、时代华纳有线 TWC 公司及其他一些设备生产厂商的建议，并由此演化出 CABLELABS 标准 CCAP，其关键功能目标是：

（1）统一且灵活部署 VOD、SDV 等基于 MPEG 传输流服务的高速互联

网接入（HSI）、IP 语音、IP 视频等基于 DOCSIS3.0 的服务。

（2）对不同服务组（Service Group）进行独立的 QAM 通道分配配置，满足 HSI、IP 语音服务组，VOD 服务组，SDV 服务组的不同需求。

（3）按射频端口独立部署窄播服务，同时在同一下行板卡的射频端口间共享广播服务。

（4）使所有 QAM 通道均可提供全服务，以简化射频组合网络。

（5）在不增加系统平台复杂性的前提下增强对内容的加密能力。

（6）对 EPON 等其他接入网络的可扩展部署配置能力。

（7）模块化软件环境，使不相互影响。

（8）显著减少空间占用、设备功耗和热排放。

CCAP 可以整合在一个机架中（I－CCAP），也可以模块化设计（M－CCAP），但均要由运营支撑系统（OSS）进行统一网管与配置，M－CCAP 由 PS（Packet Shelf）和 AS（Access Shelf）两部分组成，PS 部分完成数据包处理过程，包括用户管理、流管理、三层路由、高阶协议处理等；AS 部分则完成上行及下行流的物理层功能，主要指 CMTS、EQAM 相关的功能和 DOCSIS 媒体接入控制（MAC）层功能。

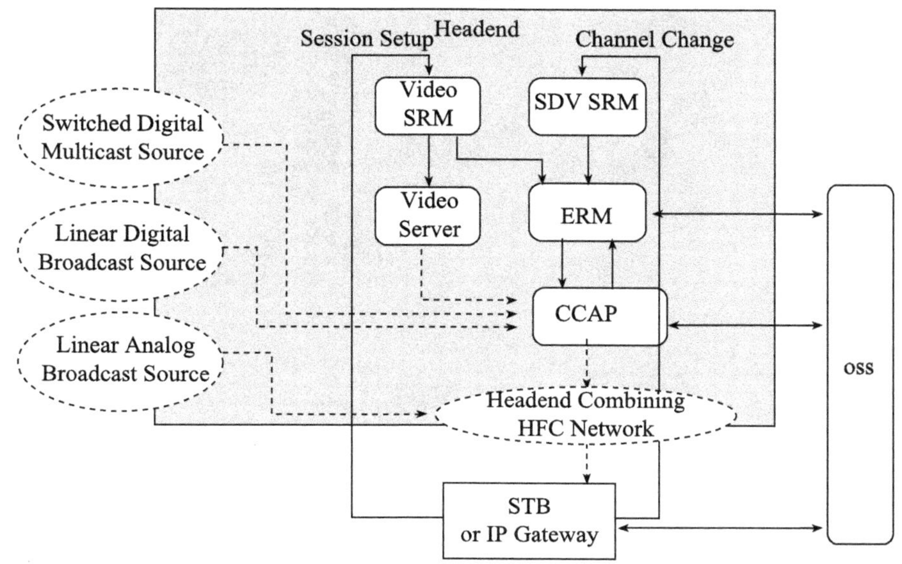

图 4　CCAP 视频前端参考架构

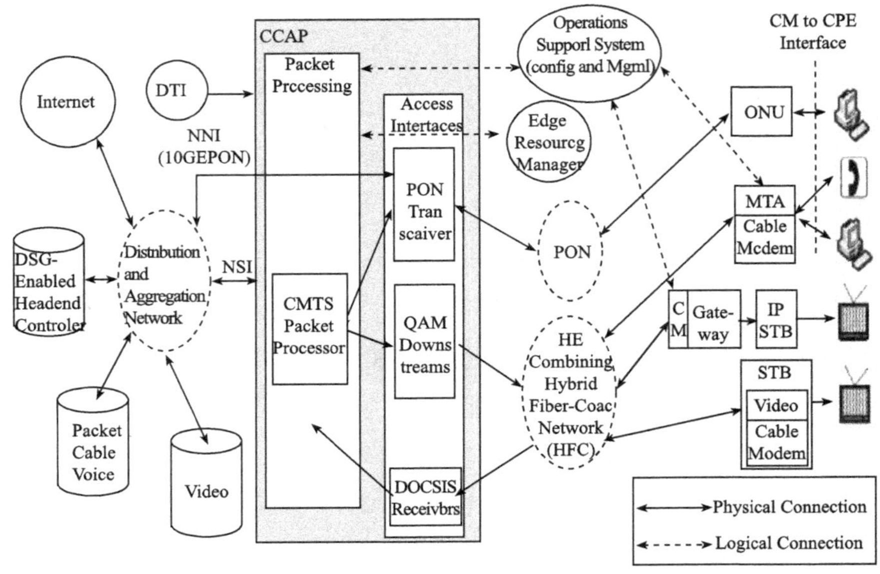

图 5　CCAP 数据服务参考架构

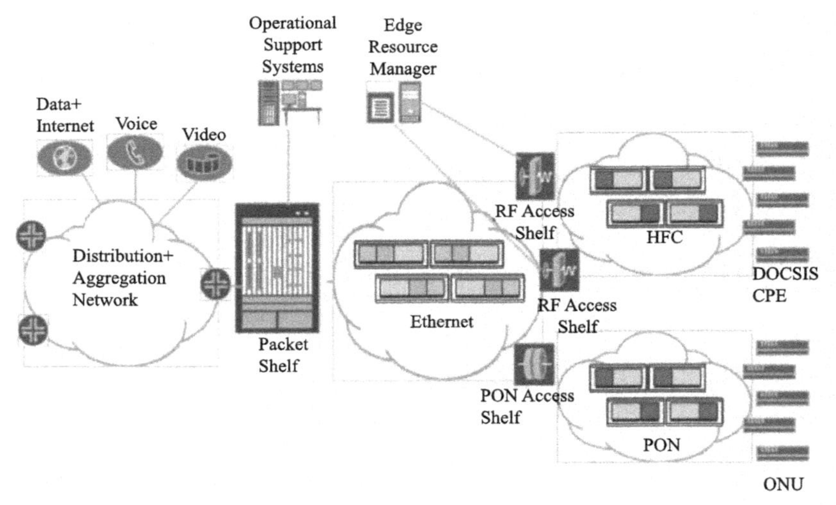

图 6　M – CCAP 部署示意图

从图 3 至图 6 中可以看出，CCAP 的综合性涵盖了有线电视网络要支持的所有“三网融合”业务，是有线电视网络下一步发展的良好途径。

为使有线电视网络支持“三网融合”等新业务需求，国家广电总局提出了下一代广播电视网络“NGB”的概念，为此成立了 NGB 工作组，下挂多个专题工作小组，其中接入网络工作小组准备提出 C – DOCSIS 标准，其目标是适应“光进铜退”后较小同轴接入网络用户群的状况，在维持DOCSIS用户端设备可用性的前提下，简化CMTS的设计，将小型CMTS设备部署到楼宇，以拓展用户接入带宽，同时尽可能降低户均成本。笔者认为该理念有其合理性，但也有一些问题需克服，例如，能否做到边缘设备软件的简化，能否保证并方便地进行大量边缘设备的管理等，还有许多研究工作要做。此外，该方案仅限于解决数据接入业务户均带宽不足，未能解决HSI与VOD、SDV等融合业务统筹传输的问题。建议NGB接入网络工作小组研究、借鉴CCAP标准，进一步研究出相对集中部署在分中心机房的设备，在简化CMTS设计的同时，进一步使数据业务与广播业务、窄播业务统筹考虑，完成HSI与VOD、SDV等融合业务的统一配置与管理，形成一个经济、可运维、可管理的类似AS功能的完整系统，这样，更方便日后从传统CMTS设备向新设备的平滑转移。

需要注意的是CCAP适合部署在有线电视网络的前端机房和边缘分中心机房，建议设计C-DOCSIS方案进而设计AS功能兼容设备方案时，要综合考虑广播、窄播和数据业务的传输，其设备不宜仅与XPON设备绑定使用。为满足HFC网络“光进铜退”、减少服务组覆盖范围、扩大用户接入带宽的需求，也不宜大规模采用再建接入光纤支干线线路的方式，必须考虑升级平滑、迅捷、合理可行的办法。笔者认为，可以采用CWDM（Coarse Wavelength Division Multiplexing）技术，解决支干线光纤资源不足的问题（如图7、图8所示），

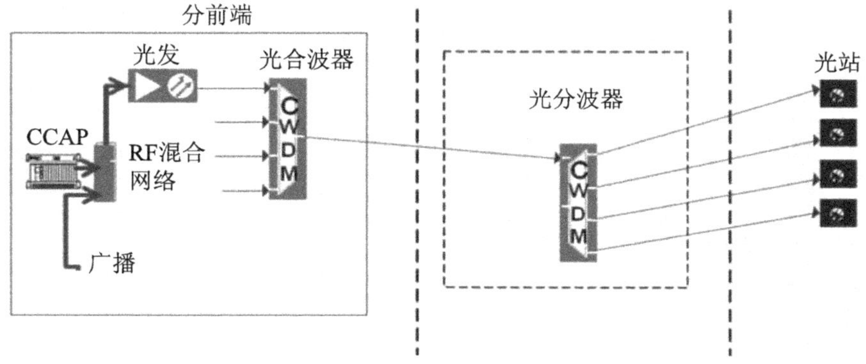

图7　利用CWDM技术完成下行传输及光节点扩展的示意图

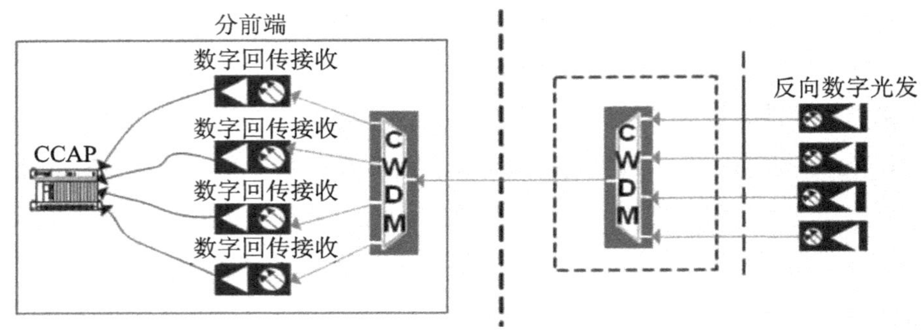

图 8　利用 CWDM 技术完成上行光传输及光节点扩展的示意图

这样的光纤支干线接入网络的方案可以更好地支持广播、窄播与数据业务的综合利用和未来有线电视网络多业务的 IP 化应用，以及用户接入带宽需求的发展。笔者认为这是一个经济、可行的方案，外置 CWDM 设备可维持原有光传输设备的再使用，但最好由传输设备厂家内置 CWDM 设备，以简化设备安装与调试的复杂程度，同时需要有线电视网络运营商做好全网的波长规划与分配部署方案，以利于网络维护管理。

上述建议方案的实施，配合家庭智能网关的使用，将使有线电视网络的技术系统平滑升级和从容应对新的业务需求，使有线电视网络成为“三网融合”的支撑网络。

（作者单位：北京歌华有线电视网络股份有限公司）

把握网络生产规律，构建运维顺畅体系

何拥军

从有线电视网络公司启动单向标清数字电视推广以来，特别是伴随着有线电视网络双向化与高清互动业务的发展和2010年国务院宣布正式启动“三网融合”试点工作以来，有线电视网络及其运营所面临的内外部环境已经并正在发生着深刻的变化。这些变化给有线电视网络的业务开发与营销服务、网络规划与建设、网络运行维护、企业生产组织管理等诸多方面提出了前所未有的挑战和一系列新的课题。

2001年2月，人民邮电出版社出版了一本电信管理人员培训教材《电信企业生产运作管理》，该书以营销服务、运行维护、网络建设为主线，以战略管理、人力资源、资金运作、信息管理、生产系统设计、生产与劳动组织、新业务开发等生产要素为支撑，比较系统地对电信企业的生产运作管理做了介绍。与电信网络相比较，由于有线电视网络的建设与发展起步较晚，加之广电系统本身的体制问题，有线电视网络运营在这方面的系统研究还比较少。

面对今天的“三网融合”环境与形势，有线电视网络公司的指导思想是什么？笔者认为是：以网络为基础，以业务为关键，以运营为保障，以服务为根本，以配套的生产要素为支撑，构造内部及外部和谐、通畅与高效运转的，满足产业价值链运营模式要求的企业生产运作体制与机制。

上述的“运营”包括业务运营和网络运营两个方面，这其中蕴含着一个核心的内容就是网络运行维护，它是保障业务服务质量和网络服务质量的关键所在。

要保障业务服务质量和网络服务质量，就要构建符合网络生产规律的高效与顺畅的网络运行维护体制与机制。于是，下面3个命题就自然提到我们面前：

首先，今天的有线电视业务与网络发生了和正在发生哪些变化？

其次，有线电视网络的生产规律是什么？

再次，什么样的网络运维体系才是高效与顺畅的？

一、有线电视网络正在发生的变化

今天的有线电视业务与网络发生了和正在发生的变化，可以简要概括为“三多、四高”。

1. “三多”

一是业务种类多。既有模拟广播电视、数字广播电视、数据广播、交互电视，又有基于交互电视平台的各种增值应用和信息服务，还有个人宽带、数据专线专网，以及正在兴起的 IP 多媒体通信、互联网视频、跨屏应用、物联网应用、云计算服务，等等。

二是网络专业多。既有模拟广播电视传输网、数字电视传输网、基于 CDN 的高清交互前端平台与基于 DWDM 的视频流传输承载网，又有数据 IP 城域网、MSTP 传送网，以及正在兴起的基于软交换或 IMS 的 IP 多媒体通信网。

三是网络元素多。过去我们的网络基本上是由前端、光缆线路、分前端和电缆分配网构成；现在，从分前端到用户，还有小区接入机房、无线基站、野外交接箱、野外机房、ONU、光纤收发器、无线基站、Mini CMTS、家庭网关、机顶盒，等等。

2. “四高”

一是业务规划、创意与运营要求高。业务的多样性与竞争环境的复杂性对有线电视网络的业务规划与创意水平、部署能力和运营水平都提出了较高的要求。

二是技术复杂度高。当前的高清交互数字电视系统，包括正在兴起的 IP 多媒体通信网络以及我们的综合业务支撑系统等，其技术复杂程度较过去的模拟和数字广播电视系统简直不可同日而语。

三是网络系统中软件占的比例与重要性越来越高。高清交互数字电视系统以及 IP 多媒体通信系统中的 CA、中间件、BO、CDN、开通授权、配置管理、安全管理、网络管理、软交换、IMS 等都是重要的以软件为主的系统。

四是运维水平要求高。这么多的网络专业、如此复杂的技术、规模庞大的网络元素，其对运行维护提出的要求同样与模拟和数字广播电视网络时代不可同日而语。

二、有线电视网络的生产特点

尽管有线电视业务和网络出现了上述“三多”和“四高”，但网络的生产规律是万变不离其宗的。

从网络本身来讲，我们可以按照“分层、分块、按条”3 个方面来了解和理解。

分层：就是在网络的垂直方向从下往上（如图 1 所示），第一层是由管线、线路、节点、机房及附属设施构成的基础设施网络；第二层是由基础设施网络资源和特定的附加传输设备构成的传输/传送网；第三层是利用传输/传送网的功能，通过增加特定的业务设备构成的业务/应用网；第四层是保证网络正常、可靠、安全、经济运行的网路支撑网；第五层是保证业务正常、有效经营的业务支撑网。

业务支撑网
网络支撑网
业务/应用网
传输/传送网
基础设施网

图 1　有线电视网的一种分层模型

分块：就是从网络的水平方向，网络可以分成总前端、干线传输网、HFC 接入网和用户终端系统 4 部分。

按条：就是从总前端到用户终端，网络可以按大的专业来划分，例如，总前端广播电视系统、总前端交互电视系统、电视干线传输与承载系统、数据干线传输与交换系统、机房动力环境系统、管道与光缆线路、电缆分配系统，等等。

有线电视网络不管怎么构成，但其生产规律具有如下3个鲜明的特点。

一是产品的非实物形态特点。网络生产只是实现节目、数据或信息预订场所的变更，并不改变原来的内容，产品是由业务表现出的一种服务。

二是产品的消费过程与生产过程不可分离特点。用户消费网络产品的过程不能脱离产品的生产过程独立进行。

三是全程全网与联合作业特点。实现节目、数据或信息的传递，需要构成网络的各个要素、实体或者单元共同参与并协作完成，任何一个环节出现问题都将会导致业务产品失效。

三、如何构建高效与顺畅的运维体系

有线电视网络的生产规律和特点，决定了下面4个方面的事情。

第一，网络运维组织体系应遵循的原则是“集中管理、统一调度，界面清晰、责任明确，全程全网、联合作业”。

第二，网络运维应贯彻的方针是“值检分开、管监集中、管维分离、技修联合”。

这两点给了我们两个重要的提示：一是网络运维工作原则上必须由一个主体实施集中与统一管理；二是运维工作的管理和生产要适度分离。我们还应该注意到，“体系”一词包含了体制与机制两层意思。所以，网络运维体系要由网络运维体制和机制共同构成。体制，就是涉及网络端到端运维工作的组织格局和制度；机制，就是网络运维各个主体的构造、功能及其彼此之间的关系，等等。

第三，构建高效与顺畅的网络维护体系还有3个要素：一是技术手段，即网络与系统的技术配置，重点是网络管理与监控监测；二是管理方法，即网络运维组织体系（体制与机制）；三是管理措施，即日常维护作业制度与规程，包括公司级的总体规程和部门级的专业维护规程两级。

第四，为了保证运维工作的高效运转，还必须建立两个体系和一个支撑环境。两个体系，即自下而上的请示报告体系和自上而下的指挥调度体系；一个支撑环境，是指要利用网络与信息技术手段建立保证这两个体系能够正常和高效运转的信息传递环境。

上述这四点是在“三网融合”环境下我们构建高效与顺畅的网络运维体系应该牢牢建立的观念和思想方法。在这当中，运维体制是最重要的，体制不顺，事倍功半。上面说到的有线电视网络的“分层、分块、按条”观点，可以为有线电视网络公司合理划分网络维护基本主体和构建完整与顺畅的网络运维组织体制提供参考。

四、网络运行维护管理规程和预案

下面谈谈有线电视网络运维管理规程和预案。

网络运行维护管理规程至少包含了“规章与程序”两层含义。由于各业务专业或技术专业网络系统包含的维护对象不同、技术特点与要求各异，所以每个专业网络系统运行维护管理规程涵盖的具体内容是不一样的。从总的架构上讲，一个专业网络的运行维护管理规程一般包括如下一些内容：

网络运行维护管理规程包含的基本内容

第一章　总则

主要阐述编制本规程的目的、适用范围、主要任务、基本依据等。

第二章　维护组织管理与职责

一般包括如下内容：本专业的维护组织机构与各自的职责；业务领导关系；维护界面划分。

第三章　维护工作基本制度

主要包括：岗位设置与各级岗位责任制度；值班与交接班制度；维护作业计划；请示报告制度；会议制度；技术档案与资料管理；安全管理。

第四章　设备管理

主要包括：设备及设备维修管理；仪表工具管理；备品、备件管理。

第五章　障碍管理

主要包括：故障分类；障碍受理与处理；障碍统计与报告。

第六章　业务管理

根据具体的专业，可以没有本部分内容。业务管理主要包括：业务的测试与开通；业务的关闭与恢复；新业务的开发与实施；业务服务等级划分与管理。

第七章　质量管理与考核

主要包括：本专业维护管理的质量指标体系；数据采集方法；质量指标统计分析；本专业的维护质量监督检查与考核办法。

第八章　学习与培训

主要包括：维护人员上岗培训要求；培训内容与培训计划管理；培训考核管理。

第九章　附则

如果需要的话，主要包括：本专业项目工程验收、割接与移交规定；本专业网络系统升级改造管理规定等。

附件：

一个专业网络的运行维护管理规程一般存在若干附件，这些附件主要包括：维护管理质量指标计算方法；各种维护报表格式；维护作业计划与执行流程；分类故障受理、通报与处理流程；本专业的应急处置预案。

预案，即预先准备好的处置方案，具体一点讲，是指根据预测，对潜在的或可能发生的安全事故的类别和影响程度而制订的应急处置方案。对有线电视网络运行维护与安全传输来讲，根据这一概念，预案本身应当具备 4 个基本特点：

其一，投入性。为了应对可能发生的安全传输事故，保证预案可以实施，需要事先在技术、装备、组织和人力等方面进行必要的投入。

其二，可选择性。简言之，一旦安全传输事故发生，至少存在一种备用方案可以启用而不影响网络的正常传输。可见，并不是所有的预案都具备这种特性。

其三，可操作性。所有的预案必须能够操作并付诸实现，而不能仅仅是一种方案，为此，必须对预案进行日常维护。

其四，可模拟性。即预案是可以模拟并进行演练的，当然并不是所有的预案都具有这种特性。

预案也可以分成狭义预案和广义预案两类。狭义预案最明显的特征是同时具备可选择性和可模拟性，实际上它是一种在技术上的备份方案；广义预案除了包含狭义预案以外，还包括所有安全传输事故的应急处理方案。通常所说的有线电视网络安全传输预案指的是广义预案。

和网络运行维护管理规程类似，有线电视网络安全传输预案也应分成两个层次：第一层次是有线电视网络安全传输总体预案；第二层次是各维护专业安全事故的具体预案，该预案实际上可以作为本专业维护管理规程的一部分。

在党中央的领导和要求下，2004 年以来，我国从国家、地方各级政府到各行业已完成了各种预案的研究、编制或修订工作，这对有线电视网络安全传输保障预案的编制提供了很好的参考与指导。所以，有关有线电视网络安全传输保障预案的具体编制，可以参照这些预案文本并结合有线电视网络的实际情况来进行。

五、结束语

谈到这里，我们不妨看一看关于“阿喀琉斯之踵”的故事。

古希腊神话中的阿喀琉斯是海神之子，荷马史诗中的英雄，传说他的母亲曾把他浸在冥河里使其能够刀枪不入。但因冥河水流湍急，母亲捏着他的脚后跟不敢松手，所以脚后跟是阿喀琉斯最脆弱的地方，一个致命之处。长大后，阿喀琉斯作战英勇无比，刀枪不入，但终于被人发现了他脚后跟的弱点。在特洛伊战争中，阿喀琉斯杀死了特洛伊王子赫克托耳，惹怒了赫克托耳的保护神阿波罗，于是太阳神阿波罗用毒箭射中了阿喀琉斯的脚后跟，要了他的命。

网络运维工作涉及安全，与服务质量紧密相关，在有线电视网络生产体系中是致命的一环，运维组织体制往往又是运维体系中“卡脖子”的环节。我们既不能让运维工作在整个有线电视网络生产体系中成为“阿喀琉斯之踵”，也不能让运维体制在整个网络运维体系中成为“阿喀琉斯之踵”。只要我们转变观念，与时俱进，顺应发展，开拓创新，把握好有线电视网络的生产规律，就能够构建起高效与顺畅的网络运行维护体系。

（作者单位：北京歌华有线电视网络股份有限公司）

版权技术保护措施和法制管理

王　莹　张金鑫

在互联网和数字技术迅速发展的今天，大量作品可以数字化、网络化，利用网络的便利，信息可以被公众迅速传播到世界各地。另外，新技术也为盗版和非法利用作品带来了便利，作者在一定程度上成了受害者。每年，因版权之争而产生的法律纠纷层出不穷。因此，加强版权保护，采取技术保护措施便是趋势使然，而技术保护措施也需要法律的保护和约束。

一、保护版权的技术措施简述

1. 技术措施的定义

技术措施又称作“版权保护系统”。根据《著作权法》（修订稿），技术保护措施是指权利人为防止、限制其作品、表演、录音制品或者计算机程序被复制、浏览、欣赏、运行或者通过信息网络传播而采取的有效技术、装置或者部件。

这种技术措施以技术对抗技术为核心思想，令使用者不能任意复制、发行、传播和修改，从而达到保护作品权利的目的。

2. 技术措施的分类

根据技术措施保护的对象不同、权利人的目的不同，权利人所采取的技术保护措施也有很多种，而且标准不同，分类也不同，但总的来说分为以下几类。

一是控制接触作品的技术措施。这种技术措施主要是防止他人未经版权人许可阅读作品或非法复制、下载、传播作品，以及使用计算机软件的技术。例如，日常生活中有线电视节目信号通常是经过加密处理的，用户只能通过付费购买能够解密的接收装置才能正常收看电视节目。

二是控制使用作品的技术措施。这种技术措施主要防止他人未经许可直接行使版权专有权利。具体又可分为控制单纯的使用作品行为的技术措施和保证支付报酬的技术措施。比如，版权人对网页进行加密处理，用户可以自由浏览但不能用通常方法下载或复制。此技术即为控制单纯的使用作品行为的技术。再如，某些软件在被使用通常方法成功下载后，可以正常使用一段时间，此后必须在网络上注册并付一定费用才能继续使用。这就是保证支付报酬的技术措施。

三是识别侵权行为的技术措施。这种技术主要暗含在一些数字化作品中，版权人可以据此鉴定作品真伪、识别作品和权利人。比如唱片公司可以将付费下载者的信息以某种技术措施加入音乐作品中，一旦该作品未经许可被传播复制，唱片公司可以查出是哪一位下载者非法传播。

四是控制传播作品的技术措施。此类技术措施主要是防止复制，包括电磁加密、掩膜技术加密等，或用软件方法进行磁道加密和扇区加密后，就无法用一般复制方法进行复制，使得访问者只能阅读而不能保存、复制与打印。

五是惩罚非法使用版权的技术措施。一般通过在作品内增设某个程序，当非法使用作品时，此程序启动运行，阻止用户继续使用，甚至破坏用户的使用设备。

二、技术措施的“软肋”

技术保护措施有力地保护了版权，在很大程度上杜绝了盗版和非法使用的现象，但技术措施不是万能的，也存在不足之处。

一是技术保护措施无法从根本上避免被非法用户使用反制技术攻克。发展一项技术保护措施需要大量的时间和资金支持，面对各种各样的反制技术，有时也不能应付。

二是市场调节失灵导致技术措施无效。一般来讲，市场调节手段是一种有效的保护技术措施的手段。在权利人与用户的关系中，如果用户发现作品使用的价格过高，权利人的市场就消失了，版权的技术保护措施也就没有了意义。

三是互联网技术和数字技术使得当今的侵权行为发生了显著变化，版权的技术保护措施满足不了保护需求。一方面，在先进技术的冲击下，版权人的发表权、署名权、保护作品完整权等人身权利以后也可能会受到侵害，而且侵权行为在网络的影响下更加迅速和扩大化；另一方面，有些人群或以破解版权人技术措施为乐，或为强行使用作品，或为追求经济利益等，使得侵权手段有智能化、产业化的趋势，给版权人造成了巨大的经济损失。

以上技术保护措施都有积极有效的一面，但当遇到上述“软肋”时，也显得无能为力，因此把技术措施纳入法律保护的范围，赋予版权人和其他相关权利人技术措施。这一点在《著作权法》（修订稿）中有所体现，但仍有不足之处。

三、版权保护的技术措施的不利影响

版权保护的技术措施有效保护了权利人的利益，有力规范了用户的行为，但也对公众利益产生了消极的影响。

一是技术措施侵占了公有领域。任何人都可以自行使用处于公有领域的作品，但是技术措施有可能让一些版权管理者打着版权保护的旗帜对进入公有领域的作品进行侵占，造成信息垄断，损害公众的信息来源。

比如将盗版用户的整个硬盘“锁住”，使用户无法对计算机进行任何操作。显然，此举有可能危害用户的信息安全，超出了版权保护的必要限度，从而演变为对盗版用户的惩罚。又比如当作品过了版权保护期后，版权人仍然通过技术措施控制公众使用该作品，即构成了公有领域的侵占。

二是对合理使用的限制。公众享有对社会信息的知悉权，然而各种技术保护措施使得对版权的保护“一刀切”，无论法律允许还是禁止的使用行为都被排除在外，让合理使用者成为版权保护的牺牲品。比如，公众在进行反向工程研究、个人欣赏等合理使用时，由于技术保护措施，使得接触作品的机会丧失了，合理使用版权也就变得困难重重。

三是威胁个人隐私。很多技术保护措施要求用户注册个人信息才能正常使用该作品。这使得用户的个人信息被轻易收集到，可能被用于商业用途。比如，当今人们经常收到垃圾短信、骚扰电话等，很多都是版权保护的技术措施带来的弊端，使得用户隐私受到严重影响。

版权保护的技术措施带来的消极影响还有很多其他方面。版权所有者需要培养清醒的认识，只有采取适当的技术措施才是与市场相适应的、符合公众利益的保护手段。

四、对版权保护的技术措施的法制管理建议

上述文章既分析了版权保护的技术措施的不足之处，又分析了技术措施对公众利益的消极影响。可见，版权保护的技术措施是一把“双刃剑”，既需要法律的保护，也需要法律的规范，因此合理的法律管理措施显得尤为必要。

1. 将对版权保护的技术措施尽快纳入法律

目前适用的《著作权法》只有对技术措施法律责任规定的条文，而没有关于技术措施的规定性条文，只有在《信息网络传播权保护条例》等行政法规中有规定，应当将此纳入法律。笔者欣喜地看到在《著作权法》（修订稿）中已有体现，但内容还是偏少。

2. 应统一权利主体方面的规定

笔者注意到《信息网络传播权保护条例》把权利主体定在了著作权人、表演者、录音录像制作者上，而未扩及其他作为信息提供者的相关权利人，显然带有局限性。不过，《著作权法》用了“著作权人或与著作权有关的权利人”是较为全面的说法。

3. 应当对技术措施的有效性作出明确规定

由于社会公众破解技术措施的能力不一，因此，有些专业技术人员无法对作品进行保护，也就无法确保技术措施的有效性。法律应当对技术措施的有效性进行明确规定，应将其标准定在普通的网络使用者而非专业技术人员，并且应当针对作品的正常操作过程。这一点在《著作权法》中没有体现。

4. 避免技术措施的滥用

明确权利人滥用技术措施侵犯公众利益的法律责任。此意即是，当保护版权的技术措施被权利人滥用时，法律应当有相应的责任约束。比如，某些权利人的版权受到侵害时，其会在作品中加设惩罚性的技术保护措

施，从而干扰甚至损害用户的计算机，严重时会危及网络安全。因此，法律应明确任何技术保护措施的使用都不得侵害公共利益，损及消费者权益，并对这种行为给予禁止性规定，同时给予责任处罚规定。遗憾的是，这一点在《著作权法》（修订稿）中也未提及。

5. 版权人需注意的技术保护措施相关信息

法律应当规定，在版权保护期满时，版权人应当主动提供技术保护措施的破解或规避方法。这是权利人在享受版权保护的同时应尽的义务，也是顾及公众利益的行为。这一点在《著作权法》及其修订稿中均未体现。

6. 法律应当规定可以避开技术保护措施的情形

这一点是从技术保护措施的合理性使用角度考虑的。法律对非商业性的破解或规避技术保护措施的行为不应限制，而对商业性的破解或规避加以严格限制。比如，对图书馆、科研机构及反向工程研究、政府执法活动等非商业性活动，权利人应允许其不受限制地使用作品。因此，合理的技术保护措施使用制度应当平衡权利人和社会公众利益。可喜的是，这一点在《著作权法》（修订稿）中有明确的规定。

7. 应当限制利用技术保护措施随意收集用户个人隐私信息

当前，利用技术保护措施收集的用户隐私包含很多与版权保护无关的信息，比如收集用户的出生年月、年收入等，很明显侵犯了用户的个人隐私。因此，法律应当规定，技术保护措施只能收集与版权保护有关的信息，同时应当向用户表明信息的用途，并确保信息安全。

（作者单位：北京市昌平区广播电视中心）

办公室管理信息化之探索与研究

李晓晖

一、办公室管理信息化的历史沿革

伴随我国经济的飞速发展，信息化管理越来越凸显其在组织的日常管理中的重要作用。而作为一个组织日常运转的核心保障部门——办公室，在信息化进程中更是扮演着首当其冲的重要角色，因此，办公室的管理信息化近年来已越来越成为一个重要的研究课题。

所谓办公室管理信息化，就是在办公自动化的基础上，政府、企业、学校、军队等各种组织机构运用现代计算机和网络技术，以办公为目的、以网络安全为保障，把办公室所承担的各项传统职能转移到网络上并进行相应的信息化扩展。

（一）发展背景

信息技术的发展为组织变革提供了物质技术基础和手段，它能够在极短的时间内以最低廉的费用和最准确的结果去处理和传递大量复杂的信息。注重信息化的运用与实施，是时代发展的要求，也是组织适应信息时代及网络经济下市场竞争环境的需要。

传统的办公模式，主要以纸介质为主进行大量文件的处理，多指文字处理系统、轻印刷系统、文档管理系统，这种模式较难实现信息的共享、交换和传递，无法实现组织内部的协调，难以对音视频等多媒体信息和超文本信息进行有效的处理。信息技术的发展引发了办公领域的一场革命，以纸质、手工为主体的传统办公方式，越来越受到以计算机为主体的新技术的冲击，人们也从依靠纸张传递信息发展到了网络信息时代，办公模式逐渐从纸质办公演变为半信息化、信息化管理的无纸办公。通过计算机技术，使组织内部人员方便快捷地共享信息、高效地协同工作，提高了群体工作效率。改变过去复杂、低效的手工办公方式，实现迅速、全方位的信息采集与信息处理，为组织的管理和决策提供科学的依据。

我国的办公室管理信息化建设起步较慢，经历了较长的发展阶段。从单机版的办公应用软件到如今建立了办公网络，着手开发或使用针对业务定制的综合办公系统，办公管理的信息化建设正逐步完善。但纵观其发展历程，这仍然是一个艰辛漫长的过程，任务也依然艰巨。

（二）重要意义

在办公室内部推行管理信息化对于办公室的日常工作与管理有着重大意义，组织可以依靠办公室的信息化管理进行办公用品的发放与管理、会议室的安排与组织、内部信息的共享与传递等，能够极大地节省办公室员工的工作时间，提高工作效率。而对于办公室以外的其他部门的员工，办公室的信息化管理有利于大家及时了解信息和进行上传下达、对工作进展进行关注和跟踪、实施有效的任务分配与沟通、管理办公用品的及时发放与使用等，也在很大程度上减少了业务审批时间，使员工更有效率地投入到生产工作中。办公室的信息化管理使人们再也不用耗费大量时间和精力去手工处理烦琐、重复的工作，同时也避免了手工处理的延时与差错，大大解放了人的想象力、创造力和生产力。

可以看出，在组织中推行办公室的管理信息化具有多方面的重要意义。

（1）有助于降低管理成本，激发个体创造力，可以扩大办公区域，实现工作流程、知识管理的自动化，实现协同办公和辅助办公，等等。

（2）有助于构建和谐的办公环境，实现单位内外信息传递、工作日程安排、团队协同合作以及办公效率和管理水平的提升，改善经营管理手段，提高管理水平，增强组织的竞争力。

（3）有利于经营者和管理者在行为方式和思维方式上的提高，可以改变组织经营中存在的如经营和管理方式不规范、不严谨、缺乏全局观和系统观、人为因素太多、变化不定等问题。

二、北京人民广播电台的实证研究

北京人民广播电台办公室是全台的综合系统，承担着全台的承上启下、连接左右、服务全局的重任。办公室的职责主要是参与政务、管理事务、搞好服务。办公室是保证全台工作正常运转和日常运转的日常办事机构，是协助领导及其他部门处理政务、管理事务、搞好服务的综合职能部门，是联系全台广大干部职工及社会各界的重要窗口，是全台各项工作运转的中枢。

如何提高日常的办公效率，是办公室管理的核心问题。近年来，北京人民广播电台办公室一直在探索管理信息化的方式、方法，并在“办公用品管理”和“会议室管理”这两个方面进行了初步尝试，简要介绍如下。

（一）办公用品管理的信息化探索

1. 办公用品管理的现状

办公用品是一个组织开展各项工作不可或缺的组成部分，但对办公用品的传统的人工管理方法存在效率低、信息传递慢以及查找、更新、维护、统计难等缺点。虽然在办公室的内部管理中已通过用友等软件实现办公用品管理的信息化，但办公室与台内其他部门之间仍停留在纸上办公的阶段，存在以下几个问题。

（1）申请过程复杂。在办公管理过程中，最重要的因素是“信息”。而在以往的管理流程中，当某个部门需要申请领用办公用品时，需要手工填写申请单，然后逐层寻找相关负责人进行审批。在此过程中，由于主客观的因素，可能导致等待时间长、审批过程复杂等情况。

（2）信息沟通不顺畅。办公室很难及时了解其他部门的需求，很有可能出现各部门申请的办公用品缺货，或临时的库存改变而导致需求无法满足的情况，效率较为低下。

（3）统计信息困难。办公用品的库存情况、各部门的使用情况等统计信息的查询相当复杂，需要计算、查看繁杂的纸面信息，且存在出错率高等缺点。

（4）审批不规范。在传统的办公方式下，可能存在当某人急需使用办公用品时，越过部门领导直接到办公室申请领用的情况，从而造成了审批、控制等程序的不规范。

因此，我们迫切需要建立一个新的系统改变过去传统办公方式所带来的问题，更有效地进行办公用品管理。

2. 办公用品管理系统介绍

北京人民广播电台办公用品管理系统正是为了解决以上问题而建立的新

系统。它可以对办公用品的入库、出库、领用和库存等基本情况进行查询和管理，通过记录办公用品流通的全过程，实现办公用品管理的系统化、规范化和自动化。北京人民广播电台办公用品管理系统根据用户权限可分为各部门领用员、部门审批人、办公用品管理人员等几个层级。用户根据所属权限登录系统进行相关操作。如领用员可以进行办公用品的领用申请，部门审批人可以对领用员的申请进行审核，审批通过后提交办公室进行审批及发放。

系统主要功能如图 1 所示：

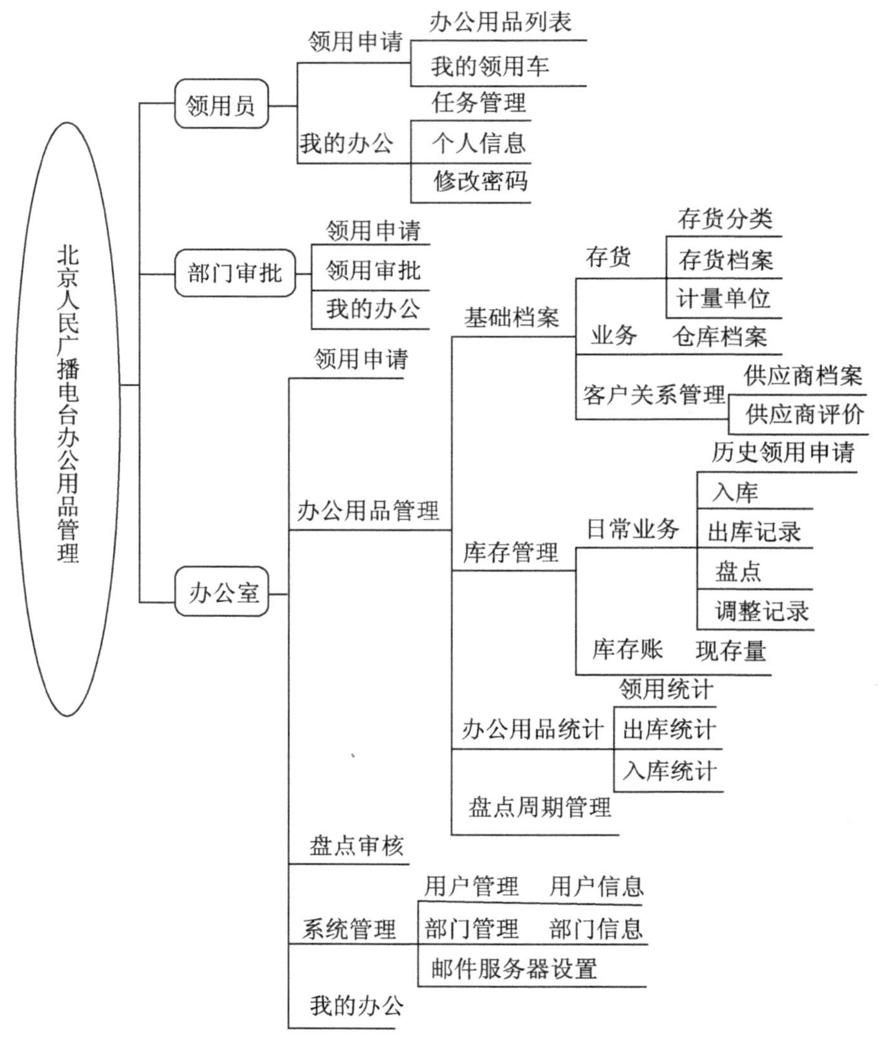

图 1　办公用品管理系统主要功能

北京人民广播电台办公用品管理系统具有多用户权限管理、树状信息浏览、功能完善、操作简便等特点。

（1）当用户权限是领用员时，可对办公用品进行领用申请。此时系统分为“领用申请”和“我的办公”两个模块。领用员可以在办公用品列表中，查看所有办公用品的信息，并且将需要的办公用品加入领用车。在领用车中，领用员还可以修改领用的数量。修改完成后，提交领用申请单。

（2）当用户权限是部门审批时，不仅可以执行领用申请操作，也可对领用员申请进行审批。此时系统主要模块仍为“领用申请”和“我的办公”。但增加了审批申请功能。在“我的办公”里可查看我的待办任务以及我审批过的任务。

（3）当用户权限是办公室办公用品管理人员时，不仅可执行领用申请、申请审批操作，还可对办公用品进行管理。包括了基础档案（存货、业务、客户关系管理）、库存管理（日常业务、库存账）、办公用品统计以及盘点周期管理等操作。

3．办公用品管理信息化的意义

办公用品的信息化管理，记录了办公用品申请、审批的全过程，使审批程序更加规范，有助于部门领导通过统计功能随时掌握办公用品的使用和动态情况。同时也有利于信息的沟通与交流，极大方便、简化了办公程序。

此外，还可以减少很多人工操作带来的不必要错误，解决当前办公用品管理繁杂工作所带来的问题，提高办公用品的管理效率，减少许多额外开支，达到协同工作的目的。

（二）会议室管理的信息化探索

1．会议室管理的现状

在日常工作中，经常会有各种会议需要进行。而目前绝大多数的会议管理还处于手工工作状态，效率低下，不能及时准确地掌握各个会议室的空闲/预订情况，难以满足目前的会议需求，而且容易出错，不利于管理。在传统的办公方式下，会议室管理存在的问题主要有：

（1）预订难。会议室管理人员无法及时查看会议室的使用情况，会议组织人员需要经常与会议室管理人员沟通联系，选择空置且合适的会议室，因而造成了会议室的预订困难。

（2）信息沟通难。会议室的预订情况因主客观因素发生变化时，会议室管理人员无法及时与原预订对象沟通联系，造成了信息沟通困难、会议时间冲突等后果。

（3）服务不到位。当会议组织方需要会议室管理人员提供额外服务时，如横幅、鲜花等，需要通过打电话或者当面沟通的方式进行申请，效率低下，也容易遗忘或遗漏，使得会议室对各使用部门的服务难以到位。

（4）统计难。会议室的相关统计信息，如使用频率、设备使用情况等，都需要通过手工操作来完成，无法及时迅速地获取统计信息。

2. 会议室预订系统介绍

会议室的内部管理及自我完善不容忽视，北京人民广播电台会议室预订系统主要就是为了解决上述问题而设计的，该系统通过对会议室的查看、添加、预订和统计以及设备的基本情况进行查询和管理，从而实现会议室的规范化、信息化管理。

会议室预订系统的主要功能如图2所示：

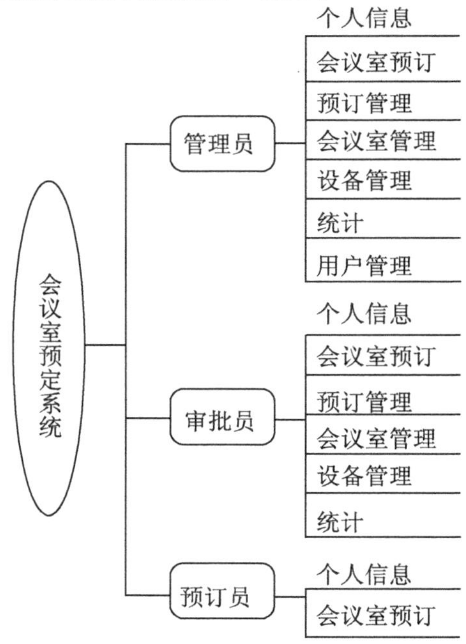

图2　会计室预订系统的主要功能

系统分为预订员、审批员及管理员 3 个权限。

（1）当用户是预订员时，可以在会议室列表中查看会议室的详细信息，并进行会议室的预订。

（2）当用户是审批员时，除了可以进行会议室预订操作之外，还可以对预订员的预订申请进行审批，并且对会议室及设备进行添加和管理。

（3）当用户是管理员时，除了可以进行以上操作，还可以进行更多的管理工作。例如，对用户的权限进行更改；当会议室的设施发生变化时，管理员可以及时在系统中进行调整，让会议室的使用人员及时得知会议室的设施变化；当会议室预订情况发生冲突时，管理员也有权做最终的判断。

3. 会议室管理信息化的意义

会议室的信息化管理有助于节约资源，提高各部门会议的效率。会议组织者只需要登录系统便可以随时了解每个会议室的当前状态和预订情况等，节约了时间和成本。另外，通过对会议室的预订和使用进行规范化管理，可以避免资源冲突，减少很多人工操作带来的不必要错误，提高会议室的管理效率，同时达到有效进行办公管理的目的。

（三）经验总结

通过办公用品管理和会议室管理的信息化探索，并结合各部门的有益意见与反馈，笔者总结了办公室管理信息化工作的几点经验，如下：

（1）管理信息化应该“从需求出发”，针对管理中的问题、不足下手，真正为组织解决问题。所以，在策划过程中要真正深入一线，听取最终使用者的意见与建议，才能将系统设计得尽可能完善。

（2）管理信息化是一种变革，而这种变革首先是“头脑”的变革。虽然传统的管理方式有各种不足，但它已为大多数人所习惯，要打破这种习惯，需要“头脑”的变革。一定要充分认识到改变的难度，并想办法克服人们的思维惯性与打破常规时所必然会遇到的不理解、不习惯等抵触情绪。

（3）管理信息化需要在实际应用中不断发展、进步和优化。管理信息化还是一个新兴事物，没有绝对完善的系统和先例可循，需要在实践中不断完善。

北京人民广播电台办公室的管理信息化探索虽然迈出了第一步，但还是在摸着石头过河，需要在不断的实践中总结经验，为今后的工作奠定更加坚实的基础。

三、未来的发展思路

（一）办公室管理信息化的发展趋势

办公室管理信息化的发展经历了数年的演变，已经从最初只能提供简单的收发公文、电子邮件等基本功能发展成为与办公业务结合越来越紧密的综合平台，但总的来说，还很不成熟。结合当前的技术现状，办公室管理信息化主要呈现以下发展趋势。

1. 围绕客户的需求进行处理

办公室管理信息化系统应基于用户的需求进行设计与开发，过于“花俏”或许多无用的功能将会造成系统利用率大大降低，也不能很好地解决组织真正的业务需求和管理需要。因此，办公室管理系统在未来的发展道路中，应更加重视用户的满意度和实用性，真正急用户之所急、想用户之所想，贴近最终用户的需求。

2. 在追求人性化与个性化的同时，推崇平台化设计

随着组织办公需求的不断扩展，对办公室管理信息化系统的需求也日益加大，同时各组织的内部情况不同，业务和需求也不尽相同。因此，在开发办公室管理系统过程中，应根据不同用户的个性化需求进行设计，遵循个性化和人性化设计的原则。另外，系统在设计时，应推崇平台化创建，基于平台能快速进行二次开发和扩展，降低技术难度和开发周期，提升系统的质量。

3. 移动办公和协调办公

移动办公是基于移动通信平台开发的现代电子办公系统，在未来的发展中，办公室管理信息化系统应能与各通信平台整合，在任何时间、任何地点都能随时随地、随心所欲地办公。同时，未来的办公系统还将搭建高效的协同办公平台，实现同其他信息资源的有效融合，更加智能地为组织提供决策依据，彻底解决信息“孤岛”的问题。

4. 知识化

知识管理是一种全新的经营管理模式。它是以组织的网络和信息系统

为基础，发现和整理已经获取的知识，并通过协作和培训传递、利用这些知识，建立知识门户和快速响应系统。而所谓办公系统的知识化，就是将办公系统与知识管理相结合，将知识管理的思想融入到日常的办公协同平台软件中，同时整合以团队协作和项目管理为目标的沟通协作软件。知识管理是新一代的办公软件区别于传统办公软件的特征之一，能够摆脱烦琐而复杂的事务性工作，一定程度上提升了业务效率。

（二）管理信息化系统的易用性和通用性

办公室管理信息化系统在推广过程中，一定要关注软件的易用性和通用性。

1. 易用性

易用性可以从以下三个方面进行评估，即易理解性、易学习性和易操作性。易理解性是指软件开发过程中所有的文档语言简练、前后一致、易于理解且语句无歧义，用户易于理解软件的逻辑概念及其应用范围相关的软件属性；易学习性是指软件的用户文档、使用手册内容详尽、结构清晰、语言准确，易于用户学习软件及相关的软件属性；易操作性是指软件的人机界面友好，界面设计科学合理，操作简单，易于用户操作和控制。

由于当前办公室管理人员的年龄参差不齐，还有很多人已经习惯了传统办公、纸质办公模式，所以，如果管理信息化系统不能做到“易用”，则必然会在推广过程中遇到较大阻力，也难以顺利地被人们接受。

2. 通用性

通用性是指产品对于各部门基本需求功能能够做到一般性的基本通用的满足。对于组织来说，选择一套有助于提升办公管理和办公效率，能从中获益的软件产品是极其重要的。通用性的办公管理系统开发周期短、花费少，如果需要对现有系统进行再开发和扩展，则有助于组织掌控开发进度，定制新功能，增强系统的适应性。

办公软件的易用性和通用性体现了不同的设计理念，只有真正以客户为导向，才是真正符合市场要求的产品。在未来的发展过程中，组织应根据自身的实际情况，选择适合的办公管理系统。

（三）“随时随地、随心所欲”的“一网化”管理愿景

关于办公室管理信息化的愿景，有三个关键词：随时随地、随心所欲、一网化。

1. 随时随地

未来的办公室管理信息化，应该是“跨平台、多终端”的。任何相关人员，使用计算机、手机、平板电脑等都可以登录系统进行操作，任何时间、任何地点，有网络的地方就可以使用系统。

2. 随心所欲

未来的办公室管理信息化，应该能够囊括管理的方方面面，使相关人员足不出户，动动手指即可完成所需操作，进行及时的沟通与交往。

3. 一网化

“一网化”，是指所有信息化管理内容，都汇聚到一个平台上，使用用户组及权限来区分每个人能够参与到的内容，使得所有管理事项融会贯通，一网实现。

想象一下，在未来，您只要动动鼠标，您需要的办公用品就会送到您的面前；

想象一下，在未来，您可以坐在椅子上，安排好每一次部门会议；

想象一下，在未来，您可以在出差的车上使用手机来向同事上传下达最新的信息；

想象一下，在未来，您可以在网上预约药品、查询公文进度、提出培训申请、发布内部制度、预订车辆……

未来，信息化管理将逐渐取代传统的办公室管理模式，给员工创造高效、通畅的办公环境，使办公室的职能更加充分地发挥出来。

（四）未来纳入信息化管理的项目思路

通过不断地探索和实践，当前的一些办公室管理工作还将逐步纳入信息化系统的的范畴中，主要的项目思路包括：

（1）工作任务的传达、完成情况的跟踪系统。使领导和各部门同事间可以反馈、了解正在进行的工作、最新的任务，以及所有工作的进行及完成情况。

（2）车辆管理。使车辆管理部门及使用部门清楚了解车辆的使用情

况，进行车辆的预约和安排。

（3）驾驶员管理。

（4）医务室使用的平台，如药品领用等。

（5）公关科的接待信息管理。

（6）固定资产的采购、租赁、资产的后续分析系统。

（7）公文系统。可以让各部门及时了解最新的公文，以及本部门公文的当前状态。

（8）领导服务。

（9）保卫部使用的系统。保卫部可以利用此系统进行工作安排、情况反馈。

（10）培训情况平台。员工可以在平台中提出培训需求，反映培训情况。

（11）内部规章制度发布及反馈。及时发布规章制度，并收集用户对相关制度的反馈意见。

（五）良好的发展节奏

在管理信息化的发展过程中，应该循序渐进，一步一个脚印向前推进，把握好发展的节奏，使员工逐步适应，逐步接受，逐步熟练使用。笔者认为构建办公室管理信息化项目时，可参照以下步骤进行：

（1）在组织内部构建通信平台，工作人员之间建立网上信息交流和初步的网上协同工作。

（2）对办公室内部人员首先进行管理信息化的意识培养与技能培训，在办公室内部人员的信息化管理水平普遍提高，基本建立起网上协同办公意识后，在办公室内部开始完成一些日常工作流程的系统化处理，如会议预订、办公用品管理、公文审批以及各部门的日常业务处理等。

（3）在办公室对外管理上，本着先小后大的原则逐步铺开。先选择一些影响小、见效快的系统进行改造，一方面促进员工信息管理意识的提高，另一方面积累信息化工作的经验。

（4）从领导开始，逐步统一认识，确立信息化管理的意识和习惯，从而克服大家在传统习惯中转型的困难。

总之，办公室的管理信息化对组织的发展起到了重要作用，也是未来的大势所趋。目前，北京人民广播电台办公室已经在这方面作出了一些努力，积累了一些经验，但距离真正的信息化之路仍然任重而道远，尚需不断尝试、不断努力，争取利用信息化的武器更好地为全台做好服务工作！

（作者单位：北京人民广播电台）

北京广播影视发展研究
文集
（2012年）下册
管理篇

建设世界城市，打造“影视之都”

索宇琴

建设世界城市已成为北京市未来发展的新目标。世界城市是国际大都市的高端形态，对全球的经济、政治、文化等方面有重要的影响力。世界城市是在全球经济一体化，可持续发展为世界人民共识的形势下对科学发展观的落实，也是北京发展与时俱进的必然趋势。建设世界城市对北京影视文化软实力的提升提出了更新更高的要求，这就决定了北京也必须以世界城市的定位和目标来推进自身的影视文化建设。北京应当抓住有利时机，打造“东方影视之都”，全面提升影视影响力、竞争力和交易能力。

一、北京建设世界城市的文化战略意义

世界城市又称全球城市，它是指在社会、经济、文化或者政治层面直接影响全球事务的城市。但是，迄今为止，在学术界尚未形成关于世界城市的标准定义。目前，世界公认的世界城市有纽约、伦敦、巴黎、东京。它们具有如下特点：世界经济组织高度集中的控制点、金融机构和专业服务公司的主要集聚地、高新技术产业的生产和研发基地、产品及其创新活动的主要市场。

时代的发展需要北京建设成为国际一流水平的世界城市。2008 年奥运会使北京收获了“人文北京、科技北京、绿色北京”三大理念，北京已进入了全面建设现代化国际大都市的新阶段。在三大理念当中，人文北京是核心，是灵魂。在“人文北京”的建设中，影视文化承担着提升文化软实力的重要使命，对于深刻体现“人文北京”的内涵，进一步深化“国家首都、文化中心、世界城市、宜居城市”的城市定位，彰显世界城市的文化魅力、影响力和吸引力，具有不可替代的重要价值。影视文化产业是中国

文化产业发展与文化大发展、大繁荣战略的重要组成部分，也是世界各国加强“软实力”建设的核心内容。全面提升北京影视影响力、竞争力和交易能力在北京“人文北京”建设中具有极为重要的战略地位。

二、北京建设世界城市的影视文化优势

解放和发展文化生产力，是以胡锦涛同志为总书记的党中央高瞻远瞩，为促进我国经济社会在更高起点上又好又快发展的战略性举措。近年来，在中央精神的指引下，北京市委、市政府高度重视文化事业的发展。在大力推动文化事业繁荣进步的同时，不断深化文化体制改革，完善影视文化产业政策，使影视文化产业保持了良好的发展势头。

1．北京具有推进影视文化发展的优势和条件

作为全国的文化中心，北京是世界闻名的古都和历史文化名城，数千年来文脉绵延不断，底蕴深厚。其3000多年建城史和800多年建都史留下极为丰富的历史文化遗产，融合了我国不同历史时期、众多民族的优秀文化，是中国及东方几千年古老文化的浓缩和典型代表。这些丰富的历史文化底蕴，使北京有了自己独特的符号，有了可供挖掘的历史文化资源。除了丰富的历史文化遗产外，北京也是现代文化与传统文化、中国文化与世界文化的融合与交汇之处，聚集了全国一流的影视文化机构和影视文化人才。北京拥有的历史文化资源、影视制作资源、创意人才资源为推进北京影视文化发展提供了保障。

2．北京的创新能力全国领先

北京作为首都，其地位及竞争力在全国具有其他城市无可比拟的优势。北京实施首都创新战略，建设创新型城市，是国家创新体系建设的重要组成部分。2006—2007年度中国城市创新能力综合测评结果显示，北京在地级以上城市排名中位列第一，成为综合创新能力最强的城市。近年来，北京教育投入持续快速增加，教育普及水平不断提高，这就为加快培养具有创新精神和实践能力的人才包括影视文化创新人才提供了前所未有的有利条件。因此，北京各类人才荟萃，影视文化创新事业能够便捷地获得高端创新人才的智慧、才华和技巧，构成推进影视文化持久创新的动力源。

3. 北京影视文化优势凸显

“十一五”期间，全市创作生产的600多部电影取得放映许可证，300多部电视剧取得播出许可证，生产动画片60余部。优秀文艺作品大量涌现，在中国电影“华表奖”、电视剧“飞天奖”等国家级重要奖项及国际评奖中屡获殊荣。在中宣部组织的第十届、第十一届精神文明建设“五个一工程”奖评选中，共有电影、电视剧、动画片、歌曲、广播剧、戏剧、文艺类图书7个艺术门类的25部作品获奖，获奖作品数量居全国之首。影视文化品牌活动精彩纷呈。北京国际电影节、北京大学生电影节、青少年公益电影节、北京国际文化创意产业博览会、首都电视节目推介会等影视文化活动树立了良好的影视文化品牌。在新的历史条件下，北京作为文化“首善之区”的优势，是其他城市所不具备的。北京市按照科学发展观的要求，抓住历史机遇，大力发展文化创意产业，具备了建设“东方影视之都”的产业基础、资源基础、技术研发、创意储备等有利的内外部环境与优势。

三、北京建设世界城市的现实基础与差距

目前，北京的影视文化事业已经有了长足的发展，取得了显著的成就，进入了一个重要发展阶段。但是，与建设“人文北京”的具体要求相比，北京影视业对于北京市整体发展的贡献率还不高，文化短板效应明显，存在着诸多不平衡、不协调，引领性、影响力不足。

1. 竞争力、影响力应当加强

北京影视产业在全国虽有一定的引导性，但在全球性大都市的视野中，与纽约、伦敦、东京等世界城市相比，北京影视产业在塑造、展现城市形象、文化魅力与人文特色方面还存在较大差距，具有巨大国际影响力的影视文化内容与活动还比较缺乏，距离国际性文化中心所具备的文化软实力、竞争力、影响力还有较大差距，需要进一步提升。

2. 本土影视文化要加以保护

在文化的全球化发展中，北京文化在经受着本土与外来文化的博弈。文化霸权、文化殖民扩张、文化倾销现象是不争的事实，“文化安全”已经成为一个引起关注、影响持续的理论与现实话题。作为正在建设世界城

市的文化名城，北京处在全球化带来的各种文化挑战的最前沿，西方文化产品、文化资本、文化价值观念等都对北京文化的发展带来巨大冲击。美剧、好莱坞大片等，以西方文化为主的异域文化强烈冲击着北京的本土影视文化，并在一定程度上改变着人们的生活方式。如何保护本土影视文化的安全，是建设世界城市必须要注意的问题。

3. “走出去”能力有待提高

目前，北京已经进入了后工业化发展时期，面对城市化、信息化进程的加快，生产型、知识型服务业需求的有效扩大，对北京影视文化服务外销能力提出了更高的要求。从国际来看，北京影视文化产品和服务的出口竞争力不强，文化贸易逆差严重。目前虽然已涌现出一批全国知名的影视文化企业，但从数量、规模、经济效益等各方面来看，都与发达国家和地区存在很大的差距，缺乏具有较强竞争力的大型跨国企业集团，难以带动整个行业的发展和国际化整体水平的提高。北京影视文化的资源优势远未转化为产业优势，如何采取有效措施使北京影视文化“走出去”，是实现世界城市目标的严峻问题。

四、北京建设世界城市的影视文化发展路径

西方国家凭借着发达的影视文化产业，在行销各类影视节目的同时，也在积极传播着它们的价值观。中国影视业不仅承担着满足本国人民群众文化需求的基本功能，更肩负着捍卫国家文化安全的重要职责，肩负着通过影视产品的全球传播实现传播中国文化、提升国家文化软实力与影响力的重要使命。因此，建设世界城市就要积极应对全球影视业的竞争与挑战，这既是影视文化产业全球一体化时代必然的发展趋势，也是国家文化战略的重要组成部分。

1. 发挥北京资源优势，打造“东方影视之都”

充分发挥首都人才荟萃、资源丰富的文化优势，大力促进北京影视业在规模、结构、效益和质量等方面协调发展，创新精品产出机制，加快影视文化从北京制造向北京创造迈进，搭建国际影视文化交流平台，探索北京影视文化全球传播的长效机制，提升首都文化的影响力、竞争力，做大做强北京影视业，开创首都社会主义文化大发展、大繁荣的新局面，打造

具有国内第一、亚洲领先、世界一流的“东方影视之都”，为建设最具人文关怀、文化魅力、文化创造力与重要国际影响力的世界城市贡献力量。

2. 调整产业结构，培育龙头企业

完善产业链，培育市场主体。推动跨国、跨地区、跨行业的资本重组与联合，加强影视文化创意产业市场主体建设。按照现代企业制度的要求，重点培育1—2家能够占据国内主流市场、参与国际竞争、具有全球影响力的大型影视龙头企业；培育5—10家在国内具有较大影响力的大中型骨干企业。形成具有较强竞争力、传播力、创造力的北京影视文化企业群，巩固国内市场，进军亚洲市场。

3. 主动培育国际市场，积极加强对外传播

结合大型国际文化交流活动和各类国际影视节展，有计划、有步骤、有主题地在境外积极开展影视文化产品的相关展映与推介活动。一方面通过合作拍摄，参与国际展映和交易，主动培育国际市场。另一方面，重点培育建设港、澳、台地区与世界华语地区两个文化辐射圈的市场，通过成规模地介绍、传播具有中国文化特色的影视精品，建立中华文化的渊源与联系，增强二者对于亚洲和欧美主流市场的中介与桥梁效应。

（作者单位：北京市广播电影电视局）

增强文化自觉自信　推进电影公益事业

杨永安

党的十七届六中全会强调，要“发展面向现代化、面向世界、面向未来的，民族的、科学的、大众的社会主义文化，培养高度的文化自觉和文化自信，提高全民族文明素质，增强国家文化软实力，弘扬中华文化，努力建设社会主义文化强国”。

当今世界正处在大发展、大变革、大调整时期，文化在综合国力竞争中的地位和作用更加凸显，文化越来越成为民族凝聚力和创造力的重要源泉、综合国力竞争的重要因素和经济社会发展的重要支撑。在坚持以经济建设为中心的同时，还要进一步推动文化建设与经济建设、政治建设、社会建设以及生态文明建设协调发展，为继续解放思想、坚持改革开放、推动科学发展、促进社会和谐提供坚强思想保证、强大精神动力、有力舆论支持和良好文化条件。

作为公益性文化事业单位，作为全国唯一的国家级电影专业博物馆，中国电影博物馆更应责无旁贷地按照社会主义先进文化建设的要求，加强文化建设，尽心尽力为创造中华文化新的辉煌服务，为推进首都文化改革发展，加快实现文化大发展、大繁荣作出自己的贡献。

一、增强文化自觉自信，积极主动地设定中国电影博物馆文化建设的目标任务和发展战略，着力构建自身的公共文化服务体系

2011 年，我国国产故事片产量达 558 部；全国新建影院 803 家，新增银幕 3030 块，平均每天增加 8. 3 块；全国城市影院数量突破 2800 家，银幕总数达到 9200 多块；全国电影票房收入 131. 15 亿元。这些数字都描绘

出我国电影大国的地位。但是也应注意到，我国距离电影强国还有很大的差距。仅以票房收入为例，自 2008 年起连续 4 年，国产片的市场占比一路从 60.80% 下跌到 53.60% 。

作为国家级公益性电影文化设施，中国电影博物馆在建设“中国电影文化精神家园”、推进我国由电影大国向电影强国迈进的过程中发挥着重要作用。一方面是扩大“电影影响”的工作，推介好、传播好、宣传好优秀国产电影，把中国优秀电影文化展示给广大人民群众和世界各国，扩大中国电影的影响力、传播力。另一方面是开展“影响电影”的工作，反映观众对电影创作、拍摄、制作、发行的需求和意见，推动国产电影质量持续提高。

为此，要抓紧制定中国电影博物馆“十二五”发展规划，秉承“一手牵业界，一手牵观众”、“一手牵政府，一手牵基层”、“一手牵电影，一手牵文博”、“一手牵总局，一手牵北京”的管理运行理念，下大力气营造电影文化环境，依托电影文化资源，致力提高电影文化的吸引力，进而建立和保持自身的核心竞争力。加快构建服务更具普惠性、内容更具丰富性、有中国电影博物馆特色的公共文化服务体系，力争通过 5—10 年的时间，将中国电影博物馆建设成为电影历史文化展览展示中心、电影文物藏品收藏研究中心、电影艺术科普教育体验中心、电影观众影人互动活动中心、电影业界学术交流服务中心和电影公益事业宣传推广中心，使之在将北京建设成为中国特色世界城市、中国特色社会主义先进文化之都、“东方影视之都”，在国际上具有重大影响力的著名文化中心的进程中发挥重要的作用。

二、增强文化自觉自信，推进电影文化艺术普及，传承电影文化精髓，着力提高公民素质，塑造高尚人格

1. 以电影文化的展览展示、电影文物的收藏和研究为载体，传播电影文化精华，努力激发公民的文化自觉和文化自信

中国电影博物馆展示、传播中国电影的发展历史，在弘扬中国电影文化精髓方面有着天然的资源优势。近年来在观众满意度的调查结果和观众留言中均发现，观众对于博物馆展示的中国电影百余年的辉煌历史和技术

发展普遍感到欣慰、骄傲和自豪。自2007年正式运行以来，中国电影博物馆“回头客”的比例逐年提高，在2010年首次超过50%；而在2011年，参观超过10次（含）的观众更是大幅提升，占观众总数的30%。观众们认为，中国电影博物馆是展现我国优秀电影文化资源的富矿，来这里参观、看电影，可以真切地实现自己的电影梦想，可以“触摸电影的过去和未来，感受电影的艺术和魅力，体验电影的科技和神奇，尽享电影的美妙和震撼”。

不仅如此，中国电影博物馆还在爱国主义教育、艺术教育和科普教育方面，对国内各阶层人士尤其是青少年群体都发挥着不可替代的作用，特别是在免费开放后，中国电影博物馆的教育功能和效果更是获得了广大观众的认同。连续4年的观众满意度调查结果显示，超过八成的观众都认为中国电影博物馆在“促进青少年的素质教育、增强青少年的爱国主义情怀”等方面产生了积极的社会效应，并对“展览电影历史文化、艺术科普教育体验、收藏研究文物藏品、公益事业宣传推广、业界学术交流服务、观众影人互动活动”6项功能的评分都超过80分。

这正是国家投入巨资建设这座大型博物馆的伟大意义所在，也是我们赖以建立文化自觉自信的宝贵基础和财富。为此，不断挖掘电影文化资源，提高公民的文化素养，使之接受文化熏陶，塑造高尚人格，增强民族自尊心、自信心、自豪感，是时代赋予电影博物馆的历史使命。

2. 发挥主流电影产品特别是主旋律影片的引领作用，开展以电影为主题的社会教育，努力提高受众对社会主义核心价值体系的体认度和认同感

随着改革开放的深入，文化领域的创造力不断迸发，人民群众享有的文化产品更加丰富。但市场化进程的推进也导致文化消费呈现不均衡的现象，一些文化产品过于趋向高端化、精英化、小众化，反而将大多数群众拒之门外。这不仅导致了市场的丢失，也使群众的文化权益难以保障。不管是发达地区的城市，还是中西部农村，百姓对健康有益、质优价廉的文化产品和服务的供给都表现出极大的渴望。近年来，借由国家实行的博物馆免费开放政策，中国电影博物馆在满足广大群众文化消费需求上还任重道远。

这其中最首要的任务就是引领。十七届六中全会提出“社会主义核心价值体系是兴国之魂”的科学论断。一方面，当今世界多极化、经济全球化深入发展，科学技术日新月异，各种思想文化的交流、交融、交锋更加频繁，文化在综合国力竞争中的地位和作用更加凸显，维护国家文化安全的任务势必更加艰巨。另一方面，一些领域道德失范、诚信缺失，一些社会成员人生观、价值观扭曲，例如，一些作品对历史文化、英雄人物的“恶搞”颠覆社会道德标准，混淆是非价值观念。这些都反映出中国特色社会主义文化建设具有空前的重要性、必要性和紧迫性。

社会主义核心价值体系是兴国之魂。以宣传教育为主要功能的博物馆，理应承担起自己的社会责任，积极发挥主流文化和主流价值的引领作用。要在普及大众文化的同时，推广高雅艺术，带领广大人民群众走近高雅艺术，从内心接受核心价值观。比如，中国电影博物馆社教工作品牌项目公益电影观影团、“社会大课堂”、“电影大讲堂”和会员观影沙龙活动等，利用在馆内外举办各类电影知识普及、电影赏析讲座等方式，将主旋律电影文化所反映出的核心价值观、优秀文化传统，传播到一批又一批受众当中，就发挥了有效的引领作用。超过八成的观众都认为中国电影博物馆在弘扬社会主义核心价值体系方面发挥着积极的作用。

三、增强文化自觉自信，提高服务意识，打造服务平台，着力满足人民群众文化权益，让电影文化服务人民、回馈人民

1. 围绕电影欣赏、电影消费、电影研究等，满足人民群众基本文化权益和需求，努力让人民共享电影文化发展成果

针对部分文化高消费现象，中国电影博物馆无疑是关注“文化民生”、保障广大人民群众基本文化权益、实施文化惠民的前沿阵地。五年来，中国电影博物馆始终秉承公益服务的宗旨，以免费和低廉的文化消费价格，让一批批优秀的电影文化产品更便捷地与群众见面，让“阳春白雪”走近寻常百姓，收到了很好的效果。例如，公益放映已经成为电影博物馆的一大特色，吸引了众多普通百姓来馆观影，上座率很高，有两成的观众已经将“只看电影”作为参观的首要目的。有八成的观众都表示，中国电影博物馆保障了自己享受公共文化服务的权益。

此外，开展送电影、送展览、送讲座进校园、进部队、进社区等活动，定期为观众组织电影音乐欣赏活动，带领影迷开展“跟随电影去旅行”活动等，围绕重大纪念日、民族传统节日、重大事件开展的主题电影文化活动，经过数年积累，这些文化惠民利民工作已经逐步形成中国电影博物馆的特色服务项目，得到广大观众的喜爱和好评。观众对电影大讲堂、露天电影放映、电影音乐展示欣赏、少儿才艺展示等活动的评分都超过 80 分。

为热爱影评的电影爱好者搭建影评交流平台，组织观影评论活动，也是近年来中国电影博物馆开展的一项工作。本着公益性、客观、公正的原则，引导观众对国产电影生产创作发展提出意见和建议，助推电影批评健康发展，在扩大电影影响的同时，也探索推动影响电影，将电影观众的意见反馈给电影生产者和从业者，以争取提高电影出品的质量，这也是增强和提高文化自觉自信的客观需要和有效方法，目前还属于探索和培育阶段，还要不断总结经验，逐步完善。

2. 在满足基本文化需求的同时，还要兼顾多样化、多层次、多方面文化需求，努力实现文化服务均等化、差异化并举

文化事业和文化产业相辅相成。既要满足群众基本文化需求，发展公益性的文化事业，又要努力发展经营性的文化产业，通过市场来满足群众多样化、个性化的需求，并滋补文化事业发展。在调查中也发现，观众对休闲娱乐功能的诉求越发强烈，对中国电影博物馆的定位也由过去相对单一的宣教机构转变为能够满足自己日益个性、多样文化需求的综合文化设施。因此，在博物馆开辟窗口供观众选购电影类纪念品的，不断丰富商品种类，并完善诸如餐饮、休闲等各项配套服务，满足观众的复合型文化需求，也是应予重视的。

四、增强文化自觉自信，扩大服务覆盖面、提升服务效能的主要着力点

1. 探索藏品合理利用的有效途径

抢救式地挖掘藏品背后特别是与之相关的老影人的故事，形成文字整理和影像资料。推进藏品复制，在保护原件的同时，使藏品走向大千世

界，充分发挥宣传、展示、教育功能。探索以影人为核心，整合资源，举办小规模展览、研讨、缅怀纪念等活动。发动民间收藏力量，通过举办展示、交流活动，搭建集电影藏品收集、交流、鉴赏、切磋于一体的平台。依托藏品信息资料库，编辑、整理藏品的图文信息和背后的故事，通过网络、临展等形式展示给观众并定期或按主题更新，增加库存藏品的活力。

2. 丰富展览内容、创新展览形式

系统收集、整理中国电影进入新百年后在艺术创作、产业发展、科技创新、公共文化服务、投身公益事业、国际交流等方面取得的新成绩，建设专题展厅予以呈现。结合重大历史事件、行业动态和时事热点，积极策划临时展览。紧跟传播手段发展的新趋势和观众认知行为的新特点、新规律，依托声光电、虚拟现实、人机交互和新媒体等现代技术，丰富“体验式参观”的形式，提高陈列展览的知识性、趣味性、观赏性、科技性、互动性和参与性。利用首都博物馆联盟，加强交流合作，提升博物馆的综合性。进一步走出馆舍天地，探索建立“流动的博物馆”，打造集展览、放映、授课、互动、体验于一身的影博流动大篷车，积极走进学校、农村、社区、企业和军营，依托巡展吸引人们来馆参观，并探索以多种形式参与这些单位的文化建设。

3. 不断满足青少年群体的文化科普、艺术教育需求

举办好已有的社会教育活动并使之品牌化。继续邀请名人、名师、大家来馆讲座；锻炼和培养内部主讲人，自主开课率逐年上升。进一步拓宽爱国主义教育的渠道，以实践活动为载体，宣传社会主义核心价值体系，广泛、深入、持久地加强爱国主义教育，引导青少年树立正确的理想信念、人生观、价值观。继续加强与高等专业电影艺术院校的合作，使中国电影博物馆成为培养、孕育和孵化电影新人的平台。

4. 依托丰富的活动搭建交流平台

继续办好影人·影响、影片主创见面会、新片首映礼等活动，满足广大观众与影人近距离接触的需求。完善和扩大专家顾问委员会，邀请内地、港台及国际著名电影专家、艺术家等成为高端会员。进一步提升会员沙龙、影评人俱乐部等观众交流活动的规模、次数和质量，建立观众体验电影文化、交流休闲的场所。例如，专门针对外籍观众组织“看电影学中

文”、“国际观众交流沙龙”等。增进馆际交流，尝试创立国际电影博物馆协会，打造国际电影文化交流的平台。

5. 深化“学术立馆”，以科研促发展

进一步突出观众研究特色，以观众的评价、满意度和需求为核心研究内容，为业界提供数据服务。培育并进一步深化观众研究品牌，争取公开发布年度电影观众研究报告，建设成国内独树一帜的电影观众研究所。创办《中国电影学术》，关注中国电影在思想理论、史学和考证学、人物、实践、创作、市场、科技等领域的最新研究进展。推进成果出版工程，出版观众研究成果、电影评论成果，并形成系列，提高学术影响力。整合资源，与高等院校、专业科研院所长期共建，共同开展课题研究、联合举办学术活动。立足业界发展前沿，围绕中国电影发展趋势，逐步将中国（北京）电影学术年会和青年论坛建设成为业界广泛关注、学界积极参与的学术品牌。开展积极健康的电影评论。巩固、维系一批数量更多、构成更加多样的影评人队伍，引领群众审美鉴赏，引导评论健康、科学、公正发展，努力推动评论与创作良性互动。

6. 充分发挥公益性职能

办好各类公益活动，拓展电影公益事业宣传推广的内涵。坚持把开展电影公益放映作为履行公共文化服务职能、保障人民群众基本文化权益的重要任务，积极开展电影公益放映并不断扩大规模。积极探索、倡导发起艺术影片院线联盟，为具有较高艺术质量的文艺片等非商业影片提供良好的服务平台。利用馆刊、馆官方网站等平台广泛宣传积极投入电影公益事业的电影工作者和电影业界的制作、放映等机构。

7. 探寻公益事业单位的有效经营模式

明确博物馆营销意识和方法，不断丰富、开发纪念品、衍生品的种类；利用好特色与资源，建立不同消费层次的电影主题餐厅和咖啡厅等休闲场所；找准影院经营的定位，保证在公益性的基础上寻找成功的经营性道路；探索设立产业性营销组织，让产业实体反哺事业母体。

8. 整合资源，进一步加大宣传推介

利用主流媒体、网络平台进行宣传推介，建立并维护好馆官方微博，利用手机、便携式电脑等新媒体进一步扩大影响力。持续关注口碑传播效力，有意识地将每一位观众都培养成义务宣传员，通过口碑传播影响其周边的人。借助大山子艺术和设计产业功能区等重大文化创意产业项目，统筹规划，整合资源，与中国铁道博物馆、观复博物馆及798艺术区、草场地艺术区等文化单位进行资源整合，努力构建博物馆艺术文化圈。

9. 完善服务与配套设施建设

配套设施上要保证现有设施的正常运转与更新，保持和提升科技优势与含量。配合博物馆各项功能的需求着手进行二期工程建设。同时，进一步完善周边设施建设，如交通、餐饮、休闲、购物等，满足观众的多样化需求。

10. 配合各项功能发挥，启动二期工程建设

一是配合展览展示、互动体验需求，建设反映中国电影发展新成就的展厅，以及代表最新电影技术的多维动感体验区。二是配合藏品收藏、研究需要，建立适当规模和条件的藏品库房、电影类公共图书馆。三是与有关方面合作建设“中国电影培训基地”。突出电影艺术和科技特色，面向社会和业界人员开展电影职业培训。四是建设多维动感影院和多厅影院，以及适合放映、会议、典礼等的多功能剧场和学术交流服务区。五是建立供影人、观众交流休闲的不同消费档次的咖啡馆、餐厅等场所。

十七届六中全会提出了“建设社会主义文化强国”的战略目标和“社会主义核心价值体系是兴国之魂”的重要论断，以及社会主义文化建设的基本任务、建设社会主义文化强国的总体要求和我国到2020年文化改革发展的奋斗目标。中国电影博物馆要充分发挥“首都地域”、“公益机构”、“电影专业”、“国家品牌”等特有优势，加快构建自身的公共文化服务体系，打造文化服务精品项目，搭建更多优质文化传播平台，争取在建设和改善文化民生方面有所作为，将文化惠民实实在在进行到底。

（作者单位：中国电影博物馆）

深化改革　加快融合
全力推动北京广播影视大发展、大繁荣

王海楠　顾海东　吴　彤

在经济全球化不断深入，网络和数字技术为代表的信息技术快速发展的环境下，广播影视作为文化的重要组成部分，已成为促进经济社会发展、提高文化软实力的重要力量。北京作为全国的政治、文化和国际交往中心，广播影视资源极其丰富，已成为全国广播影视市场的风向标和晴雨表。

按照全国文化体制改革会议精神，北京广播影视认真贯彻落实党中央关于“深化文化体制改革，推动社会主义文化大发展、大繁荣”等一系列重大方针政策，通过优化结构、整合资源，充分调动各方积极性，充分发挥文化生产力作用，积极构建科技创新和文化创新双轮驱动的格局，形成广播影视创新驱动的发展模式，北京广播影视取得了长足发展，传播力、影响力、竞争力不断攀升，整体实力明显提升。

当前，北京广播影视面临前所未有的机遇和挑战。“十二五”期间，北京广播影视将紧紧围绕“三加快一加强”重要任务，借助北京丰富的文化资源、地域资源、人才资源、科技资源，建设“东方影视之都”，打造首都广播影视航母，做强做大北京广播影视事业产业。

一、北京广播影视发展现状

近年来，北京广播影视呈现出生机勃勃的良好发展态势。截至“十一五”末，北京广播影视总资产已达445.3亿元，总创收达478亿元，分别是“十五”末的2.4倍和3倍。其中，2008年、2009年、2010年创收总收入分别为90.2亿元、109.64亿元、154.54亿元，增幅分别为23.7%、

17.7% 和 29.1% 。北京广播影视法人单位达 1383 家，从业人员 2.6 万人，同比增长 4.4 倍和 2.4 倍。其中增长最快的是社会影视节目制作单位，已从 2005 年的 255 家，发展到 2010 年的 1238 家，增长 385.5% ；从业人员 1.5 万人，占全市广播影视从业人员的 57.7% ；创收比重不断加大，由 2005 年的 12.8% ，增长到 2010 年的 43.6% ，上升了 30.8 个百分点。特别是“十二五”开局之年，2011 年北京广播影视资产总额为 571 亿元，比上年增加 125.73 亿元，增长 28.2% ，总创收达 185.9 亿元，同比增加 31.37 亿元，增长 20.3% ，实现了“十二五”良好开端。

“十一五”期间，广告收入由“十五”末的 23.63 亿元增长到 2010 年的 61.37 亿元，年均增速 14.7% ，其中北京电台、北京电视台广告收入所占比重平均在 15% 和 58.2% 。有线电视收视费收入由 2005 年的 5.85 亿元增长到 2010 年的 9.4 亿元，年均增速 9.2% 。电影票房收入由 2005 年的 2.3 亿元增长到 2010 年的 11.81 亿元，年均增速 37.6% 。广播电视节目销售收入由 2005 年的 2.95 亿元增长到 2010 年的 21.76 亿元，是“十五”末的 7.4 倍，年均增速 47.4% 。“十一五”期间，共制作电视剧和动画片 338 部，投资额为 58.1 亿元，销售总额为 47 亿元。广播节目制作量 53.38 万小时，电视节目制作量 34.98 万小时。有线电视用户数 448.1 万户，数字电视用户数 276.8 万户，有线电视入户率 91.7% 。“十一五”期间，共放映电影 249.5 万场，观影人次 1.007 亿人次，票房收入 32.12 亿元。票房收入连续三年位居全国城市影院票房第一。

截至 2012 年 8 月，北京市有市级广播电视台 1 家，区县级广播电视台、站 14 个，移动电视显示屏 2.4 万块、城市电视屏幕终端 8440 台、地铁电视终端显示屏 1.5 万块。电影院线 16 条、电影院 126 家、银幕 676 块、座位 12.22 万个，其中 IMAX 巨幕 5 块，电影票房收入在全国各城市中处于首位；流动放映车 331 辆，农村数字影厅 3800 多个。有线电视光、电缆实现了由城区向远郊区县的延伸，现已覆盖全市所有区县。现有广播电视节目制作经营持证单位 1381 家，占全国持证机构总数的四分之一。信息网络传播视听节目持证机构 133 家。其中，13 家广播影视视听、节目制作、网络传输企业进入资本市场，7 家影视节目制作企业进入上市审批流程；5 家广播影视企业迈出国门，以收购、兼并等方式在境外开展广播影视业务。北京广播影视产业发展总体保持了稳步有力的增长态势。

二、北京广播影视发展亮点

1．广播影视综合实力全国领先

“十一五”末，北京广播影视总资产已达445.3亿元，总创收达478亿元，分别是“十五”末的2.4倍和3倍，处于全国领先水平。2012年1—6月份，北京广播影视累计创收达83.80亿元，比去年同期增加14.95亿元，同比增长21.7%，排名全国第二，为北京广播影视持续发展提供了有力支撑。

2．广播影视企业总数排列全国首位

不仅拥有一批国字头的重点影视机构和一批市属龙头影视机构，同时还拥有社会影视制作机构1341家，占北京市影视机构总数的97.1%，其中北京影视产业联盟旗下集聚了一批在社会和业内较有影响的知名骨干企业，为北京广播影视蓄势发展搭建了汇聚平台。

3．广播影视内容生产全国领先

“十一五”期间，北京地区共出品电影1000余部，占全国产量的一半以上；出品电视剧和动画片338部，制作广播、电视节目53.38万小时和34.98万小时。2012年上半年，累计出品电视剧40部1329集，动画片8部177集3971分钟，出品电影128部，成为推动北京广播影视发展的重要部分。

4．电影票房收入位居全国各城市之首

2010年北京市电影票房收入11.8亿元，占全国电影票房总收入101.72亿元的11.6%，比2005年的2.95亿元增长300%。2011年北京市电影票房收入13.5亿元，比上年增加1.7亿元，同比增长14.3%。2012年上半年北京电影票房收入7.31亿元（上半年全国电影票房达80.7亿元，比去年同期票房57亿元相比大幅增长，不过进口片票房达52.66亿元，国产片票房为28.05亿元），同比增加1.55亿元，增长26.9%，有力地推动了北京电影市场繁荣发展。

5．广播影视新媒体发展十分迅猛

以互联网为代表的视听新媒体一直保持高速发展的态势，品牌网站众多，行业规模和整体实力始终处在全国前列，素有“网都”之称，133 家互联网视听节目服务网站数量也位居全国之首。手机电视、公交电视、地铁电视、楼宇电视等新媒体、新业态也呈现出快速发展的态势，不仅拓宽了广播影视节目的播出渠道，搭建了新的播出平台，也成为广播影视新的经济增长点。

6. 广播影视公共服务城乡一体化建设成绩显著

在提前 4 年完成国家广电总局“十一五”广播电视“村村通”的基础上，率先完成 6 个区县和国有林场 4300 余户直播卫星工程建设任务。并实施完成了 4 个区县 11 个乡镇 292 个村的有线广播“村村响”建设。目前，北京共有有线电视注册用户 485.87 万户，入户率 98%，其中高清交互数字电视用户已达 289.77 万户，成为全国高清交互数字电视用户最多的城市。同时实现了农村数字电影全覆盖，为下一步实现全市高清电视全覆盖夯实了基础。

7. 广播影视与科技融合有益探索

北京作为首批“三网融合”试点城市，积极推动“三网融合”试点工作。中国网络电视台、北京电视台、北京联通公司已签署 IPTV 合作协议，为试点工作深入开展迈出了重要步伐。新媒体与传统媒体融合加深，充分发挥广播影视内容优势，积极提供互联网接入、网上付费电视、网络视频点播、电子政务、电子商务、远程医疗、远程教育等网络服务，促进服务渠道和内容的多元化，积极搭建多媒体联通、全网络覆盖的数字化广播影视传播体系。

8. 广播影视产业集聚效应明显

大兴国家新媒体产业基地（中国北京星光电视节目制作基地）、怀柔中国影视基地、石景山中国动漫游戏城，已成为全国目前较有影响力的影视产业聚集区代表。海淀中关村创意产业先导基地、石景山北京数字娱乐产业示范基地、通州宋庄原创艺术与卡通产业集聚区被国家广电总局授牌“国家动画产业基地”后，为广播影视集聚区的规模化、专业化、产业化发展积累了有益经验。

9. 广播影视民营企业发展势头强劲

广播影视作为朝阳产业，对民间资本有着很强的吸收力，2012 年上半年，全市新增广播电视节目制作持证单位256家。目前，北京广播电视节目制作持证机构中的绝大多数是民营企业，占总数的97.1%。与此同时，民营广播影视企业创收收入也逐年递增，统计数据显示，2011年上半年民营广播影视企业实现创收收入24.39亿元，占总创收收入的35.4%；2012年上半年民营影视企业创收收入比去年同期增长了54.7%，达到37.73亿元，占到全市广播影视创收总收入的45%。民营影视企业已经成为北京广播影视行业中的生力军和骨干力量，将会对广播影视行业整体发展产生巨大影响，必将在推动北京广播影视大发展、大繁荣中发挥越来越重要的作用。

10. 广播影视节展活动带动效应显著

第一届北京国际电影季10个项目签约总额达27.94亿元人民币，创国内电影节展交易额最高纪录，另有200多个项目达成合作意向。“季”改“节”后，第二届北京国际电影节21个项目签约总额达52.73亿元，同比增长了88.7%，再创国内电影节展签约交易额之最，为北京市建设国家文化中心，向世界城市迈进起到了极好助推作用。目前，连续成功举办5年的“春秋两季”首都广播电视节目推介会已成为最富活力的影视节目交流合作平台；北京国际电影节也已受到国内外广泛关注，成为引领中国电影发展、具有北京特点的重要节展活动，品牌带动效应十分明显。

11. 广播影视高端人才会聚京城

通过政策扶持、项目带动、团队支撑、资金支持、表彰奖励等方式，大力推进名播音员、名主持人、名编剧等名家大师造就工程、青年英才培养工程、教育培训提高工程，实施高端人才引进、培养、使用计划，集结名导演、名编剧、名演员、名制片人、名经纪人，为北京广播影视走向市场化、国际化储备了丰富的人力资源，为广播影视产业发展增添了后劲。

12. 广播影视改革成果显著

进一步优化首都广播影视资源，完成市广电局工作职能调整和北京广播电视台组建等体制机制改革工作。拟定了《关于推动北京广播影视产业发展的实施意见》，组织建设北京广播影视公共服务平台、投融资平台、交易平台、集聚平台、内容平台、人才会聚平台。加大体制机制创新，组建成立北京影视产业联盟和北京院线联盟，打造首都广播影视航母，努力实现做强做大发展目标。

三、北京广播影视发展建议

1. 建议加大广播影视立法进程，完善广播影视法治环境

建立完善的法规体系，为广播影视发展提供良好的法治环境是推动广播影视又好又快发展的重要基础。目前，我国广播影视领域缺少较高层次立法，同时，随着广播影视的不断发展，也出现了一些立法盲点，不利于广播影视科学、可持续发展。建议加大广播影视立法进程，完善广播影视法规体系，积极营造广播影视健康发展的法治环境。

2. 建议加大对广播影视产品创作支持，特别是对文化产品与服务的出口扶持力度，不断增强我国文化产品的国际竞争力

广播影视等文化产品的出口在取得一定经济效益的同时，更为重要的是在传播中华民族文化方面发挥巨大作用，其作为特殊产品在走向国际市场时存在语言、文化传统等多方面的障碍，需要更多的投入，难度大、风险多。建议国家相关部门加大对广播影视等文化产品出口的扶持力度和指导。

3. 建议加大广播影视资源的整合力度，形成合力，提升发展效益

北京是首都，广播影视资源丰厚，为行业发展带来更多先决条件，但是目前也存在着小、弱、散等问题，造成产业的集中度不够高，行业整体实力不够强，削弱了发展优势。建议在北京建设世界城市和社会主义先进文化之都总体目标要求下，以重大决策和重大项目为抓手，进一步推动和促进首都广播影视资源实现优势互补、协调发展格局，全面提高北京广播影视的综合竞争力。

文化是城市的精神内涵，城市因文化而兴。按照全国文化体制改革会议精神，在全国人大的指导下，在北京市委、市政府和市人大的领导下，北京广播影视将始终坚持“加大力度、加快进度、巩固提高、重点突破、全面推进”的要求，采取更为有力的措施，打牢广播影视发展基础，不断开创广播影视建设新局面，推动北京广播影视大发展、大繁荣。

（作者单位：北京市广播电影电视局）

深入践行“走转改”，提升网络管理水平

丁　梅

2011年8月，在全国新闻战线深入开展的“走基层、转作风、改文风”活动，是新闻战线深入贯彻落实胡锦涛总书记“七一”重要讲话、深化“三项学习教育”活动的重要举措。北京市广播电影电视局组织全局干部认真学习了中央和市委有关领导的指示精神，深入开展了“走转改”活动。市广电局网络视听节目管理处，是适应互联网这一新兴媒体蓬勃兴起而成立的政府行业管理部门，担负着加强网络管理、繁荣网络文化、维护社会稳定、保护国家信息安全等重要职责。通过开展“走转改”活动，我们深切感到，深入践行“走转改”，对提高干部服务意识、转变思想作风、密切联系群众、提升网络管理水平，具有重要意义。

一、深入践行“走转改”，有利于发扬求真务实精神，克服网络管理上的主观主义

政府机关承担着社会管理的重要职责，机关干部是社会管理的组织者、参与者、推动者。机关干部队伍的素质如何、能力如何、作风如何，直接关系到事业的发展，关系到社会的和谐稳定。当前，机关干部队伍的总体状况是好的，与事业发展基本是相适应的。许多干部爱岗敬业，甘于奉献，有强烈的事业心和责任感，为事业的发展作出了重要贡献。但是，我们也要清醒地看到，在我们的干部队伍中还存在一些突出问题，比如，有的干部宗旨意识不强，服务意识薄弱；有的干部深入基层一线不够，对实际情况不摸底、不了解，工作想当然；有的干部素质能力不强，缺乏进取精神，适应不了新形势的要求；有的干部喜欢说空话、套话，搞不讲究实际的形式主义，等等。深入开展“走转改”，就是要让干部在深入一线、

深入实际中转变作风，在虚心求教、听取意见中接受教育，在化解矛盾、破解难题中增强服务意识，在谋划发展、推动落实中提升工作能力，真正做到社情民意在一线掌握、矛盾问题在一线解决、干部作风在一线转变、党的政策在一线落实、科学发展在一线体现。

北京市广播电影电视局网络视听节目管理处承担着网络视听节目服务行业管理的重要职责，我们清醒地认识到，互联网的发展和应用正处于一个新的快速扩张期，网络信息传播方式和传播格局发生新的变化，互联网新兴媒体建设和管理面临许多新课题，值得思考和研究。深入开展“走转改”活动，可以让我们深入互联网企业调研，及时了解行业发展的基本情况和产业发展动态，为我们更好地研究新媒体、新动态、新情况、新问题创造有利条件。同时，也是增强服务意识、了解基层需求、优化工作流程、加快工作节奏、坚持务实高效、提高机关工作效率的需要，更是激励党员干部增强实践能力、积累工作经验、向基层学习、向群众取经、提高干部队伍素质的需要。

比如，我们网络视听节目管理处在全局开展“走转改”活动期间，于2011 年 8 月初，组织北京电视台 BTV 在线、北京人民广播电台北京广播网和京视传媒公司等单位负责人考察了本市持证网站酷 6 网位于天津的内容监控平台，对酷 6 网在内容审核和管理、人员培训、网站建设等方面进行了调研。并与网站的审核人员进行了交流座谈。同年 9 月 30 日，又深入北京广播网、北京电视台 BTV 在线视听节目服务网站，进行调研学习，就如何推动传统媒体与新媒体的融合，进一步发展网络视听新媒体进行交流座谈，听取意见和建议。还实地考察了 BTV 在线服务器机房和办公场所，全面了解了 BTV 在线和北京广播网运行和发展的情况。通过调研，使我们进一步了解到网站的管理情况和一线员工的工作状态，以及一些好的经验和做法。了解到 BTV 在线和北京广播网近年来，在发挥视听新媒体优势，加大台网融合方面进行的探索和创新，社会影响力得到不断提升。尤其是 BTV 在线新开设的“在线 100”主持人访谈节目，拉近了百姓与各栏目主持人的距离，使栏目更加贴近百姓生活，深受网民欢迎。北京广播网自主创新开设的菠萝台，让网民通过互动的方式自己编排个性化广播台服务，调动了网民参与的热情。

此外，我们还针对网络身份管理、网络自制剧和网络视听节目内容监管等，先后深入新浪、搜狐、优酷、乐视、千龙、悠视等20余家网站进行调研，了解网站对推进网络身份管理、发展网络自制剧和加强网络视听节目内容监管等方面工作的意见和建议等。这些都对我们管理部门开阔思路、完善监管措施、提升监管水平、促进网络视听产业发展起到了积极的促进作用。实践证明，开展“走转改”是切实改进干部工作作风的重要抓手。

二、深入践行“走转改”，有利于强化服务意识，减少网络管理上的官僚主义

互联网企业是我们的管理对象，同时也是我们的服务对象。因而，需要我们不断地增进与企业的联系和沟通，在提高服务基层企业的能力上下功夫、见成效，回答解决好“为了谁、依靠谁、我是谁”的问题。在开展“走转改”活动中，我们始终坚持把深入基层、服务基层，努力与服务对象做朋友作为做好一切工作的基础和前提。为了及时了解网络视听节目服务行业发展的新情况、新动态、新问题，我们先后走访了数十家持证网站，与网站人员交流与沟通，征求对管理部门的意见和建议。

2010 年 4 月，我处人员专门到持证网站优酷网西安分部，与该网站内容审核人员进行交流座谈。了解审核人员的工作情况以及工作中遇到的困难和问题，帮助他们排忧解难。5 月，又到北京网尚文化传播有限公司，与该公司党员代表就如何充分发挥党员先锋模范带头作用、做好行业管理和服务、共同促进网络视听产业发展等问题进行了座谈。网尚文化传播有限公司成立于2004 年，是国内领先的影视娱乐内容数字发行服务提供商，为超过 3 亿网络用户、近 7 亿手机用户及数亿家庭和社区提供数字影视娱乐服务，同时也是我市知名的网络视听节目服务持证单位。东城区安定门街道工委有关负责同志应邀出席座谈会。我处同志向与会党员代表介绍了我局以及本支部开展创先争优活动的情况，了解了网尚文化传播有限公司发展历程和党员队伍状况，听取了企业党员代表对基层党建以及我市网络视听产业发展的建议，并向网尚公司赠送了《毛泽东箴言》、《学习活页文选》、《信息网络视听节目法规规章汇编》和《内容审核参考手册》等材

料。安定门街道工委负责同志对此次活动给予高度评价，同时表示今后将加强民营企业党建工作指导，进一步加大辖区内知名网络新媒体企业扶持力度，促进区域经济又好又快发展。通过这次活动，增进了政府管理部门与企业的沟通，密切了政府部门与企业之间的联系，也体现了政府的管理和服务。

2011 年 7 月，针对有 20 多家网站许可证将要到期，我们下发通知，提醒这些网站提前做好换证准备，以免出现遗漏。针对网站变更事项日益增多的情况，还起草了办理有关手续的说明，下发各持证网站，为网站提供服务，受到了网站的欢迎。

2011 年 9 月，我处联合网络视听节目服务行业分会组织本市 29 家持证视听节目服务网站节目负责人，走访参观了北京燕京啤酒集团公司和北京现代汽车制造厂。大家目睹了每小时每条生产线 3.6 万瓶的灌装能力和每小时 68 辆汽车的组装能力，深入了解了北京现代化企业跨越式发展取得的巨大成就。普遍感到，政府部门加强为基层服务，努力创造条件让网络媒体从业人员能够深入基层一线，了解本市各行各业取得的成就，以发挥自身优势，加大对本市经济发展成就的宣传，营造健康文明的网络文化环境。同时，进一步增强了网络媒体从业人员的社会责任感和使命感。

此外，我们还根据网站的需求，与市委讲师团“宣讲家”网站合作，为持证网站定期编制教材，以向持证网站发放的方式，帮助持证网站在企业内部定期组织岗前培训和业务培训，积极做好各项服务工作，使网络媒体从业人员教育培训工作制度化、经常化。并组织市属持证网站学习贯彻落实胡锦涛同志“七一”重要讲话精神，坚持正确的舆论导向，防止虚假信息的传播。坚决抵制低俗之风，大力弘扬社会主义先进文化，不断增强网络媒体从业人员的社会责任感和使命感，强化行业自律。

特别是从去年年底，我处按照国家广电总局换领新版视听许可证要求，为我市 129 家单位（除 4 家备案单位）办理换领新版视听许可证。在此期间，我处以此为契机，加强对网站的规范化管理。一方面对符合要求的网站及时办理换证手续，另一方面要求网站开展自查自纠，发现问题及时整改。针对存在较多问题的网站，我们采取逐一约谈的方式进行教育和引导，帮助他们提高思想认识。而不是采取“一棒子打死”的简单做法。

这些都极大地增强了政府管理部门与网站的亲和力。使网站从业人员更加乐于接受管理、服从管理，支持和配合政府的管理工作。我们也随着工作的不断深入，努力钻研业务，积极探索网络视听节目服务行业管理的有效手段和措施。

通过开展“走基层、转作风”活动，我们更加深刻地认识到，作为政府管理部门，应该牢固树立群众观点，自觉践行群众路线。要在把握基本国情、增强服务大局的自觉性上下功夫、见成效，进一步明确管理工作的坐标。同时，要在实际工作中，努力贯彻以人为本，把“以人为本、执政为民”的理念贯穿到管理的制度设计、方法创新、具体执行中。坚持把尊重群众与依靠群众结合起来，积极构建群众有序参与的平台和载体，健全公众有序参与机制，充分发挥群众在社会管理中的积极性、主动性、创造性。尤其是要体现在做好服务工作上，增强与企业的亲和力，以服务促管理。

三、深入践行“走转改”，有利于减少工作盲目性，增强网络管理的主动性和针对性

近期，中央明确提出要加强网络文化建设和管理，形成文明的网络环境，维护信息安全，促进中国特色网络文化健康发展。明确指出网络文化信息服务具有文化属性与意识形态属性，应纳入文化建设和管理之中。明确要求广电部门负责对网络广播电视、视听节目（包括影视类音像制品）、手机视听节目、播客、IP 电视等网络视听媒体的审批和管理。因此，加强对网络视听新媒体的管理，引导其健康有序发展是中央赋予广电部门的新的历史使命。

但是，我们清醒地认识到，由于科技进步，互联网的飞速发展，网络视听节目服务行业已经成为一个新兴的文化产业，其影响力和传播力一定程度地在赶超传统媒体，并且成为新兴媒体。而对这种新兴媒体的管理已经迫在眉睫。然而，面对新生事物，我们还缺乏一定的管理手段、管理方式和管理经验。因而，需要我们通过开展“走基层、转作风”活动，使我们进一步了解企业，加强与企业的沟通，并把管理放在一个突出的位置上。不断增强管理工作的主动性和针对性，努力提高管理工作的有效性。

比如，近年来，我们通过到网站的不断走访和调研，针对本市视听节目服务行业发展的态势，在管理方面进行了一些尝试和探索。在清理整治无证网站，开展打击互联网和手机媒体传播淫秽色情、低俗之风专项行动，查处违法违规网站等方面，不断净化网络视听节目环境，使北京地区互联网视听节目传播秩序进一步规范有序。为加强网络环境下版权监管和行政执法工作，保护著作权人合法权益，打击网络中侵权盗版行为，净化互联网视听节目版权环境，促进互联网视听节目服务行业、产业的健康发展，我处起草了《关于开展加强知识产权保护打击互联网视听节目侵权盗版专项行动实施方案》。明确了指导思想，提出通过完善联合执法机制，采取教育和打击相结合、自查自纠与抽查督查相结合、主动监管和集中执法相结合的综合治理方式，严厉打击各类网络视听节目侵权盗版行为。还联合市版权局、公安局、通管局和市文化执法总队共同召开有市属 120 余家互联网视听节目持证单位内容总编和技术总监参加的工作会议。全面动员部署打击侵犯知识产权和制售假冒伪劣商品专项行动工作，宣传专项行动方案，宣讲相关法律法规与政策。各互联网视听节目持证单位管理、运营、内容、监控、技术等部门也都相继召开了保护知识产权工作会议，查找工作流程和版权安全的漏洞，进一步明确严格管理、严格审核、严格回查三项标准。通过改进网站搜索技术，运用技术手段采取节目版权保护措施，为净化网络版权环境，共同营造良好的网络文明风尚作出积极贡献。我们还先后组织有代表性的持证网站召开座谈会，了解他们打击侵权盗版工作开展情况和遇到的实际问题，征求意见建议。对有违规问题视听网站负责人进行了诫勉谈话，宣讲政策、法规，指出存在问题，督促查找安全管理薄弱环节，分析原因，完善制度，及时整改，堵塞漏洞。发现网站出现问题，我们采取了教育为主、惩罚为辅的原则，先采取批评教育、诫勉谈话，对屡教不改、问题严重的网站提交执法部门予以查处。

同时，我们还充分利用网络新媒体，做好舆论引导工作，积极营造健康向上的网络文化环境。从 2011 年 11 月起至 2012 年 6 月底，推出以“弘扬中华民族优秀传统文化，践行北京精神”为主题的网上宣传活动。要求各网站在视频首页显著位置，统一推出“弘扬中华民族优秀传统文化，践行北京精神”宣传标识，并以此为主题，推出相应视频栏目、节目。各持证视听网站积极响应，以视频、文字、图片、红色影视剧、红色音乐等多种形式，开设了北京精神宣传活动专题，专题点击量突破2000万次。鲁炜部长对活动给予充分肯定，并作出批示，要求进一步加大宣传力度。这项活动社会反响良好，通过视听新媒体的优势，使北京精神家喻户晓、深入人心，并激励市民积极践行北京精神。同时，联合北京电视艺术家协会网络视听节目服务行业分会，从2011年11月起在市属130余家持证视听网站推出了“身边的感动”网络视听作品征集评选活动。积极发现和挖掘发生在百姓身边的为人感动的事迹、崇高的道德情操和诚信品德，弘扬中华民族真善美的优良传统，满足人民大众美好的文化需求，以更多的原创佳作为迎接党的十八大召开营造良好文明的网络文化氛围。截止到2012年5月10日作品征集阶段结束时，各持证网站共征集视听作品近6000部，专题页面点击量近3000万次，专题视频点击量近6000万次，取得了良好的社会反响。

此外，我们还陆续制定了《互联网等信息网络传播视听节目持证网站培训制度》、《互联网和手机媒体传播违法和不良视听节目举报制度》、《举报互联网和手机媒体传播违法和不良视听节目奖励制度》、《建立信息网络传播视听节目社会监督员制度》以及《关于建立网络视听节目服务监管工作联席会议制度意见》等，2012年，我们还建立了网站月度管理工作例会制度，向持证网站及时传达中央和北京市的有关宣传精神和要求，受到了网站的好评。总之，我们通过不断地建章立制来加大对互联网视听节目服务机构监管力度，取得了明显的效果。

综上所述，我认为，如何适应新的形势，找准加强和创新社会管理的着力点，不断提高政府管理的科学化水平，是政府管理部门面临的一项十分重要的课题。“走基层、转作风”最主要的出发点和落脚点，就是服务大局、服务大众，推动问题解决。坚持“走基层、转作风”是当前提高政府管理水平的有效途径。

（作者单位：北京市广播电影电视局）

贯彻“走转改”精神　抓好先进典型宣传

洪华中

新闻战线开展“走基层、转作风、改文风”活动，是坚持党的新闻事业性质宗旨、履行新闻工作责任使命的必然要求，是落实“三贴近”要求、增强新闻宣传吸引力和感染力的重要途径，对于新闻战线大兴求真务实之风、调查研究之风和密切联系群众之风具有重要的实践意义。唯有秉承以人为本、执政为民的执政理念，弘扬求真务实、面向实际、贴近生活的思想路线，真正深入基层、蹲点调研、真诚面对、用心倾听，才能做好总结和宣传先进典型的工作，先进典型才能走进群众心灵世界，走进群众现实生活，与社会经济发展的脉搏一起跳动。

一、调查研究要深入

总结宣传先进典型的过程，实质上就是调查研究的过程。没有深入细致的调查研究，缺乏翔实而全面的实际采访，也就没有典型材料的起草权和报道权。实践证明，真实是典型的生命所在。一些典型之所以昙花一现，群众之所以对一些典型存有逆反心理，其主因就是某些单位在宣扬典型时不能做到实事求是，某些同志的总结典型材料缺乏深入扎实的调查采访。调查采访的翔实程度，决定了先进典型宣传质量和报道水平的高低。要确保自己挖掘的典型事例、总结的典型经验，真正能够做到事迹不夸大、境界不拔高、形象不走样、情节不编造，就必须扑下身子搞好调查采访工作，努力把典型宣传的根基打扎实、打牢固。

1. 采访的对象要有广度

典型必须具备深厚的群众基础，群众对其认可了，才会感到可亲可敬、可比可学。采访对象广泛不广泛，直接影响着典型事迹的群众基础和可靠程度。所以，负责采访的同志，对先进典型的事迹要想方设法“翻箱倒柜”，广泛猎取，充分挖掘。对涉及先进事迹的事、物、文字、音频、图像资料要广泛收集。要最大限度地接触与典型熟悉的各类人员，从各种渠道、不同角度，全面深入地采访，尤其是要到典型所在的单位去，亲身体验典型生活和工作的环境，细致了解典型经历的主要事件，加深对典型事迹的感性认识，培养宣传热情和创作动力。凡涉及对典型事例看法不一、对典型个人抱有成见等方面的采访对象，更要重点进行深入采访，不弄清事实不撒手。

2. 调查采访的挖掘要有深度

对典型事迹挖掘的程度，直接影响着典型宣传的深度、力度和广度。为此，负责采访的同志在全面调查了解的基础上，要抓住那些最有说服力、最能感化人的主体事例，下功夫从不同角度去深挖细究。对一些看似平凡却能反映典型本质的思想动态和心理活动，要善于打破砂锅问到底。对一些富有戏剧性和感染力的故事情节，要善于穷追不舍、深入采集。对那些性格内向、不善表达的采访对象，不能指望一两次就能解决问题，要有耐心、有诚心，不急不躁，反复诱导，多方启发，直到把具体情况弄清楚为止。尤其是对那些与众不同的闪光点，不仅要及时捕捉，更要深入挖掘和收集，防止草草收兵。

3. 调查采访的资料要有厚度

有关先进典型的采访资料全不全、多不多、新不新，直接影响着先进典型集中宣传和连续宣传材料来源的充足程度。为此，负责收集典型素材的同志，应对调查采访所得来的大量资料分门别类地加以整理，从不同侧面充分证实典型的先进性和事迹的过硬。特别是对重大典型要尽量保全故事集、相册、录像片、录音带、物证、言证等系列资料，以确保集中宣传时有资料可找、有东西可写、有证据可查。

二、主题定位要准确

主题是先进典型之魂。再感人的先进典型，如果没有深刻、鲜明的时代主题，典型宣传只能是材料的堆积，只会是“雨过地皮湿”，很难给人留下深刻的印象，很难在社会上产生强烈的反响。所以，准确定位先进典型的宣传主题，就成为总结和写好先进典型的关键所在。只有坚持实践的观点，扎根广袤的大地，扎根现实的基层，扎根真实的社会生活，才能挖掘出先进典型的新闻价值，把体现党的主张与反映人民心声统一起来，把坚持正确导向与通达社情民意统一起来，不断增强典型宣传的亲和力、吸引力和公信力。

1. 要客观地反映典型

典型宣传必须事实准确，这是总结和写好先进典型最起码、最基本的要求。因此，在典型宣传的主题定位上，必须坚持从客观实际出发提炼主题，用客观事实、群众公认、经过实践证明的观点来立题，真正使确定的主题能够客观地反映典型，切忌主观臆断。为此，必须注意做到以下两点：一是不要事先“带框框”。由于总结和写好先进典型，不同程度地带有一定的主观性，容易让社会公众猜测其中是否掺杂着人为因素。因此，在提炼与归纳宣传主题时，绝不能事先“带框框”，不能凭个人的合理想象，更忌从个人偏见出发，添加客观事实之外的“感情色彩”。二是不要盲目服从。对于先进典型的总结与宣传，当然离不开各级党组织和领导“定调子”、提要求，但作为负责总结和整理典型材料的同志，在提炼宣传主题时，要善于独立思考，要善于为领导当好“参谋”，要善于仗义执言，敢于讲真话、讲实话，千万不能“领导说啥就是啥”。

2. 要本质地反映典型

能不能抓住典型的本质特征，能不能揭示典型的思想内涵，是典型宣传能否在人们头脑中打下深刻烙印的关键环节。为此，在总结和起草典型材料时，必须坚持从大量的事迹材料中去提炼主题，抓住对典型起主导作用和贯穿全过程的东西来破题，真正使确立的主题能够本质地反映典型，切忌浮在表面。要做到这一点，就必须善于从诸多琐碎的素材中，抓住一件能够集中体现典型本质和宣传主题，又有比较完整和具体细节的事例，这样的事例往往能够起到小中见大、窥全豹于一斑的作用。当然，“抓住一件”并非一鳞半爪、以点盖面，而是要由此及彼，对典型作一番纵向的深刻剖析，真正抓住典型及其事例的核心和本质，要经得起实践的检验，让公众认可和无可辩驳。

3．要全面地反映典型

对于一些重大先进典型的总结和宣传，不是一两篇文章、一两个专题就可以解决问题的，而是要全方位、多手段加以反映，绝不能孤立地摄取生活和工作的一点一线，必须坚持从典型的思想境界、工作生活、成长经历、家庭情况和社会环境的综合分析中去提炼，真正使确定的宣传主题能全面地反映典型，切忌主题的干巴和偏离。要做到这一点，就必须具有一种独特的感知、领悟典型价值的思维方式和思维套路。一是要善于发散思维，注意以一个典型的新闻事实为轴心，充分开动脑筋，开拓尽可能多、尽可能新、尽可能独创的思维角度，从中选择一个最佳的切入点和突破口，来作为典型宣传的中心和主题。二是要善于连锁思维，注意从先进典型某一特定的具体意象和新闻事实出发，进行由此及彼的广泛联想和连锁思索，运用“头脑风暴”，从中开拓和提炼出新的宣传角度和宣传主题。三是要善于逆向思维，注意把先进典型的新闻素材和具体意象的前因后果、来龙去脉，进行逆向的“寻根”和“追溯”，“反弹琵琶”，从中开掘和提炼出新的思维角度和宣传主题。

4．要独特地反映典型

不同类型的先进典型，都有各自不同的先进事迹和精神境界。要真正把他们的不同之处反映出来，就必须坚持从“个性”、“独特”、“新颖”上提炼主题，真正使确定的主题能够特色地反映典型，切忌“千人一面”、“似曾相识”。要做到这一点，对于负责总结和起草典型材料的同志来说，必须精心选择主题提炼的角度，合理使用已有的素材。一是要坚持小中见大，善于在大量的凡事小事中，见微知著，烛幽探微，“于细微之处见精神”。二是要坚持平中见奇，善于从众多的先进事迹和素材中，抽取内涵深刻、韵味丰富的一点，或者截取若干的典型片段，辅之以相应的背景材料，去提炼其深刻的宣传主题。三是要坚持推陈出新，善于对先进典型中那些具有周而复始、循环往复特征的典型事迹，进行一番深刻的剖析，找出其与时代精神相吻合的自身特色，恰如其分地把旧貌中的“质”提炼出来，给读者以“旧貌换新颜”的感觉，以增强典型宣传的独特性和新颖感。

三、构思行文要得体

先进典型总结和宣传得成功不成功，很大程度上取决于典型材料的质量高低。在典型宣传过程中，我们经常可以发现，同一个典型、同一个题目，不同的人写出来的作品，其感染力和影响力相差甚远。这就充分说明，典型材料的质量高低，又取决于构思行文的水平。所以，在总结和写好先进典型时，必须高度重视构思和行文。为此，要深入基层，改变文风，在生动的实践中丰富内容，在现实的问题中凝练文字，用群众的语言表达思想，切实让典型宣传有的放矢，让人民群众喜闻乐见，体现群众意愿，引起群众共鸣，激发群众干劲。

1. 文章要短

典型材料应当成为一件精制品，应该小巧玲珑、丰富而又结实，不要臃肿滞涩、貌昂伟而实虚浮。文章短，才能快，才有利于节约阅读时间，有利于发挥典型的时效性。讲究文章短，就是要善于用最少的语言，表达最丰富的内容。当然，不是说凡是典型材料都越短越好，该长的可以写得长一些，但要克服拖泥带水、冗长累赘的毛病，挤干“水分”，力求其短。典型材料的短，要力求短得得法，这就要求写作者善于分析问题，抓住问题，精选事迹材料，紧凑文章结构，言简力不薄，文短事不瘪，从内容到形式都要下一番功夫。

2. 结构要巧

典型材料的总结与写作，要注意搭起一个精巧的结构和框架。一篇典型材料如果没有新颖的结构，总是老套路、老框架，就会显得干巴、枯燥、乏味。所以，在典型材料的总结与写作过程中，应高度重视结构的变化，通过精巧的结构，让先进典型的主体事件、心理活动、情景气氛等，都能形象地再现出来，使先进典型生动感人。要做到这一点，就必须要求材料的结构服从实际内容。典型有几个突出的方面就写几个方面，怎么有利于反映典型就怎么安排结构，并按照反映典型的特有逻辑关系设置层次。各层次的标题要有鲜明的个性，真正起到画龙点睛的作用。

3. 内容要实

总结和写好典型材料，必要的道理当然要讲，但如果光讲道理，就很难赢得读者，有时还会令读者生厌，达不到应有的宣传效果。为此，作者就必须坚持用事实说话，让读者在鲜活的事例中去领悟道理。要真正做到这一点，就必须认真筛选典型事例，既要有重点、主干事例，又要有综合概括。特别是对那些最具个性、最有生活气息、最富有人之常情、最富有思想内涵的感人事例，要适当展开详细描述，用客观的事实去打动人心、感染读者。

4. 语言要美

语言是一篇文章的外衣，简洁、通俗、生动、个性化和富有感情色彩的语言，是典型宣传的独特需要。为此，我们在总结和写好典型材料时，还要善于用优美的语言，把典型事迹的具体情景和细节，加以绘声绘色的描写，以增强对读者的感染力。典型材料应该情文并茂，可以抒写各种各样的情感，也可以采用多种修辞手段，力争在思想上和语言上都能紧扣读者心弦。要充分地使用独立短句，尽量剔除那些纠缠不清的转折词、连接词和累赘的附加语，使语言简洁明快。要熟练掌握和运用各种典型的语言风格，根据典型的不同单位、职业和环境，注意选择那些有个性、符合身份、容易让人接受的典型语言，使典型材料文如其人，以增强典型的可信度。特别是要善于运用群众语言，用富有人情味的词汇和细节去感染读者，最大限度地把新闻事实写得朴实一些、活泼一些、亲近一些，不断增强典型宣传的亲和力。

（作者单位：北京市广播电影电视局）

关于进一步加强首都广播电视公共服务的思路和举措

袁正领

党的十七大明确提出要“使人民基本文化权益得到更好保障”的新目标，十七届六中全会再次提出“加强文化基础设施建设，完善公共服务网络，让群众广泛享有免费或优惠的基本文化服务”的任务。北京作为国家首都，要发挥首都全国文化中心示范作用，加强广播电视公共服务的意义更加重大。

一、北京市广播电视公共服务建设面临的形势

1. 具有较好的经济社会基础

近年来，首都经济持续快速发展，地区生产总值增长率连续多年保持在10%以上，财政收入不断增长。市委、市政府高度重视公共服务建设，2010年投入资金达到239.57亿元，占全年政府投资比重的5.9%，这为加强广播电视公共服务建设提供了良好的物质基础。

2. 具有较好的行业发展形势

文化创意产业发展势头迅猛，2010年创造增加值1697.7亿元，占全市GDP的12%，已成为北京市经济发展的重要支柱产业。广播影视发展迅速，截至2010年年底，资产总额达到445.3亿元，广播影视节目制作经营机构发展到1000多家，2010年度经营收入达到138.6亿元，初步形成了以公有资本为主导，多种经济成分、多种媒体业态共同发展的新格局，为广播电视公共服务提供了良好的行业发展环境。

3. 服务对象类型、层次多样

北京是社会情况复杂的地区，城乡差别、区域差别、收入阶层差别、

本地外来差别、文化素养差别等，都较为突出。一是区域特色鲜明。由于历史的原因和城市发展的现实布局，北京市形成了若干特色鲜明的行政区域和自然区域。二是城镇人口数量大，文化需求提高。全市常住人口中，城镇人口占85%以上，居民可支配收入不断增长，文化需求进一步提高。三是流动人口持续增长，2010年达到704.5万，主要集中在郊区。另外，老龄人口增长加快，政界、商界、学界、军界等以职业为特色的“大院性”社区较多，也是广播电视公共服务必须考虑的因素。

4. 提升广播电视公共服务的基础良好

近年来，我市广播电视公共服务建设取得显著成效，现正处于进一步提高服务水平和层次的重要时期。一是综合覆盖体系日益完备。截至2010年年底，有线电视注册用户达到448.12万户，注册入户率91.68%，广播电视“村村通”工程和“村村通”系统升级改造、无线广播电视转播站工程全面完成，让群众能够看上电视的问题基本解决。二是随着数字化改造的推进，地面、有线、卫星等传播渠道的增多，广播电视频率频道资源正由短缺向富余过渡，为开辟独立的公共服务频率频道和相关平台提供了条件。三是广播电视新媒体业态逐步成熟。目前我市已拥有网络广播、网络电视、手机电视、移动多媒体广播、车载移动电视、楼宇电视等一批新兴媒体，并逐步成熟起来，为实施公共服务提供新的平台。

二、存在的主要问题

1. 主体职责不够清晰

随着广播电视体制改革的推进，原先事业单位较为单一的职能裂变成“喉舌”，产业增值和公共服务等多方面职能混合。每一种职能都有不同的目标价值，遵循不同的发展规律，一体多能容易造成职责模糊，在利益的驱动下顾此失彼，削弱媒体的公益性。

2. 服务目标不够明确

尽管广播电视公共服务在理念上已形成广泛共识，但在服务目标的确定、指标的构成等方面，还没有明确的、可操作的界定，造成服务没有目标、监管没有标准，直接影响资源的有效配置和管理的有效实施。

3．服务机制不够完善

广播电视公共服务是面向全社会的公共行为，需要调动多方面的力量参与其中。目前，我市广播电视公共服务还处在以政府投入为主，由政府或系统内企事业单位实施，参与机构、资金来源和运作方式都相对单一，制约了公共服务质量的进一步提升。

4．监管体系不够健全

公共服务是一种公共行为，必须有强有力的监督管理，才能确保其有效实施。特别是在媒体多种职能混合的情况下，没有监管，公共服务就更难落到实处。目前很多监管工作还停留在定性的要求上，缺少必要的目标管理和严格的考评制度，相关的激励约束机制建设不够完善，在实施中难免出现偏差。

5．法律法规保障不够有力

广播电视公共服务是需要多元主体共同参与的公共行为，必须明晰权利、义务关系，才能建立顺畅的运行机制，这就需要健全的法律法规作保障。但当前相应的法律法规体系尚未建立起来，使公共服务的实施缺少相应的约束力。

三、北京市广播电视公共服务建设的基本原则

1．坚持满足群众基本文化需求与提升首都文化品位相统一，确定服务的高起点、高标准

一是将满足群众的基本文化需求与弘扬社会主义核心价值体系、引领先进文化发展结合起来，充分发挥广播电视公共服务在和谐文化建设中的引领和导向作用。二是将确保服务的均衡与全面提高首都群众文化素养结合起来，适度提高内容服务的品位，在较高的层次上满足群众的精神需求，促进市民文化素养的全面提高。三是将加强广播电视覆盖、推进数字技术应用等硬件建设与节目内容的丰富多彩等软件建设统一起来，加快与数字媒体相适应的内容创作与生产，不断提升广播电视公共服务的层次和水平，促进首都文化内涵的进一步提升。

2．坚持广播电视公共服务与创意产业发展相协调，创新服务的方式方法

广播电视公共服务应立足于首都促进文化大发展、大繁荣的大背景，

将公共服务与发展广播影视产业紧密结合起来，进行统一筹划，形成相互借助、相互促进、共同提高的局面。一是将重点产业项目扶持和赋予其公共服务职能结合起来，合理确定扶持条件和所扶持项目承载的公共服务义务，谋求经济效益和社会效益双丰收。二是将公共投入与培育市场结合起来，在取得社会效益的同时，为产业发展开辟新的市场。三是将服务目的和市场手段结合起来，对于可以市场化的服务内容，广泛引入竞争机制，确保服务质量。四是将政府主导性与市场配置资源的灵活性结合起来，通过建立专项补贴、减免税等激励机制，调动市场力量，拓展服务主体，扩大资金来源。五是将付费服务与免费服务结合起来，建立科学合理的定价机制，灵活确定公共服务的付费标准，平衡供需矛盾，节约公共资源，提高服务实效。

3. 坚持统筹兼顾与突出重点相结合，促进服务目标的合理制定和资源的科学配置

按照全市的共同性与区域及社区的差异性相统一、内容的普适性与兼顾特殊群体相统一、服务的公众性与关注弱势群体相统一的原则，科学制定公共服务的目标和标准，确保服务的均等性和内容的多样性。按照市、区（县）广播电视机构各有侧重的原则，进一步明确服务主体的职责分工，更好地适应公共服务的区域化、群体化和多样化需求。发挥社区、“大院”的积极性，探索利用社区资源、进行社区服务的方法举措。扩大区县广播电视频道资源，加强乡镇广播电视基础设施和人才队伍建设，确保服务的末端到位。

4. 坚持建设与管理相一致，推进服务的法制化、制度化

健全管理体制机制，进一步明确党政部门的管理职责和分工。主管部门应切实转变职能，加强公共服务的战略规划和布局，创新服务方式方法，调动社会组织、企业等各方面的参与热情，不断提高宏观引导和管理能力。建立健全服务机构评估系统和绩效考评机制，制定客观指标和主观指标相结合的服务质量评价指标体系，强化激励约束机制。加强监督制度建设，建立举报机制，促进服务成效的提高。

四、加强广播电视公共服务建设的几点建议

1．进一步建设先进高效的综合覆盖体系

运用有线、无线、卫星等多种方式，实施综合覆盖，尽可能扩大覆盖成效。采取政府一定比例补贴等方式，进一步提高农村有线电视入户率。认真落实中央部署，实施好直播星工程。加大有线广播“村村响”建设力度，提高广播综合覆盖成效。进一步完善“村村通”维护保障体系，拿出切实办法，降低维护成本，减轻用户负担，确保长期通。赋予网络电视、手机电视等新兴媒体一定的公共服务职能，促进公共服务的全天时、全区域覆盖。

2．建立普适性和特殊性相结合的服务目标体系

将全部或大部广播电视公共资源纳入公共服务目标和评价体系，限定其实施公共服务的时段、方式和收费标准（或广告时长）；划定专门承担公共服务的频率频道、时段和栏目，使其与商业利益脱钩，保障最基本的服务不受干扰。市级广播电视公共服务对象侧重于普通城镇居民，内容以普适性为主；区县级广播电视机构服务对象以农民和流动人口为主，内容以反映区域特色、服务“三农”和流动人口为主，并对其服务标准作出限定。按照普遍服务、兼顾贫弱的原则，特别关注山区农村、外来务工人员、青少年、老年人等群体的文化需求，科学制定内容服务的目标和标准。

3．建立多方参与的运营体系

电台、电视台是实施公共服务的主力，应按照公共服务的目标和标准，推进内部机制改革，加强成本管理和核算，协调好、平衡好产业运营和公共服务的关系，确保公共服务的活力。充分运用经济、法律和行政手段，按照“花钱买服务、办事不养人”的原则，建立专项补贴、减免税等有效的激励机制，调动社会组织、企业等多方面积极性，扩大资金来源，提高服务效果。

4．建立功能完备的监督管理体系

明确党政部门的管理职责分工。建立健全服务机构评估系统和绩效考评机制。加强群众监督，建立举报机制，促进管理成效的提高。

5. 建立科学配套的法律法规体系

进一步明确各有关方面承担公共服务的权利和义务，确定赏罚措施，并以法律的形式固定下来，逐步形成配套完善的公共服务法律法规体系，保障公共服务的依法实施。

（作者单位：北京市广播电影电视局）

创新广播影视电子政务的顶层设计

郑新梅

发展电子政务，加快转变政府职能，提高行政效能，增强政府社会管理和公共服务能力，是全面贯彻党的十七大精神，深入落实科学发展观的重要举措。我国《国民经济和社会发展第十二个五年规划纲要》明确提出要大力推进国家电子政务建设，推动重要政务信息系统互联互通、信息共享和业务协同，建设和完善网络行政审批、信息公开、网上信访、电子监察和审计体系。目前，北京市广电局在网络基础设施、网上公共服务、信息资源建设、应用系统开发等方面都取得了一定的进步，初步形成了符合北京市电子政务要求、基本满足广播影视行业管理需求的网络基础设施、行政办公信息支撑平台和网上公共服务平台。但是，北京市广电局电子政务建设所取得的成效，距离打造“东方影视之都”的发展目标对电子政务的保障要求还有较大差距，亟待完善“顶层设计”，因此，更加需要推动电子政务的深度应用，进一步发挥电子政务在北京广播影视产业发展中的服务保障作用，以积极促进广播影视业实现“六个重大转变”，促进首都文化大发展、大繁荣。

一、推动核心业务信息化建设，充分发挥决策支持作用

从国内外电子政务的发展阶段看，一般把电子政务水平分为信息展示、简单交互、事务处理和共享协同 4 个阶段。北京市各主要政府部门的电子政务在经历了网站建设、表格下载和 E-mail 交互、审批事务在线处理等阶段后，正在向信息共享、资源整合和多部门协同办公方面发展。

目前，北京市广电局内网办公平台已经初步实现了行政审批网上流转、简单信息发布、消息即时传递等功能，正处于向信息共享、资源整合

和多部门协同办公目标迈进。下一步将开发建设综合业务平台（二期）系统，在内网办公应用深度和广度加强建设，推动核心业务信息化建设、日常办公网络化，提高行政管理效率。该平台是以业务管理为基础、以事务联动和资源整合为目的的协同办公平台，以提高工作人员办公效率、减少机关行政运行成本、加强行政职能管控力度、促进协同办公能力为目标，实现办公流程“无缝衔接”，把日常管理工作中“复杂的事情简单化、简单的事情规范化”，提高广播影视行政管理效率和服务水平。

2011 年以来，我局进一步优化网上在线办事与行业管理业务系统，提高行业服务水平。在线办事与行业管理业务系统建设的目的在于构建市广电局行政服务与行业管理的应用支撑。基于对现有行政审批系统应用的整合，增加行政和行业管理业务功能。通过综合信息服务门户，开辟网上办理渠道，为企业提供“一站式”网上服务，通过“外网申报，内网审批”，结合现有行政服务大厅的服务模式，拓展多方位的审批服务渠道，有效提高我局为企业服务的办事效率，提升市广电局行政服务能力。通过网上“一站式”审批服务，实现在线审批和联合审批，并优化各种审批业务流程，实现部门间的信息交换与业务协同，从而提高办事效率、降低行政成本、改善服务质量。

二、完善公共服务信息化功能，强化公众与政府的双向互动

公共信息服务是电子政务公共服务应用最基本的内容，指政府通过电子公共服务系统向公众、企业等发布公共信息，以促进政府行政的公开化、透明化及数据资源广泛共享的服务方式。电子公共服务系统具有传播速度快、覆盖面广和成本低的优势，已成为各国、各地政府发布公共信息的重要渠道之一。

围绕公共信息服务，北京市广电局电子政务着力丰富广播影视产业公共信息内容，及时传递广播影视资讯。通过综合信息服务门户网站，全面整合广电政务信息资源，满足公众对广电政务信息、媒体资源信息的需求。紧跟广播影视产业发展态势，依托门户网站将其转化为公众的切身体验。除及时更新北京市广电局的工作动态、通知公告外，应注重行业发展信息、视听节目信息、大型活动宣传信息的发布，同时开辟“在线视听”

板块，公众通过北京市广电局门户网站收看精选节目、影视剧片花，以及享受最新的影视体验。开设北京市电影院、影视剧节目的查询服务，更好地满足公众对公共文化产品的需求。

电子政务的重要优势在于互动和参与，促进政府部门与公众之间的沟通，建立较为系统的公共参与服务体系，包括监督投诉、局长信箱、纪检信箱、问卷调查、意见征集、影视作品评选等，让公众真正参与到广播影视产业管理与决策中来，以提高决策质量与公众对广电工作的满意度。

三、大力推进信息资源开发利用，构建产业发展决策支持系统

按照国家对政务信息资源建设要求，结合“东方影视之都”建设以及市广电局电子政务建设对数据资源的需求，充分利用好已有资源，构建技术先进、架构科学、服务于全局的首都广播影视 360°综合应用数据库，促进广播影视产业行政管理和实践的互动。

北京广电局电子政务系统在“十二五”规划中计划整合信息资源建立三大资料库和数据库：

（1）首都广播影视资料库。广播影视资料库是从全局和综合角度出发，将市广电局所掌握的广播电影电视行业管理相关资料信息、网络视听和公共视听载体管理相关资料信息等多媒体资源进行梳理，建设包括市广电局的广播、电影、电视、网络视听节目等相关文稿、音频和视频在内的资源库，收集、整理、加工、存储不同时期的文字、视频、音频等各类媒体资源，服务于广播影视资源的管理和利用。

（2）首都广播影视公共服务与产业发展数据库。通过对相关的事业产业数据进行梳理形成首都广播影视公共服务与产业发展数据库，为广播影视产业管理、统计与决策服务提供支持。广播影视公共服务数据库主要包括行业统计数据库、决策数据库等。

（3）首都广播影视行业管理数据库。对广播影视行业相关信息资源进行梳理形成行业管理数据库，为市广电局的行业管理提供强大的支持。行业管理数据库主要包括广电媒体机构库、影视从业人员库、电影名称库、视听节目网站监管库等，服务于行业管理的应用支持。

在全面整合信息资源的基础上，深度挖掘信息资源价值，构建广播影

视产业发展决策支持系统。广播影视业发展决策系统主要提供行业资料管理、行业统计分析以及行业安全监控等功能，为市广电局行业统计、产业扶持、行业安全管理等业务提供信息化支撑，实现广播电影电视业数据的报送、采集、审核及手册编制与上报功能，并建立分析指标，提供全方位的统计信息，为行业管理提供统计数据和决策支持。同时，建立影院可视化安全监控管理系统，通过大屏远程及时掌握市广电局监管的100多家影院400多个屏幕的安全消防情况，实现对突发事件的向上汇报及向下调度指挥，满足对监管可视化、指挥实时化和信息共享化的要求。

十七届六中全会指出了文化大发展、大繁荣在增强国家文化软实力、中华文化国际影响力的地位和作用，明确了文化大发展、大繁荣的任务和举措。电子政务的顶层设计，将对促进文化大发展、大繁荣发挥着重要作用，作为信息化工作部门，我们肩负着深远的重任。新的一年即将到来，我们将继续齐心协力，团结一致，为首都广播影视事业产业的建设发展，为推动首都文化大发展、大繁荣贡献一份力量！

（作者单位：北京市广播电影电视局）

探索收听收看工作监管新模式

石东正

随着技术的革新、社会的发展、理念的创新，广播电视播出机构播出的内容呈现出了形式多样、内容庞杂的特征。北京市广电局收听收看中心在长期的工作中针对复杂多变的广电环境，不断更新管理理念，创新工作方法，总结并创新出了广电行业宣传管理的4种手段，即常态管理、专题评析、舆情追踪和热点专报。工作中将这4种手段统筹结合，相互补充、协调、合作，形成了动态、立体、多元的宣管模式，确立了“精说成绩、细挑毛病、善提意见、重在建设”的工作原则，成效显著，经验值得推广。

北京市广播电影电视局收听收看工作的主体是对北京市广播电视播出机构播出的所有内容实施监管，并将结果体现在每周出刊的《收听收看报告》中。北京市广电局《收听收看报告》根据时代发展，演化成9种类型、每周7期的出刊形式，即《普刊》、《节目专题评议》、《电视剧专题评析》、《电影专题评议》、《全国广电舆情参考》、《北京广电舆情参考》、《舆情专报》、《走转改特刊》和《区县广电节目评议》，9种类型搭配出刊。

一、针对每期节目采取《普刊》重点管理手段，体现宣管常态化特征

《普刊》以广播电视播出机构每天播放的节目为着眼点，形成常态宣管模式，对北京市视频和音频播出的各类节目及广告根据规定实施监管，旨在引导播出机构把握正确舆论导向，自觉抵制“三俗”，及时抓好广播电视节目中带有苗头性、倾向性、典型性和突发性问题，进一步净化荧屏

声频，提高节目质量，为各级广播电视行政部门和播出机构及时发现问题、采取措施、改进工作提供保证。该种刊物最大的特点是所提出的批评和建设性意见能够得到电台和电视台等被服务部门的高度重视，内容不仅在每周的编前会上传达，而且得到了相关播报部门的认真回复。刊物成为了广电局和电台、电视台行业互动的一个特殊平台，围绕问题，一起探讨，共同提高。

二、针对每个栏目和影视剧采取专题评析，体现宣管的深度化特点

《电视剧专题评析》、《电影专题评析》、《广播电视节目专题评议》和《走转改特刊》关注北京电台、电视台和北京市各大影院正在热播的影视剧集、栏目和节目，以专业的视觉角度、深层的分析评述、凝练的语言文字，揭示文化发展方向、价值判断趋向、道德建设走势等深层的影视文化建设经验和问题，为影视制作机构创出更多精品提供参考，为广播影视行政管理机构提供相关的理论指导。该刊物自 2011 年 4 月创办以来得到了市委宣传部鲁炜部长和严力强副部长的 10 余次肯定性批示。2012 年 3 月 17 日，鲁炜部长在《电视剧专题评析之〈新西游记〉评析》（总第 624 期）上作了批示："集中评论很有必要。关注热点、围绕经验、探索规律、指出不足、交流意见、反映呼声，也锻炼干部。"4 月 12 日，鲁炜部长又在《电视节目专题评议之北京电视台〈雷锋身边〉栏目评议》上作了批示："这组评析认真、具体、到位，所提意见中肯。"

三、针对视听整体情况及时追踪舆情新情况，突出宣管客观性特质

《全国广播影视舆情参考》和《北京广播影视舆情参考》关注与当前广播电视行业相关的新闻事件和舆论动态，以互联网和全国各大主流平面媒体为信息主要来源，旨在为广播电视播出机构提供行业最新动态以及相关栏目的时评，强调客观性，集大众智慧于一身，同时为上级广电行政管理部门和领导提供多角度、多方面、多层次具有研究探索价值的行业动态参考。2012 年 3 月 9 日国家广电总局宣传管理司副司长高长力，在宣传管

理司编前会上对北京局的《舆情参考》进行了表扬。3月26日北京市委宣传部鲁炜部长对《全国广播电视节目舆情参考》（总第70期）进行批示：要求宣传部机关、局机关、广播电台、电视台等中层以上都要阅研。

四、针对广电行业热点事件进行适时专报，把握宣管指导性特色

《舆情专报》紧跟广电行业具有较大影响力的热点事件和新闻，并对该事件进行连续跟踪，收集尽可能多的网络、平面媒体、广播、电视等各方议论和评价，并通过专家组对收集来的信息进行梳理、归纳和总结，最终形成专报，供上级领导、机关以及各级影视制作和播出机构参考。《舆情专报》突出宏观性、方向性、指导性和实时性特点，以2012年5月24日出刊的《“东方梦工厂”舆情专报》为例，就选题而言很具时代感，专家组收集了半年的相关舆情，从国家影视动画产业的高度对“东方梦工厂”的发展历程进行了关注，既分析了国外影视发展现状，又对中国相关产业发展提供可行性意见，为影视制作机构了解行业发展趋势、准确定位未来发展方向奠定了基础。《舆情专报》不仅对北京市的影视制作机构提供了可以参考的意见，而且对全国广电行业也是较好启迪。

五、针对多变的媒体环境进行系统谋划，形成“四位一体”宣管新型模式

如今广播电视媒体随着网络技术的普及，相比过去，内容、形式、方式、结构等都发生了巨大变革。广播电视与网络的互动性增强，“你中有我，我中有你”的模式已经成为现阶段广播电视呈现的新形式。广电宣传管理工作“随形势需求而变”成为了目前必须解决的重大课题。“四位”格局中，“常态管理”和“舆情追踪”负责短期、实时点评，二者最大的不同是前者由聘请的专业人士进行跟踪监控，后者收集的是广大听众和观众的意见，二者之间互为补充、互相借鉴，提供给被服务对象全方位的意见支持。“专题评析”和“热点专报”负责深度分析，二者区别是前者由合作的资深专家对某一广电内容进行评析，尤其对广播电视节目进行不少于40期的跟踪后得出评议报告，后者收集各媒体上的专家、意见领袖等的

意见，汇集成专报供有关部门和人士参阅，二者关注的对象和选题不同，前者属于中观层面，帮扶重点为北京地区，后者偏向宏观，涉猎范围没有限制，两者互为映衬。四种手段，产生了包括微观、中观、宏观、主观和客观五个层面和维度，全方位、成系统、一体化的宣管模式，所提供的内容可以满足各级领导和广播电视播出机构行业需求，真正做到了服务行业、服务基层、服务地区广电事业。

如今，北京市广播电影电视局《收听收看报告》灵活运用总结出来的“四位一体”宣管手段，科学谋划，合理搭配，适时出刊，针对性不断增强，影响面不断扩大，每周发刊已近1200份，网络普及已基本覆盖北京市所属广播电视制作和播出机构。“四位一体”的宣管模式值得同行业借鉴和推广。

（作者单位：北京市广播电影电视局）

经营思维模式下的版权媒体内容资产研究

金娜娜

2011 年 10 月 5 日，苹果公司联合创始人、前行政总裁乔布斯辞世，谷歌 CEO 拉里·佩奇评论说："他是一位有着过人成就和骄人光芒的伟大的人。他那用户体验高于一切的理念深深地影响了我。""用户体验高于一切"的经营理念贯穿乔布斯创新的始终，他带领自己的团队把电脑和电子产品不断变得简约化、平民化，让曾经昂贵稀罕的电子产品变为现代人生活的一部分，深刻地改变了现代通信、娱乐乃至人们的生活方式。

这不由让笔者联想到广电媒体的版权媒体内容资产管理，管理者们可否借鉴这个经营的理念，放低身段，将管理资产视作经营产业，把使用者和消费者视作营销对象，充分满足营销对象的真正需求，使媒体内容资产的运用与开发更加人性化、智能化，搭建生产创新平台，在此过程中凝聚更多智慧，衍生出更多产品。通过经营思维模式的推广，使广电行业从容面对前所未有的挑战，拓展出更加广阔的生存、发展空间。

一、内外部形势解读

（一）外部环境多元化、复杂化

近几年，随着网络相关技术手段的革新，新媒体以井喷式的速度前进。行业机构艾瑞咨询的数据显示，北京地区电视机开机率从三年前的 70% 下降至 30%，而且电视观看人群的年龄结构也开始"老龄化"，40 岁以上的消费者成为收看电视的主流人群。年轻人拥有个人电脑、互联网、平板电脑、智能手机等视听平台，具有更好的互动性以及选择自由。观众分流随之而来的是广告收入锐减：艾瑞咨询公布的《视频网站用户行为分析报告》显示，目前网络视频已成为网民使用最多的网络服务，并预测网络视频将在几年内占据整个互联网 90% 的流量。今年年初国家广电总局颁布“限广令”后，广告主不再大肆进军电视广告，而是转战网络视频。近日发布的《2012 年第一季度中国网络视频市场季度监测》数据显示，今年第一季度，我国网络视频市场广告收入就达到 21 亿元，同比增长 218%，据预测，今年中国网络视频广告规模将有可能超过 62 亿元。而与之相对应的则是广电收入锐减的现实，有人甚至断言，传统媒体广电行业的黄昏已经来临。

由于渠道竞争加剧，“内容为王”更加凸显。各类电视节目、电视剧、电影、动画片等在传统电视媒体中播出的内容，也成为视频网站、互联网电视、手机电视等充实内容的首选。各新媒体对高质量内容的争夺不断推高节目的价格。这对具有成熟制作节目经验、拥有绝大多数节目全部版权的广电来说，也是另辟蹊径、拓展生存发展空间的机遇，但也对其版权媒体内容资产的运用提出了更高要求。

（二）内部需求精准化、专业化

由于近几年各大广电媒体都在加强版权管理战略方案的设计和实施，编辑、记者的整体水平有了显著提高。为了规避侵权风险，他们对所使用的资料版权提出了更高要求，但版权管理的规划设计不完善，缺乏更人性化的软、硬件设置等问题容易造成节目制作过程不顺畅、节目经营困难等问题。以下两个案例，是节目制作、经营中常遇到的一些实际问题。

案例 1：电视台 A 频道需要使用 B 频道制作的一期特别节目中的素材，A 频道使用者向版权处询问是否可以通过媒资库直接使用该素材，但版权处只有这档特别节目情况的简单登记，并无节目中每段素材的使用范围、期限等信息记录，版权处工作人员需要联系 B 频道节目制片人，询问具体版权情况。几经辗转，耗费了 A 频道节目制作的时间。

案例 2：节目代理公司销售人员要推销电视台某栏目中的几期节目，但不清楚这几期节目的具体版权情况，而电视台版权处也需要向该栏目负责人落实具体情况。由于这几期节目已经播出了半年多，栏目负责人也记不太清楚了。销售人员和栏目负责人需要花费很多精力和时间确权，在此过程中客户已流失。

二、危机下的发展战略

面临复杂的内外部局势，广电媒体如果故步自封，不及时作出适当调整，那么不进则退，难免最终沦为夕阳产业。当下，相应策略的制定刻不容缓。

如果将版权媒体内容资产作为营销的产品，那么它的营销对象大致包括两部分：首先，是这些内容的使用者，多为电台、电视台内部的节目制作人员；其次，是对已有内容或再创作内容的消费者，包括观众和购买节目的媒体、公司等。本着“用户体验高于一切”的理念，针对这两类对象，制定不同战略。

（一）“细节至上”夯实基础工作

长期以来，对媒体资料的使用者（编辑、记者），广电多采取简单甚至粗暴的行政手段进行管理，以命令的方式规定、禁止大家不能做什么，却忽略了告诉使用者能做什么、该如何去做，并为其提供一个良好的使用环境，使得本应提供便利、促进创新的部门反而阻碍了生产力的发展。新形势下，管理者急需改变思维，放低姿态，把自己看作资料的提供者，从使用者的角度想问题，制订版权媒体资产管理方案，并将其尽可能细化，让节目的生产者体会到真正的便捷与实惠。

1. 贴近民心的规章制度的执行与落实

首先，是版权管理规定的建设与实施。广电版权相关的各项政策、规定建立、健全，是内容资产得以充分开发运营的基石，而细化各项版权规章制度建设，加强各项规定前瞻性研究，做好规定制定后的评估工作，及时回应不断出现的新问题，应成为持之以恒的重点工作。

现阶段，各广电机构需要进行严谨规范并建立完善规定的内容包括：

（1）合法使用他人著作权作品的规定，包括节目版权、录音、录像制品使用、外购素材使用等。

（2）作品的著作权保护和经营规定，包括统一销售、统一开发等。

（3）合作形式的规范，包括作品版权归属、授权销售等。

随着规定逐步健全，管理者更多要思考的，是如何让这些条文的颁布与执行更加亲民、更加深入人心。通过人性化的管理手段，让使用者了解到，这些法规的颁布与执行，是为了达到帮助大家合理使用资料、维护自身权益的目的。

在这一点上，中央电视台总编室版权管理部走亲民路线，落实规章制度的做法值得借鉴。版权管理部不定期向全台编辑、记者群发《版权管理手机报》，每期一个主题，如《节目制作》专题："我台委托外单位制作电视节目时，由我台全额投资，应通过委托制作合同明确约定节目版权归我台所有，最大化地保障我台利益。如果没有通过合同明确约定版权归属，根据《著作权法》的规定，节目版权将归受委托的公司，这将给我台带来较大损失……"通过叙述违反规定带来的危害，进行普法。在伦敦奥运会前夕，版权管理部还制作了《2012 伦敦奥运会版权事务指导手册》，明确权利与义务，对涉及奥运报道相关的具体问题作出指导。内容包括：第一部分　CCTV 报道权利和规则概要和指引；第二部分　CCTV 奥运报道的具体权利、义务和规则；第三部分　奥运知识产权保护问答；第四部分　相关规范性文件摘录。在第三部分中，以问答的形式，通过色彩清晰的图片、表格以及通俗浅显的文字，从多角度讲解奥运版权和涉及各领域的相关知识，提示编辑、记者将面临的问题。比之生硬颁布管理条例，《指导手册》的下发，无疑更加实用、贴心，既方便了编辑、记者的工作，也使各项规定的执行更有成效。

2．清晰、详细的媒体资产说明

目前，很多广电机构都在进行对媒体内容资产的整理。在这个过程中，不但要收集分散于各部门，没有提交媒资库的节目和版权问题清晰、可用于节目制作的素材，更需要对已有节目素材进行详细标注，方便编辑使用。资料的整理工作可从各部门抽调熟悉业务情况的老同志完成。这些曾在工作一线的老同志不但有丰富的工作经验，而且了解当时节目制作的具体情况，能找到资料的重点价值所在。

标注工作的清晰、详细是决定素材资料能否被充分利用与开发的关键，因此，要把资料的分类细化到极致。比如，版权音乐素材的标识，不仅要记录乐曲名称、表演者和词、曲作者的信息，还要从多个角度分类标注。如音乐的类型，属于流行音乐、民族音乐、摇滚音乐还是古典音乐等；古典音乐又细化为歌剧、声乐、器乐演奏等；如果是西洋音乐，使用的乐器是铜管乐器、木管乐器、键盘乐器、打击乐器还是弦乐器等；乐曲所表达的情绪也可分为欢快、悲伤、激情等。在分类构思完成后，可以下发各节目部门，征询一线采编人员的意见，根据他们的实际需求进行修改，使素材的标识真正起到充分说明资料的目的，让使用者在最短的时间内查找到有用信息，提高工作效率。

3．人性化技术平台的建设

在规章制度建立健全、资料标识清晰的前提下，进行人性化的技术平台建设是实现“用户体验高于一切”理念必要的技术手段，也是彰显几项基础工作效果的关键。

这项工作既需要广电投入较大的技术和研发力量，还需要进行周密的版权媒体内容资产管理中枢设计，通过管理系统的完善，完成版权信息登记、审核、确认、维护、查询、统计、数据处理等程序工作。不妨参考一些知名搜索网站的设计，这些网站的页面配套高级搜索功能，简洁明晰、易于操作。同时，进行合理的技术革新和资源配置，让素材资料的查找与使用准确、简便、快捷，为使用者提供切实有效的帮助。

（二）科学合理拓展外延

1．以数据为基础的研发

版权媒体内容资产基础工作的逐步落实，为深度开发节目潜在价值，进行节目版权经营创造了良好的条件。广电可以在此基础上，通过数据分析、专项调研，制订科学合理的外延拓展方案，充分发挥内容资产的潜在价值。

作为内容资产的管理者，虽然不直接面对消费者（观众和购买节目的媒体、公司等），但不应仅局限于做好内部管理工作。由于对素材资料的使用、购买有最直接的了解，因此，管理者掌握着探索节目发展的充分的话语权。

管理者可以根据掌握的使用数据，经过综合分析进行素材库有效补充并研发新节目。通过素材使用情况的统计，分析出何种类型的素材具使用价值，每年素材库更新时，重点购买该类型素材。在丰富资料库的同时，有的放矢，补充使用者真正需要的内容。

同时，还要对各类节目中使用素材情况进行跟踪调查。重点关注收视率较高的节目，统计该节目素材使用频率、时长、类型等情况，结合投入产出比等数据，进行节目研发，拓展新领域。在这方面，凤凰卫视播出的《文涛拍案》就是一次成功的尝试。这档评书风格的法制评述节目开播于2003年，至2011年为止，《文涛拍案》一直是凤凰卫视的王牌节目，不但收视率长期稳居凤凰卫视前三甲位置，而且充分展现了窦文涛独特的主持风格，令他名声大噪。这档节目的设置，源于2003年美国对伊拉克战争期间。当时凤凰卫视开辟了多档新闻时事类节目，进行全方位报道，积累了大量素材资料。为了充分利用资源，编导们决定设置一档以另类角度讲述战争进程的节目《文涛拍案》。节目通过轻松调侃的方式解读严肃的新闻事件，对多档时事新闻节目进行风格化补充。由于这档节目使用大量已有素材，主持人在演播室进行脱口秀表演，不需要更多资金，大大节约了成本。这次尝试，取得了意想不到的效果，收视率居然超过了同期播出的其他时事节目。事实证明，观众对这种对已知新闻事件进行趣味解读的形式相当认可。随着战争的结束，节目保留下来，每期的话题，扩展到近期发生的热点新闻事件，使用旧有的新闻素材，通过重新剪辑、包装，主持人用另一种方式诠释，依然吸引观众眼球。这个成功的例子，被江西卫视的《传奇故事》等节目学习、实践，都取得了不俗的成绩。

2. 连纵布局拓展空间

新形势下，复杂的竞争环境使任何一家传统媒体都难以做到一家独大。因此，广电不妨把视角放宽，充分开发内部的资源的同时，大力发展外部运营，与几家品牌媒体合作，强强联合，优势互补，共同开发内容资产，形成双赢。这种联盟一旦形成，将会对节目的生产、定价、购买方式等拥有充分话语权，占据更加有利的位置。

广电还应重视与其他网络尤其是电信网的合作，逐步降低互联网的接入成本。如广电可以和电信就反侵权问题展开合作。广电利用媒体优势，向社会宣传、适时曝光侵权行为；电信利用先进的技术优势，对侵权行为进行监控，对下载音、视频实施权限控制等技术保障。

另外，还要大力发展版权媒体内容资产的调研队伍，为自己的品牌节目开发产业链，最大限度拓展节目外延。

也许，在不久的将来，节目部门将会出现这样的场景：某位编辑要为某个地区的特色服务进行主题报道。他在电视台内网的页面上搜索到该地区历史、当下的图像素材，关于该项服务的相关图片资料，选取了几首适合的配乐；他还惊喜地发现，所需的一项重要视频资料已经在近期取得了播出权，可以使用。很短的时间内，各种版权资料都已齐备，节目播出后取得了理想的效果。类似这样的场景已经成为常态。

（作者单位：北京电视台）

关于加强北京电视台干部人才队伍建设的若干思考

窦晓东

面对传媒业特别是电视媒体间竞争日益激烈的严峻形势，进一步推动北京电视台科学发展，打造高素质干部人才队伍的需要显得尤为迫切。近年来，北京电视台在深入推进干部人事制度改革、切实加强干部人才队伍建设方面做了大量工作，也积累了一定的经验，但是干部人才工作的整体水平还不高，一些理论和实践层面的重要问题依然有待解决，需要我们进行持续深入的思考和探索。

一、关于构建干部人才工作体系

干部人才工作是关系北京电视台改革发展全局的一项基础性工作，加快构建具有北京电视台特色的干部人才工作体系，对于科学把握干部人才工作方向、提高干部人才队伍建设水平，具有重要意义。构建干部人才工作体系，主要包括明确干部人才队伍的培养目标、确定干部人才队伍的分类标准、健全干部人才工作的体制机制三个方面的内容。

1．明确干部人才队伍的培养目标

北京电视台干部人才队伍的培养目标，必须与北京电视台的整体发展要求相一致，体现北京电视台当前和今后一个时期对人力资源素质的需求。从传媒领域和北京电视台的实际来看，干部人才队伍的培养目标应体现为“五个有”的要求：一是有纪律观念，能够正确认识我国新闻宣传机构在党和国家事业中的地位和作用，毫不动摇地服从服务于新闻宣传工作的总体目标要求，做到对党的新闻宣传工作制度和纪律心中有数、令行禁止；二是有价值立场，自觉践行社会主义核心价值体系，把党和人民赋予的传播资源、传播权力管好用好，切实发挥主流舆论对社会的引导作用，做有思想、有品位、有情怀、有文化的社会传播者；三是有专业素养，熟悉电视媒体发展相关领域的特点和规律，在所从事工作类型的理论研究、实践操作上有一定的经验和造诣，掌握所在岗位相关的发展动态和发展趋势；四是有创意激情，对各种新的传播样态、传播形式具有一定的学习研究热情，能够积极主动地开展节目研发、技术研发、管理创新等工作，开放性、包容性较强；五是有责任意识，具备对新闻宣传工作的敬畏之心，顾大局、讲奉献、敢担当，在工作中既能做到大胆开拓，又能保持严谨细致。

2. 确定干部人才队伍的分类标准

分类管理和个性化服务，是现代人力资源管理的重要理念，也是新闻传播走向分工化、专业化发展道路的必然要求。明确干部人才队伍的分类标准，确定不同类型人员在全台改革发展过程中的地位和作用，开展分类指导，将极大地提高人力资源管理效率，是人力资源管理精细化的体现。从目前情况和未来发展需要来看，北京电视台的干部人才队伍主要应由 7 支队伍组成：一是党政管理人员队伍，包括中层以上领导干部和各部门各单位专门从事行政管理、人事管理、财务管理、资产管理、品牌管理、工程管理、党务工作和综合协调工作的人员，是北京电视台管理运营的核心；二是内容采编人员队伍，包括电视节目内容、电视相关活动和网络服务内容的编辑、记者、导演、制片人等，是北京电视台生产服务的主体；三是播音员、主持人队伍，包括电视节目、大型活动、网络节目的播音员和主持人，是北京电视台品牌形象的代表；四是创新研发人员队伍，包括专门从事前沿发展研究、政策研究、创新节目研发等工作的人员，是北京电视台创新发展的源泉；五是技术运维人员队伍，包括为内容生产播出和全台有序运行提供设备使用、设施搭建、效果制作、动力保障、网络维护等服务的人员，是北京电视台安全生产的保障；六是经营销售人员队伍，包括专门从事广告销售、资源经营和所属产业经营等工作的人员，是北京电视台实现市场化经营创收目标的关键；七是后勤保障人员队伍，包括提供物品、车辆、膳食、维修、居住、物业等后勤服务工作和安全保卫工作的人员，是北京电视台生产运营的补充。

3. 健全干部人才工作的体制机制

体制机制建设不在于多，而在于优。目前，北京电视台面临着加快推进事业单位改革和新兴传播机构推出一系列灵活人才政策的双重压力。我们要解放思想、与时俱进，清醒认识当前体制机制在健康度和适应性上存在的问题，真正把干部人才工作的体制机制搞活，特别要把握好以下 5 个方面的内容：一是党管干部、党管人才工作体制，重点在于如何把握好人员的政治素质和思想素质，增强党委对干部人才队伍的了解程度和调控能力；二是干部选拔任用和人才引进流动工作机制，重点在于如何把握好人员状况与岗位需求的动态契合度，实现干部能上能下、人才能进能出的目标；三是干部人才培养开发工作机制，重点在于如何把握好培训教育内容的针对性安排和个性化设计，切实提升干部人才培训工作的实效性；四是干部人才考核评价工作机制，重点在于如何把握好人员考核的全面性和准确度，将考核结果与培养使用有机结合起来；五是干部人才激励保障工作机制，重点在于如何增强个体激励对于全体人员的激发调动效果，发挥整体保障、动态激励的作用。

二、关于优化干部人才考核评价机制

考核评价工作是干部人才队伍建设系统工程的重要一环。考核评价不但是对干部人才工作业绩和工作表现的阶段性结论，也是对干部人才如何进一步使用、培养、管理的基本依据，在干部人才工作中起着承上启下的作用。2010 年以来，北京电视台在中层干部选拔任用考核、派遣人员年度考核等方面推出了多项规范化举措，并在实践中取得了积极成效。但是，我们也感到，干部人才队伍的考核评价机制还不够完善，考核评价的制度设计和操作过程还不尽合理，考核手段比较单一，目前正在研究酝酿新的改进举措。进一步优化干部人才考核评价机制，关键是要搭建起总结式考核、展望式评估、补充性考察“三位一体”的考核评价工作格局，有重点地开展考核评价工作，提高考核评价的全面性和准确度。

1. 总结式考核要突出对工作成果的评价

总结式考核包括干部人才的定期绩效考核、推荐评选和表彰奖励考核等，是对过去一个时期被考核人表现情况进行的回顾性评估。总结式考核的根本目的在于对照被考核人的岗位标准或推选条件，了解掌握其完成相应工作、实现相应目标的程度和质量，以此为依据作出相关判断。总结式考核一般可以分为4个步骤：一是调阅被考核人的工作报告和其他原始工作材料，了解其工作完成情况；二是调查被考核人所开展的工作与组织对其岗位定位或推选奖励范围是否高度相关，掌握其与考核标准的匹配度；三是收集分析重点工作开展过程的成本信息（包括时间成本、财产成本、资源成本、人力成本等），明确其投入产出比重关系；四是与被考核人相关岗位人员座谈交流，听取他们对其工作成绩、工作效率、工作缺陷的看法和意见。同时，部分总结式考核过程应根据实际，对有关步骤进行调整或增减。例如，对于播音员、主持人的绩效考核，要增加观众评价因子的调查；对于从事膳食工作后勤人员的绩效考核，要注重对就餐者享受膳食服务满意度的调查。

2. 展望式评估要强调对发展潜力的分析

展望式评估主要包括干部选拔任用的组织考察、人员岗位聘用考核等，是对被考核人是否具有担负某方面工作任务所应具备资格条件的前瞻性评估。展望式评估的根本目的在于根据已给定岗位（职务）的能力素质需求，通过对被考核人基础条件和以往工作表现情况的观察、了解、分析，发掘和判断其发展潜力。展望式考核过程主要可由以下5个步骤组成：一是采取与被考核人直接谈话的方式，听取其对拟任岗位工作的意愿和设想；二是通过与被考核人密切相关人员的谈话交流，把握其在政治素质、精神状态、工作作风等方面的情况；三是查阅被考核人的基础学历信息，了解其学科专业背景与拟任岗位的相关度；四是对被考核人进行专业的性格测试，针对拟任岗位的工作特点，提供对其性格特征的关联性参考信息；五是分析被考核人当前工作中表现出来的与拟任岗位所需特质相关的情况，判断其在较短时间内胜任工作的可能性。例如，从文艺节目中心制片人岗位拟选任为新闻节目中心副主任岗位的，应着重调查了解当前工作中是否出现过由于对社会信息敏感度和鉴别力判断不准确而导致的问题；从普通员工岗位拟选任为所在科室负责人岗位的，应着重分析了解其工作业绩在所在科室是否具有领先地位，以及其工作方法的推荐示范能否对提高科室整体工作效率发挥作用。

3．补充性考察要注重对态度行为的把握

总结式考核和展望式评估在目前的工作中应用较多，然而，由于它们的考核意图明确、考核时间和过程具有一定的可预见性，因此在对干部人才评判的完整性上存在不足，需要通过补充性考察进行完善。补充性考察在考核时间和被考核人的选择上具有随机性，其根本目的在于加强对被考核人日常状况的关注，充实干部人才考核工作档案，建立相关的评估和预警机制，为干部人才工作决策提供依据。补充性考察可以有不同的侧重点，但是为了与总结式考核和展望式评估形成差异，可重点围绕以下3个方面开展：一是通过对被考核人某一时段工作成绩、工作质量、工作效率、出勤状况的对比性分析，了解其思想和行为上的变化波动情况；二是采取与被考核人相关岗位人员非正式谈话的方式，把握其在沟通交流、待人接物、思想作风等方面的特点；三是在组织开展相关的集体教育实践活动过程中，观察被考核人的参与热情、团队意识、精神状态。例如，对从事播出值班岗位的人员，要着重了解工作状态和情绪行为的变化情况；对任职多年的中层领导干部，要着重收集分析其是否存在管理松懈、任人唯亲、拉帮结派、追名逐利的情况。

对干部人才队伍的考核，归根到底是为了加强对从业人员的有序引导，分析优势、指出缺陷，帮助相关人员更好地明确努力的方向。因此，要避免为考核而考核的倾向，注重对考核全过程和考核实效性的探索实践，有针对性地开展考核评价工作。要及时向被考核人反馈考核结果，提出改进要求，鼓励被考核人不断进行自我完善和自我提高。要加强对考核结果的分析和运用，切实发挥补充性考察的作用，形成科学全面的干部人才考核评价体系。

三、关于加强后备干部和年轻人才的培养

随着国内外电视传媒领域发生的剧烈变化，北京电视台对工作创新的要求越来越高，对优秀年轻干部和年轻人才的需求也越来越大。年轻人在思想观念、知识素养、创造激情等方面的优势，对北京电视台在复杂竞争环境下立于不败之地、实现持续发展具有积极而深远的意义。目前，北京电视台70后、80后乃至90后青年员工的数量持续增长，年轻一代在北京

电视台改革发展中的地位和作用日益突出，对他们的特点规律进行深入研究，为他们的成长成才创造有利条件，已成为迫在眉睫的课题。重视后备干部和年轻人才的培养，就是对北京电视台的未来负责，我们要从体制机制建设、培养使用方式、服务保障举措等方面着手，下大力气实施年轻干部人才培养工程，着力建设一支高素质、有作为、敢担当的年轻干部人才队伍。

1. 加快推进后备干部和年轻人才培养的体制机制建设

后备干部和年轻人才培养的体制机制建设，关键在于搭建有利于年轻干部人才脱颖而出、健康成长的制度环境和政策平台。与整个干部人才队伍体制机制建设相比，后备干部和年轻人才培养的体制机制建设，需要更加注重年轻一代的思想特点和社会环境，既要深刻认识到年轻人对于工作机遇、工作条件、工作环境的较高期待和要求，又要准确把握国内外人力资源管理环境的新情况、新变化，逐步摆脱传统人事管理模式和单位体制的约束，建立让年轻人心情舒畅、有所作为的人力资源管理模式。当前，北京电视台要重点做好4项工作：一是尽快建立后备干部培养选拔工作机制，开辟优秀年轻干部的准入晋升渠道，提供更加开放、更具针对性的干部选拔任用工作平台；二是着手制订未来5—10年干部年轻化工作实施方案，明确从70后、80后干部人才队伍中选拔产生中层干部、基层干部的工作举措和比重要求；三是积极化解派遣人员管理的制度矛盾，尽快消除身份管理的后遗问题，推动建立全面深入的岗位管理模式，彻底解决以年轻员工为主的派遣人员对自身身份存在的困惑和疑虑；四是加快培育鼓励年轻人才从事重点工作、承担重要任务、发挥重要作用的办台文化，破除先来后到、论资排辈的观念和习惯。

2. 进一步优化、丰富后备干部和年轻人才培养使用方式

近年来，中央和地方组织人事部门推出了一系列激励优秀年轻干部和年轻人才成长成才的工作举措，通过中央与地方干部交流任职、年轻干部赴艰苦地区挂职锻炼、大学生村官计划和西部支教计划等方式，培养出了一大批具有发展潜力的青年英才。北京电视台在充分学习借鉴这些做法和经验的同时，完全可以利用内外部优势，推出符合干部人才队伍特点和自身发展实际的培养使用手段。一是针对年轻后备干部，在有条件的部门和

单位尝试设立一些领导辅助工作岗位，赋予其一定的管理协调责任，强化对后备干部管理能力的锻炼和培养；二是选拔一批后备干部和优秀年轻人才参加上级部门安排的挂职锻炼，充分用好北京电视台80余个记者站和华北地区省级电视台合作交流平台，为后备干部和优秀年轻人才提供必要的培养使用通道，从中进行锻炼和考察；三是实施重点岗位年轻人才轮岗计划，鼓励那些思想素质较好、业务能力突出的年轻人在部门内甚至跨部门轮岗，为他们了解情况、拓宽视野、多岗位锻炼创造条件；四是开设针对后备干部和年轻人才特点的培训教育课程，开展前沿理论和创新实践教育，提升他们的综合素质和工作能力。

3. 不断完善后备干部和年轻人才培养的服务保障举措

对后备干部和年轻人才的培养，必须提升到发展战略的高度来认识，切实加强领导，提供保障。一是要进一步加强对后备干部和年轻人才队伍建设工作的领导，经过充分调研形成系统性的指导意见，探索建立党政领导干部一对一联系后备干部和年轻人才的工作制度，积极发挥党团组织的作用，对他们给予及时有效的指导和帮助；二是要逐步为后备干部和年轻人才提供职业生涯规划指导，配备专家式咨询服务人员，通过个案设计、网络咨询、坐诊答疑等方式，进行专业人力资源服务；三是要设立后备干部和年轻人才成长专项扶持资金，专门用于他们的创新研发、培训进修、表彰奖励等项目，为他们的成长进步创造有利的条件、营造良好的氛围。

（作者单位：北京电视台）

例析世界一流电视媒体人力资源管理制度及其启示

刘　旸

在节目同质化现象严重的今天，电视台之间竞争已经从节目内容的比拼，发展为经营力的比拼，甚至升级到人才管理能力的比拼。在中国电视媒体由机关化向市场化转轨变型期，在经营、管理等方面都已实现企业化管理后，如何提高媒体对人的管理能力，就成为制约我国电视媒体跻身国际一流媒体行列的一个重要问题。

因此，了解世界一流媒体人力资源管理视阈下的制度设计和建设问题，有助于我国电视媒体提高人才管理水平，从而提升国际竞争力。

一、基本概念的界定

本文中的人力资源管理制度，涵盖了一系列人力资源政策以及相应的管理活动，具体包括人力资源战略的制定、组织结构的设置、员工的招募与选拔、培训与开发、考核与激励、人才流动、企业文化等。

本文中世界一流媒体范围的划定，来源于《当代世界新闻事业》一书中对世界上著名的十大电视台的罗列，它们包括美国的 NBC、ABC（美国广播公司）、CBS（美国哥伦比亚广播公司）、CNN、FOX，英国 BBC，日本 NHK，法国电视一台，俄罗斯公共电视台 ORT，德国公共广播联盟（德广联 ARD），意大利广播电视公司 RAI，卢森堡广播公司 RTL 等。本文就择取其中部分媒体的人力资源管理制度的经验，和大家一起分享。

二、世界一流媒体人力资源管理制度综述

（一）组织机构

1．领导决策机构

大致有两种，一种是董事会下由总裁具体负责而设置的总经理和总编辑，另一种是成立执行委员会直接向台长负责。

美国 ABC、CBS 和 NBC 三大广播电视联播网的企业领导机构大致相同，可以归纳为：最高一层是董事长，决定总经理和总编辑的人选（多数情况下董事长和总裁一身二任）；总裁实际领导媒介的日常运作，对外代表媒体，对内向董事会提名总经理和总编辑的人选，直接任命经理部和编辑部的主要领导干部，决定经营编务上的重大问题；下面一层是总经理和总编辑，分别主管媒体经营，全面负责电视网的运转工作和主管媒介内容的编辑业务。

而英国的 BBC 则不同，《BBC 机构改革探析》中提到自 1999 年新一任台长格雷格·戴克上任后，BBC 吸取了博特扁平化组织的经验，废除了原来的两层模式，将执行委员会作为唯一的执行机构，并把节目制作部门代表也列入其中，这样台长可以在执行委员会的会议之间听取节目部和核心管理部门的汇报，以便迅速作出反应。针对扁平化组织管理难度增加的问题，戴克还成立了由一些高级执行官组成的领导小组，主要扮演上下协调和内外沟通的角色。这些执行官们必须每周花一天的时间与员工交谈，以便更好地了解组织内部存在的问题，这是改造的结果。

2．部门架构

电视台组织结构主要由 5 部分构成：销售部（广告部门）、节目部门、新闻部门、工程部门和行政部门，每个部门都有一个负责人，直接向台长或经理负责。由于节目的知识产权问题很突出，在英国，BBC 还有专门的法律部门，共有 160 多人，13 人负责版权，130 人负责同艺术家与自由撰稿人签合同。

而 CNN 是一个特例。《全球最大的新闻频道 CNN》一书介绍，CNN 新闻频道内部主要有一个强大的编辑中心，其中按内容可以分为政治、财经、科技等组成部门，然后有技术部门。内部管理方式多为项目管理，一

个节目为一个项目组，有节目制片人，有时候由主持人负责，他们有相当大的独立决策权力。CNN 记者不属于任何一个节目，而是属于整个频道。

3. 组织结构的更新变化

组织机构的设置并非一成不变，需要根据公司战略和环境的变化加入新的内容，为了迎接新媒体的挑战，许多传统媒体也成立了相应的机构和部门。

英国广播电视的新媒体销售部于 2005 年成立，主要业务为 4 个领域：作为英国非营利数字电视平台 Freeview 的股东之一，参与该平台和新购买的数字地面电视 SDN 的营销；营销独立电视网的游戏频道；开创和推进独立电视网的移动电视业务和宽带电视业务。澳大利亚广播公司也在组织机构中加入了新媒体与数字服务部，和新闻与文化事务部平行，属于节目机构的一个分支。虽说广播电视的网络化形态在美国也尚未找到切实的赢利模式，但他们无不将其视作决定未来胜负的重要战略市场，正主动融合、全力挺进。此外，美国的 CNN 几年来已裁员近千人，但网站人员不减反增，已达 200 多人，已占总员工的 1/10 左右。

（二）招聘录用

总体而言，这些媒体在人才的招聘录用方面各有其特定理念和标准。有的招聘刚毕业的大学生，大胆起用新人，只在乎态度和潜力，而有的则倾向于录用经验丰富的工作者，不在乎对方的专业是否对口；有的通过严格的录取考试才能进入，有的则通过和明星交朋友，邀请其加盟进行合作。

1. 和明星交朋友

据《世界一流媒体研究》介绍，哥伦比亚广播公司 CBS 在人才引进方面，不惜耗费巨资，大肆搜罗人才，引入了众多名声显赫的大明星。CBS 领导层特别关注那些能够吸引观众和商业赞助的名演员，与他们交朋友，邀请他们加盟 CBS，比如 NBC 名演员的加盟使得 CBS 节目的知名度迅速上升，使得 1973 年时的 CBS 受观众欢迎程度首次超过了 NBC。CNN 也曾启用电视剧集《纽约警局蓝调》的女演员 Andrea Thompson 作为《简明新闻频道》的新主持人。

2. 重经验胜过专业

CNN 注重的并不是一个人所学的专业，他们尤其看重的是这个人在这一职位的工作经验，不是看“你学过什么”，而是看“你做过什么”。因此他们的记者背景五花八门，包括了政治、法律、经济、社会和国际关系研究等各类专业。

3. 大胆使用新人

在CNN总部的机构核心中，除了一批富有新闻工作经验的精英分子之外，其他雇员大多数是只有不到5年工作经历的年轻人，很多甚至还是刚从学校毕业的学生。年轻人的优势在于对摄像机、图像编辑机等技术操作熟练，只要有才能就会被重用。比如，加州的“农村孩子”厄尼·马丁，在1945年被CBS负责节目制作的副总经理道格拉斯·库尔特雇用，进而在好莱坞制作节目。在CBS的培养下，他很快脱颖而出，制作了侦查连续剧《悬而未决》等优秀剧目，赢得了众多好评。

4. 有强烈的成功欲望

星空传媒重视那些有强烈的成功欲望，又能在遇到问题时独辟蹊径解决问题的人。他们对管理者的素质提出了6点要求：树立榜样、广阔的视野、管理纷繁复杂的事情、管理人、专注于客户且具有大胆创新意识。这些标准体现了星空传媒重视员工工作态度和潜力的用人原则。

5. 来自不同国家的多样性

有西方学者认为，全球化在阿拉伯世界有两大成果，第一是麦当劳，第二就是半岛电视台。半岛电视台的记者、编辑、技术人员是来自不同国家的阿拉伯人——卡塔尔人、沙特人、叙利亚人、突尼斯人、埃及人、科威特人、伊拉克人和巴勒斯坦人等，堪称一支泛阿拉伯国际纵队。这种多国籍的员工队伍，带来了不同的思维方式，他们的关系网也扩大了半岛电视台的报道面。

（三）培训教育

主要通过岗位进行专业本领和企业文化的培训，有的媒体还专门建立了学校培养后续人才。

1. 岗位培训

以CNN为例，当应聘者被CNN录用之后，CNN对从业人员甚至实习生都有标准化的培训。在培训中，CNN注重培养“一专多能”的人才，很多制作人采访、编辑、导演样样精通，主播们也不满足于读稿，还具备了新闻评论能力。日本NHK在职工培训上的投入很大，除了专业技能的培训，还通过树立信仰、灌输价值观念，潜移默化地影响员工的行为，使其自觉地与媒体发展目标和要求保持一致。

2. 开办职业学校

香港亚视电视台为了培养后续人才，在广东东莞市开设了“广东亚视演绎职业学院”，是目前华南地区唯一一所围绕电视艺术创作、生产流程所需各个专业开设的多学科、综合性的普通高等艺术院校。为提高其电视剧制作水平以攻占内地庞大市场，还曾与暨南大学文学院合办了第一届编辑训练班。

（四）考核激励

对业绩进行考核后，激励的手段不同对员工会产生不同的效果。其实，除了薪酬之外，将考核结果纳入退休计划、采用终身雇用制，可以大大加强员工团队的稳定性。用主持人的名字命名节目，给制片人更多发挥的空间，可以激发员工的工作热情。

1. 将短期考核的作用长期化——将收入部分纳入退休计划

《世界电视台与传媒机构》一书中提到，澳大利亚广播电视台除了行政人员，前三个月都是试用期，主管将评估能否胜任工作以及你的工作级别。ABC的所有长期员工都有一个透明化的工作业绩管理系统，12个月为一个周期反馈员工的工作业绩。这些员工可以按照规定加入退休计划公共部PSS，将个人收入的2%—10%存入这个计划中。类似的还有日本NHK以精神激励为主，采取的是员工终身雇用制度，并努力营造友好、和谐、愉快的工作氛围，使员工有充分的安定感、满足感和归属感。

2. 用薪酬激励——固定工资和弹性工资制

薪酬是激励的第一要素。美国电视媒体中员工的薪水是刚性的，其收入的90%是按小时或工作量计算的固定工资。国家广电总局发展研究中心课题组对美国部分电视台考察后提到新闻节目主持人年薪在20万—40万美元之间，在一些较大的电视传播市场，有名的新闻节目主持人年薪可达50万美元，纽约、洛杉矶和芝加哥甚至有年薪百万美元的新闻节目主持人。而在日本实行的是弹性工资，员工收入的25%是根据媒体经营状况得到的红利，工资成本的灵活性使日本媒体能比较容易地渡过难关。

3．突出职位重要性——用主持人名字命名节目

主持人的地位在CNN新闻类频道中十分突出，CNN的名牌节目几乎全都冠以主持人的名称，比如Larry King Live、Lou Dobbs Money line，这既是美国影视业商业化的明星体制的直接产物，也是主持人重要地位的集中体现。

4．给予充分的发挥空间——“制作人自主制”和“制片人中心制”

《世界电视台与传媒机构》中HBO的“制作人自主制”和Discovery频道“制片人中心制”都给予了制片人充分的自由发挥的空间，促成了一大批天才的制作人以及导演、编剧们的脱颖而出，但是二者不尽相同。

美国有线电视专业付费频道的开创者和领军人HBO，采用的是“制作人自主制”，即“找到你，给你一笔钱，放手让你做”，而拍电影、电视剧涉及的投入风险，则全部由制作的决策者来承担。Discovery频道的特点是实行“制片人中心制”，节目在拍摄过程的一切以制片人为中心，制片人并不参与具体拍摄事宜，在筹备初期对纪录片的选题进行把握，根据内容的不同，在全世界挑选导演。导演确定后，就由该导演在全世界选择拍摄团队，组建队伍，申请频道拨款。这种机制使得节目主创人员多样性，能够充分借鉴世界各个纪录片创作思想的主要成果。

（五）人才流动

人才流动在国外电视媒体中是一件司空见惯的事情。人才流动包括内部流动和外部流动。日本媒体的员工在内部流动频繁，而美国媒体的人才流动主要来自于外部劳动力市场。

1．内部流动

《国外广播电视管理漫谈》一文介绍，NHK人员内部流动比较经常。NHK总共有15万人，每年调动人员1000—2000人，在一个岗位干2—4年。韩国广播公司，三年一调动，原来在总部的可能调到地方局，这种岗位轮换可以改变员工长时间做一种工作可能产生的职业疲劳，同时也能培养员工的多样化技能。

2．外部流动

《电视台战略性人力资源管理对策研究》一文指出，美国电视媒体人力资源管理模式的形成是资本主义大规模生产的典范。在人力资源配置上

主要依赖外部劳动力市场。市场机制在人力资源配置中发挥着基础作用。媒体和员工之间是简单的短期供求关系，没有过多的权利和义务约束。通过双向的选择流动，可以实现媒体内个人与岗位的最优化匹配，而与此同时，企业员工的稳定性不高。

据《新闻人才流动：A Common Sight——从美国电视新闻媒体“挖人才”大腕与“反挖”谈起》介绍，在美国，一些新闻界的大腕级人物被媒体挖来挖去的现象很普遍，用美国人的话说，电视新闻界的人才流动是一件司空见惯的事。最有挖人才愿望的当数 CNN（美国有线电视新闻网）的老板特德·特纳，在 1997 年前后，先后开出从 500 万—700 万美元的个人年薪天价，欲挖 CBS 王牌主持人丹·拉瑟等头牌主持人可惜均未得逞。三大有线电视广播网反挖人才的主要做法是根据业绩，尽可能为天王级人才大幅加薪，以保持本媒体的品牌优势；适当延长聘期，将原来通常采取的 3 年聘期改为 5 年聘期，以法律契约的方式留住人才；提供更大的舞台，加大关怀力度，留人先留心。

（六）企业文化

文化是电视传媒的情感引擎，无论 HBO 的为了艺术而艺术的文化，还是 MTV 打造国际化青年的文化，都对各自的发展战略有着潜在的、强有力的影响。如果 CNN 不痴迷于现场新闻报道，它就不会取得对世界重大事件进行独家现场报道的良好纪录；如果 BBC 没有一个执迷于为英国公众提供最高的职业标准和创作标准的节目文化，BBC 也不能在组织震动的 10 年内保持其出色的节目质量。

1. 为了艺术而艺术

具有“小流行专卖店”特征的 HBO，由于其商业模式不依赖于广告，不需要为了收视率回避一些题材，因此，系列剧的作者和监制能够为了艺术而艺术进行独立创作，这就在 HBO 形成了一种创造性很强的文化氛围。

2. 倡导国际化青年文化

MTV 努力打造一种国际化青年文化，他们认为音乐是世界性的语言，而流行音乐是青年文化中的一个重要元素，加之青年是消费最强的群体，因此以青年为定位的频道在广告商具有极大的优势。

3. 成为受众生活方式的一部分

BBC 依靠英国观众收取收视执照费获取收入，至今仍然秉持其首任总裁约翰·涅思对与广播事业的理念：“广播不应该迎合大众的口味，而应该引领大众的品味。”这是一种把自己定位得高于观众的精英文化。在《透视 BBC 与 CNN：媒介组织管理》一书中，作者将 BBC 的文化细分为 4 个理念：“公共资金使我们与众不同；业务上做得最好；英国生活方式的一部分；捍卫一份伟大的遗产。”

4. 力争做世界新闻的领跑者

同样在《透视 BBC 与 CNN：媒介组织管理》这本书里，作者将 CNN 的文化模式归为 4 个层面：“新闻位于 CNN 的核心，CNN 就是新闻；我们理解生活的现实；CNN 是开拓者，是持异议者，是提倡打破旧习的人；我们是美国广播界的弱势者和局外人——我们为此而自豪。”其核心是对重大新闻的一种信仰。

三、我国电视媒体人力资源现状与启示

我国的电视媒体兼具事业属性和产业属性，集多重身份于一身的属性无疑加大了人力资源管理的难度。尽管和西方市场化运作的电视媒体存在着制度层面的不同，但是在具体运作方面也不无借鉴之处。

1. 建立完善的人力资源管理体系

在事业管理体制下电视媒体经费预算是自上而下核定拨发的，领导干部是自上而下任命的，人员调整以权力和利益为重，还停留在“人事管理”、“机关管理”的层面。要激发员工的创造力和工作热情，生产出具有世界一流水准的节目内容，就需要建立与之匹配的完善的人力资源管理体系作为内在动力和保障。

2. 创造一个人才流动的市场环境

人力资源最优化配置，才能促进媒体行业的健康成长。《经济日报》研究部副主任、博士曹鹏在《媒介人力资源管理的难点与热点问题》一文中指出，一家新闻单位有没有活力，可以看其人才流动情况。不仅要看是什么样的人在流进，还要看流走的是什么样的人。不出不进的所谓“冻结”，往往是僵死的同义词。

3. 人力资源制度对员工的激励作用不可忽视

电视传媒属于知识密集型产业，人员有着较高的自觉性，工作性质灵活。和制造业等行业相比，刻板的打卡等人力资源制度显然不能满足于传媒行业。国外媒体运营中无论是制片人自主制还是制片人中心制，这些制度背后都是对人才能力的肯定，并给予其充分的发挥空间，对于激励员工开展创造性的工作有着重要作用。

4. 提炼具有自我媒体特色的企业文化

电视媒体应当根据自身特点提炼出具有自我特色的企业文化，同时将这种文化运用到人力资源管理的各个环节。企业文化的作用不可小觑，CNN 的定向节目推行之初重重受阻，就是与其重视新闻直播报道的企业文化相悖。

（作者单位：北京电视台）

对加强年轻编辑、记者、主持人思想作风建设的思考

平建学

新闻媒体是党和政府的“喉舌”，对新闻从业者提出了很高的素质要求。根据新闻工作的需要，电台、电视台等新闻媒体每年都要招收一些年轻同志充实到编辑、记者、主持人队伍，这些同志以文化层次高、知识面宽、视角新颖等特点逐渐成为新闻单位的生力军。但从实践来看，由于主客观各方面因素的影响，有些年轻同志在思想作风上还存在不少值得注意的问题，应该加以重视和解决。

一、当前年轻编辑、记者、主持人队伍在思想作风上存在的主要问题及表现

1．奉献意识淡化，敬业精神不够强

有的总感觉现在待遇不错，没有必要那么辛苦，工作上只求过得去，不求过得硬。有的面对媒体竞争日趋激烈的态势，缺乏危机意识、“本领恐慌”意识，觉得只要把眼前的工作完成就行了，自身业务学习抓得不够紧，对有些前沿性的知识、理论缺乏如饥似渴的欲望，缺乏刻苦钻研的精神，素质提升不够快。有的缺乏认真细致、精雕细刻的工作精神，做节目前准备工作不够充分、不够到位。有的缺乏对本单位的归属感，一定程度上存有临时观念。媒体工作时常没有准点，还经常开夜车，有的同志就觉得跟别人“朝九晚五”上下班的工作和生活相比自己太辛苦，吃苦精神不够强。

2．集体意识淡化，存有个人主义

有的同志想问题、做事情缺乏团队精神，有时对自己的事情关注太

多，或存有“小集体”观念，不善于从大局、全局上考虑问题，与其他部门和本部门其他同志的工作配合不够紧密。有的觉得把自己的本职工作干好就行了，对集体组织的活动参加不够积极。有的在打水、领东西、打扫卫生等日常生活小事上不够主动，认为干不干无所谓，没有认识到这也是一种集体主义思想的表现和培养途径。还有的同志身在福中不知福，与其他行业盲目攀比，对现有的收入、福利不太知足。

3. 勤俭意识淡化，时有浪费现象

现在生活条件越来越好，各单位对员工的生活、工作条件也越来越重视，有些年轻同志却养成了大手大脚的不良习惯，造成一些不必要的浪费。比如，在用水用电方面，一些年轻同志没有养成人走灯灭、下班关电源、随手关水龙头的习惯，长明灯、长流水的现象仍然存在。有的在食堂就餐不注意节约，存在饭菜浪费的现象。还有的同志用纸没有养成双面打印、复印的习惯，存在单面打和多印、重复印的现象，造成办公纸张浪费。

4. 形象意识淡化，作风不够严谨

媒体工作具有很强的社会性和导向性，每个人的一言一行、一举一动都关系到自身和媒体的社会形象及公众形象，但有些年轻同志对此不太注意。特别是在外出采访报道、参加各种宣传活动时，有的同志着装、言行不够严谨，存有一定的随意性，个别的甚至活动还没有结束就提前退场了。有的在一些公众场合抽烟、大声交谈，一定程度上影响了媒体的形象。还有的在日常工作生活中待人接物不注意“小节”，礼节礼貌不够周到等。

二、年轻编辑、记者、主持人队伍思想作风存在问题的主要原因

1. 成长经历

年轻编辑、记者、主持人出生于改革开放的年代，生活条件优越，从来没有尝过“苦”的味道，再加上他们大多是家里的“独苗”，自小娇生惯养，过惯了“小皇帝”、“小公主”的生活，难免养成“娇骄”二气，生活不够节俭，说话、办事以自我为中心。同时，有些学校、家长片面重

视文化教育，从而忽视了德育教育，使他们往往只追求学习成绩，在思想品德方面不注意，导致一些年轻同志是非观念颠倒、良莠不分，甚至把一些不好的习惯当成“时髦”、“个性”。

2. 社会环境

随着市场经济的深入发展，一些同志受拜金主义、享乐主义、极端个人主义的影响，产生物质利益至上的观念，只追求物质生活的享受，忽视了精神财富的积累。随着社会开放度和包容度的扩大，年轻同志的民主意识、自我表现意识不断增强，做事往往都有自己的“主见”，不愿受任何约束，还自认为是捍卫自己的“权利”。在网络越来越普及的情况下，不少年轻同志都是不折不扣的“网虫”，相当一部分时间都泡在网上，而网络上的不良信息、不良观点随处可见，难免对他们的思想产生不好的影响。同时，社会上的所谓“处事原则”以及各种丑恶现象特别是腐败现象，也对他们产生了一定影响。

3. 自我修养

有的同志往往只重视业务水平的提高，对思想道德修养重视不够，理论学习、政治教育参加不够积极。有的读书、看报、看电视单纯按照自己的好恶取舍，对一些言情故事、花边新闻比较感兴趣，政治理论、道德修养方面的知识涉猎不够多。长此以往，难免思想上落伍、精神上空虚。还有的同志自我要求不严，有些道理不是不懂，而是不为。

三、加强年轻编辑、记者、主持人思想作风建设的措施

1. 抓好学习教育，切实把“内功”练到家

抓好学习教育，是思想政治工作的重要手段，是提高个人理论素养和思想道德修养的重要途径。在当前社会经济成分、组织形式、物质利益和就业方式日益多样化的今天，各种思想文化相互激荡，一些错误的、腐朽的、落后的思想观念无孔不入，存有一定的市场，在这种环境下，尤其要把年轻同志的“内功”练好，向他们灌输先进思想、理念、观点，这样才能使他们明辨是非，真正搞清楚什么是对的、什么是错的，应该提倡什么、反对什么，进而抵御住各种错误思潮的侵蚀和影响。要注意加强经常性的教育培训，把功夫下在平时，使教育培训经常化、规范化。近年来，

我们电台每年都组织采编播人员培训，组织新员工到艰苦地区锻炼，经常采取举办报告会、外出参观等方式开展传统教育，从2008年开始还着力实施和推进企业文化建设，提炼了北京电台企业文化理念体系和员工行为规范，建立了台史展，收到了明显的成效。抓好年轻同志的思想政治教育和培训，是一项经常性的任务，必须持之以恒地坚持下去。

2. 抓好问题整改，切实把“苗头”遏制住。千里之堤，溃于蚁穴。作为思想政治工作的组织者，要有敏锐的眼光和很强的洞察力，善于见微知著、小中见大，把问题发现在将有之时、解决在萌芽状态，否则就会越积越多、越积越严重。因此，对已经发现的问题，必须坚决制止。要注重从小事抓起，对员工不恰当的言行举止和违规违纪行为及时提醒、严肃批评处理，不能放任自流、睁只眼闭只眼。对一些带倾向性的问题，要及时采取教育整顿等方法加以解决，不能拖着。要切实增强原则性、战斗性，在整改中始终做到高标准、严要求、动真格，不能喊得凶、抓得松，仅仅把整改决心体现在嘴上，把整改措施停留在纸上。要有一种“刮骨疗毒”的精神，狠得下心，下得去手，不能畏首畏尾、缩手缩脚，对一些问题比较严重的人和事，该批评的严肃批评，该处理的坚决处理。要建立健全思想作风建设长效机制，不能抓一阵、松一阵，防止出现反复。要有一抓到底的韧劲，解决不了问题不松手，抓不出成效不回头。要建立责任追究制度，对整改措施落实不好、问题解决不好的，追究领导者的责任。

3. 抓好典型激励，切实把“标杆”立起来

典型的力量是无穷的。政治工作者要善于运用典型激励的工作方法，真正起到学一个、带一片的效果。实践证明，身边的典型往往更有说服力和感染力。在实际工作中，我们不仅要注意组织员工学习那些全国性、行业性的先进典型，更要注意挖掘和发现本单位的典型，让年轻同志有学习的榜样和追赶的目标。一个值得注意的问题是，有的单位虽然注意培养和树立自己的典型，但往往片面重视其工作能力，忽视其道德修养，这样的典型难以让人口服心服。因此，在树典型的工作中，要切实把握综合衡量的标准，既要看工作实绩，更要看思想作风。对已经树立的典型，要注意做好后续工作，大张旗鼓地宣传表彰，并在政治、经济待遇上予以优先考虑，这样才能真正起到带动和激励作用。同时，要注意发挥领导干部和党

员的模范作用，对他们严格要求。老百姓常说，村看村、户看户，群众看党员，党员看干部，这充分说明了领导干部和党员表率作用的极端重要性和必要性。要结合目前正在开展的创先争优活动，认真落实中央关于争当优秀共产党员要做到“五个好”的要求，使广大党员真正当好表率、模范带头，这必将对加强年轻编辑、记者、主持人思想作风建设起到积极的促进和带动作用。

（作者单位：北京人民广播电台）

积极践行“走转改”强化台网互动
——BTV在线策划制作《走进100》“走转改”系列节目的体会

戴巧玲

网络媒体发展之初，一些媒体的网站往往是把传统媒体的内容照搬上网络，这种做法不仅仅缺乏创新，也忽略了网络媒体自身的优势和特点，其传播效果往往事倍功半。作为北京电视台（以下简称“BTV”）官方网站，BTV在线积极加强台网互动，除了承担对BTV各节目中心节目的网络播出和宣传推广外，还推出了一些特色内容和服务，如开办与网民直接交流沟通的BTV在线论坛，策划制作网络直播访谈节目《走进100》。《走进100》于2011年7月27日开播，经过一年多的运作，已经成为BTV在线原创的品牌栏目，吸引了一批稳定网民的关注。2012年7月起，我们又策划播出了《走进100》“走转改”系列特别节目《身边的感动——主持人、编辑、记者走一线》，至2012年10月31日暂时告一段落，共播出17期节目。节目邀请BTV各节目中心参与“走转改”报道活动的主创人员，在演播室现场讲述他们在节目摄制过程中的所见所闻，展现了BTV采编人员在“走转改”活动的业绩和风采；并在最后一期收官节目中，特别邀请了专家对节目进行点评，回顾了BTV“走转改”的主要节目及其经验，阐释了BTV“走转改”的亮点意义。

作为本系列节目的策划者和管理者，现谈谈本人在该系列节目策划制作过程中的一些体会，供同行借鉴。

一、策划初衷：网络媒体也应积极“走转改”

新闻战线开展“走基层、转作风、改文风”活动，是坚持党的新闻事业性质宗旨、履行新闻工作责任使命的必然要求，是落实“三贴近”要求、增强新闻宣传吸引力感染力的重要途径，是加强队伍建设、提高新闻工作者综合素养的有效举措。“走转改”是立足当前、着眼长远，推动新闻事业健康发展的基础性工作，必须高度重视。

北京是“中国的网都”，北京网络媒体行业反映着中国互联网的整体形象，广大网络编辑承担着弘扬社会主义先进文化的重要使命。我们认为，网络媒体工作者也应积极践行“走转改”。

为此，作为北京电视台的官方网站，BTV在线特别策划制作了《身边的感动——主持人、记者、编辑走一线》网络直播访谈系列节目，旨在展现BTV采编人员在“走转改”活动中的业绩和风采，推动全台“走转改”活动的继续深化。我们认为，系列节目对BTV的“走转改”活动能起到积极正向的导向作用，具有以下意义：

一是加强对BTV“走转改”活动的宣传，配合全台开展“走转改”活动的重点工作、营造深化“走转改”的舆论氛围，展现BTV采编人员在“走转改”活动的业绩和风采，集中展示BTV前期开展“走转改”活动的成绩，系统梳理总结经验，提升BTV“走转改”报道亮点；

二是在BTV积极营造高度深化“走转改”的良好的舆论氛围，强化全台采编人员对“走转改”的常态化参与意识，提高全台采编人员践行“走转改”活动的积极性、自觉性和荣誉感，推动全台“走转改”活动的继续深化，同时尽量整合BTV各节目中心“走转改”活动资源，积极协助BTV各节目中心在下一阶段“走转改”活动中取得更大成绩。

此外，对观众而言，《身边的感动》传递的是正能量，是在电视台和观众、网民之间架起的一座桥梁，有利于加深各社会群体之间的相互了解，有利于加强受众对社会各方面问题的认识，推动问题的解决和矛盾的化解，能对社会问题的解决有“缓冲带”和“减压阀”的积极意义。

二、选题策划：独家挖掘一线采编人员幕后故事

在选题策划上，“身边的感动”系列节目独家挖掘的全台一些优秀“走转改”节目的采编人员的幕后故事，有助于受众对BTV“走转改”报

道及相关采编人员有更直观和深入的了解。通过“身边的感动”系列节目，观众对电视台采编人员在幕后的辛苦，才有了更深入、更具体的了解。

新闻人一般是隐藏在摄像机后面的人，他们是新闻事件的报道者，他们自己的故事却往往鲜为人知。《身边的感动》系列节目锁定BTV的编导记者，来挖掘发生在他们身上的故事，其选题策划的视角较为独特。如果不是“身边的感动”这个系列节目，受众恐怕很难知道《胸科医院十天》的编导韩靖为这一期节目所受的煎熬，很难知道“风雨同舟”大雨报道中的机动记者颜葵为了几个镜头要连续不停奔跑8个地点，很难知道去奥运会采访报道的新闻中心记者是怎样在没有央视所持红证的困难情况下如何出色完成报道任务的……“走转改”一线的采编人员很辛苦，几十分钟的节目，他们往往要蹲点采访一两个星期甚至更长时间。编导韩靖说：“生命要互相善待，每一个生命都值得尊重。尤其是医生，他们真的要注意身体”；副制片人吴犁犁说“你一路在往前走，你就一路在感动”，“我们的记者就是在大雨里，泡在水中坚持报道”；《锐观察》的赵蕾说“我们作为媒体，是在捍卫诚实，而我们想北京的市民通过我们在捍卫诚实，重新去认识什么是诚实”。这些在《走进100》中出现的话语，彰显了这些BTV采编人员的执着信念、责任意识和过硬的业务素质，这能为新闻人树立正面的职业形象，争取更多的社会关注和社会理解。

“身边的感动”系列节目确定的采访嘉宾来源较为广泛。有来自北京卫视《身边》栏目组的记者，向受众介绍了“7·21”特大暴雨中新闻采编的故事，让受众了解到奋斗在第一线的新闻记者忙碌的生活常态，他们对工作的热爱、对岗位的执着令人动容；有来自《身边》《生命缘》系列节目的主创人员和医护人员，如《胸科医院十天》的制片人和编导来到演播室，讲述那些令人潸然泪下的医患情；有来自《生活+》栏目组的工作人员，他们集中关注的是公益家装大讲堂，其节目宗旨是让观众深入认识家装、向观众推广绿色环保家装理念、改善居住环境，一类报道贴百姓，解决的是老百姓生活中细微却极为重要的问题；还有来自《天下收藏》等栏目的采编人员等。“身边的感动”的话题涉及面也较广，覆盖了当下社会时事的各个方面，选题大的有神九发射、伦敦奥运；小的有送奶工，另外还涉及其他重要的社会焦点问题，像新生儿建档、医患关系等，这些报道和案例有很强的代表性，能够在一定程度上反映社会问题和舆论热点。

系列节目不仅邀请了原“走转改”节目的记者编导等采编人员，有时还邀请到原“走转改”节目的新闻事件当事人或被采访对象，如《生命在奉献中继续》的入殓师邓磊。邓磊在节目现场的讲述和反应使人更为真切地了解了这位入殓师的敦厚，也知晓了入殓师这个行业的艰辛，弥补了镜头表现的不足。在节目演播室现场，记者李晓东对拍摄细节的讲解和与邓磊的对话，使得这部片子的细节更具有美感和震撼性，比如握手时，邓磊会先看看自己的手，然后擦了一擦，才伸出手来。这些画面在镜头里并没有表现，但听编导和当事人这么说来却给人一种沉重感和苍凉感。并且后来谈到的“军事化管理”也使人了解了入殓师这个行业不仅仅有不为人知的心酸，还有着非常严格的管理制度，这些也都是受制于电视节目时长而无法表现的。对于电视观众来说，系列节目提供了深入了解节目中当事人的机会，使人能够更加真切地感受当时的拍摄情境和拍摄背后更多的故事，从而提升了电视节目的感染力和震撼力，有助于节目的持久传播，取得更好的传播效果。

总之，《走进100》把这些“走转改”报道的采编人员或原“走转改”节目的新闻事件当事人或被采访对象请到演播室进行现场访谈，不仅拓展了受众对相关新闻事件的认识，也加深了受众对BTV这些一线采编人员的了解，强化了社会对新闻人这一职业群体的感知和认识。

三、形式策划：营造真诚质朴的访谈氛围

在节目形式策划上，系列节目采取了形态质朴的访谈节目，并力求营造真诚质朴的访谈氛围：几把椅子，一张茶几，再加一壶茶水，就是演播室的整体布局。这种轻松随意的对话方式，舒缓了主持人和嘉宾之间的陌生感和距离感。相较于过去主持人和嘉宾总是正襟危坐、彬彬有礼的样子，《走进100》在对话形式上有了一些突破，更为轻松自如，没有了刻意安排的痕迹。主持人在节目中只起到穿针引线的作用，并没有过多干预嘉宾的观点，嘉宾真正成为了访谈节目的主角，从而真实地反映了BTV“走转改”一线记者编导深入基层的过程和心得。这种直观的表现方式更符合

网民求简求真的心理，也的确能给人轻松、自然的感觉。

四、台网互动：以专家点评收官，升华“走转改”主题

作为系列节目暂时告一段落的收官之作，在10月31日播出的最后一期节目中，节目组专门邀请了中国人民大学新闻与社会发展研究中心主任、全国新闻学研究会会长郑保卫教授，中国记协新闻培训中心主任刘梓良教授对节目给予评价和总结。这两位专家既是节目的受众，又是对新闻采编和“走转改”颇有研究造诣的专家，他们在价值中立的前提条件下对BTV的“走转改”节目和《走进100》——《身边的感动》“走转改”系列节目的评价，进一步深化了节目主题，提升了节目的价值。

这既表明BTV在节目制作方面越来越重视学界专家的意见，力争把专家的意见和新闻实践相结合，也能增强节目的可信度，因为来自价值中立的学者的评价，比BTV自身的评价更有说服力，其正面评价也更容易被观众接受和认同。此外，专家的专业点评也有助于节目总结经验，有助于BTV“走转改”报道的继续深化。比如对“走转改”中三者的联系，郑保卫教授认为，“走”是一种形式，“转”和“改”才是目的，其中“转”是核心、是关键——通过走基层解决转作风的问题，作风转变了，那么文风改进起来就容易了。刘梓良教授认为“走转改”必须落实到实践层面，要改变新闻报道实践中一些错误倾向。这种富有学术价值的探讨提升了节目的高度，升华了系列节目的主题，进一步画龙点睛地指出了“走转改”活动的价值和践行路径等关键问题，堪称是节目告一段落的较为完美的收官之作，也为BTV在线积极尝试台网互动取得了一个成功的范本。

五、结语

总之，“走转改”活动的根本是加强新闻人员的综合素质，目标是提高作品的引导力。《走进100》作为BTV台网互动的探索，集中展示了BTV前期开展“走转改”活动的成绩，系统梳理了前期开展“走转改”活动的经验，是对走转改活动的阶段性总结。我们将继续践行“走转改”精神，积极整合各节目中心“走转改”活动的资源，提升“走转改”报道亮

点。在切切实实的“走”的基础上，发现和总结更好的主题，为“转”和“改”的具体目标创造出一批好作品。

（作者单位：北京电视台）

后　记

贯彻党的十八大精神，推进全国文化中心建设，促进“十二五”期间北京广播影视全面发展，必须做好调查研究，探索行业发展规律，实现科学决策、科学发展。近些年来，北京广播影视快速发展，既有很多成功经验值得总结，又有诸多新问题需要探讨。热运作，冷思考，是我们应该持有的态度。令人欣喜的是，北京广播影视系统由于各级领导非常重视调查研究，工作在一线的许多同志也很重视经验总结，取得了很多研究成果，形成了良好的理论研究局面。

《北京广播影视发展研究文集》既有对过去工作的总结和回顾，又有对广播影视未来发展趋势的深入研究，逐渐形成一本具有实践性、战略性、前瞻性、科学性的理论文集。《北京广播影视发展研究文集》将努力帮助北京的广播影视工作者以广阔的世界眼光，把握全球化背景下国际广播影视的发展趋势，深入研究如何将北京打造成东方影视之都，进一步提高国际传播力和全国文化中心地位；以深刻认识广播影视与科技进步密不可分以及广电行业高科技、重装备的特点，深入研究全球广播影视科技创新和应用的新趋势，特别是要深刻认识信息化条件下媒介融合的趋势和特点，研究传统媒体与新媒体融合发展的对策和路径；以深刻认识我国社会思想文化日趋多元多样多变和人们思想活动独立性、选择性、差异性不断增强的新形势，深入研究如何把握形势，迎接挑战，抓住机遇，加快发展，增强广播影视的引导力和影响力，努力打造中国特色社会主义先进文化之都，使北京成为充满人文关怀、人文风采和文化魅力的城市。

在此次征稿过程中，编辑部共收到来自北京市广播电影电视局机关各处室、局属各单位，中国电影博物馆，北京广播电视台，各区县广播电视中心等单位的文稿 141 篇，总字数约 75 万字。衷心感谢大家的踊跃投稿，但由于篇幅有限，在编辑过程中，尽管我们已对《文集》2012 年版进行了扩容，仍然无法将所有文章全部入选，万望读者谅解。

2012 年《北京广播影视发展研究文集》即将出版。文集从策划到启动，从材料征集到审稿把关，凝聚着系统内许多同志的智慧和心血。在此一并表示由衷地感谢！

《北京广播影视发展研究文集》编辑部

2013 年 1 月